재벌X형사 상권

김바다 대본집

Flex X Cop

너와숲

Flex + Cop

김바다 대본집

전 앞으로 모든 자산을 이용해서
범인을 잡을 거예요

재벌X형사

상권

너와숲

작가의 말

어린 시절, 드라마 방영 시간이 되면
온 식구가 TV 앞에 모여 앉아 기다리던 생각이 납니다.
숨죽이고 주인공들의 대화를 들으며 함께 울고 웃고 감동하고
때로는 마음이 아파 잠 못 들던 밤도 많았습니다.
그때 드라마는 제게 멋진 환상이고 닿을 수 없는 꿈 같았어요.
세월이 흘러 제가 드라마 작가가 되었다는 사실이 아직도 믿기지 않을 때가 있는데
대본집이 나온다고 하니 정말 감개무량합니다.

<재벌×형사>를 집필하면서 제 목표는 하나였습니다.
이 드라마를 보는 분들이 힘들고 지친 일상 속에서
잠시라도 아무 생각 없이 즐거웠으면 좋겠다,
보고 나서 기분 좋게 잠들었으면 좋겠다.
제가 어린 시절 드라마를 통해 느꼈던 그 만족감을 드리고 싶었습니다.
그 마음이 조금이라도 전달되었다면 더 이상 바랄 게 없습니다.
그것이 제 보람이고 기쁨이니까요.

부족한 작품이지만, 넓은 아량으로 이해해 주시고
즐겁게 시청해 주신 여러분들께 감사드립니다.

또한 열정과 노력으로 캐릭터를 완성해 주신 배우님들께 감사드립니다.
각 사건에서 피해자 혹은 살인자의 역할을 기꺼이 해 주신 배우님들도 감사합니다.
편안하게 작업할 수 있도록 배려해 주신 이옥규 CP님, 신인수 대표님, 장원석 대표님,
멋진 작품을 만들어 준 김재홍 감독님, 행복한 현장을 만들어 준 모든 스텝분들께도
이 자리를 빌어 다시 한번 감사드립니다. 여러분을 만난 건 행운이었어요.

열심히 쓰겠습니다. 감사합니다.

작가 김바다

인물 관계도

이수의 가족
진명철
이수의 아버지, 한수 그룹 회장
조희자
명철의 아내
진승주
이수의 형, 한수 그룹 부회장
진이수
한수 그룹 막내아들, 강력 1팀 팀원
· 이수의 비서
최정훈
이수의 비서, 한수 그룹 명예 이사
강하경찰서
강력 1팀
· 이수의 친구
왕종태
국민자유당 3선 의원
김영환
이수의 친구, 영화 제작사 대표
황성구
강하경찰서 서장

강하경찰서
강현의 가족
이강현
강력 1팀 팀장
고미숙
강현의 어머니
이영준
강현의 아버지
최경진
강력 1팀 팀원
박준영
강력 1팀 팀원
윤지원
국립과학수사연구원 부검의
박찬건
강하경찰서 형사과장
안병식
강하경찰서 강력 2팀 팀장
이기석
SBC 탐사보도부 기자

진이수 안보현

한수 그룹 막내아들, 재벌 3세.

노는 데 목숨 건 금수저

어마어마한 재력과 전방위로 뻗은 인맥, 한수 그룹의 모든 자원을 이용할 수 있는 능력을
창의적으로 노는 데만 쓰는 이 시대 최고의 한량.

스카이다이빙부터 헬기 조종사까지 온갖 자격증을 가지고 있고 상어 떼 속에서 다이빙하고,
레이싱 선수와 경기를 즐기는 스릴 매니아이며 수많은 팔로워를 가진 SNS 스타.

그런 이수가 사건에 휘말려 하루아침에 경찰이 됐다!
귀찮고 재미없을 거 같고 관심도 없었는데 형사들이 은근히 무시하며 도발하는 바람에
이수는 보란 듯이 사건을 해결해 버린다.
그리고 오랜만에 뿌듯한 감정을 느낀다.
아무리 열심히 놀아도 느낄 수 없었던 만족감, 보람이다.
점차 수사에 진심이 되는 이수.
노는 데 쓰던 능력들을 수사에서 펼치며 신나게 범인을 잡자,
무의미했던 그의 인생에 의미가 생기기 시작한다.

그렇게 진짜 경찰이 되어 가던 어느 날,
이수는 어두운 과거의 비밀과 맞닥뜨리게 되는데….

이강현

강하경찰서 강력 1팀 팀장.

박지현

수사에 목숨 건 형사

경찰이라는 자부심과 책임감이 강한 워커 홀릭.
피해자의 마음을 헤아리며 수사에 진심을 다하는 베테랑.
취미도 없고, 연애도 안 하고, 첫 체포가 첫 키스보다 짜릿했다는 천생 형사다.
오랜 세월 경찰 생활을 한 아버지를 존경해 어린 시절부터 꿈이 경찰이었다.
경찰이라면 지긋지긋하다는 엄마의 만류에도 불구하고 경찰대에 들어갔고,
강력계에 들어온 지 3년 만에 악성 수배범 34명을 잡고 1계급 특진. 경감이 됐다.

짧은 경력에 팀장을 달았으나, 아버지가 뇌물 수수 혐의로 파면당하면서
선배 형사들의 질투와 혐오를 꿋꿋이 버티고 있다.
언젠가는 자신의 힘으로 아버지의 누명을 벗기겠다는 각오로.

그런 그녀 앞에 재벌 3세가 낙하산으로 떨어졌다!
귀찮고 신경 쓰이는 이수를 어떻게든 쫓아내려고 했는데,
이 녀석이 생각지도 못한 방식으로 사건을 해결해 버린다.
자존심 상하게도 자꾸 신세 질 일이 늘어간다.

게다가 진이수, 점점 진심이다.
이게 아닌데 하면서도 점차 이수의 페이스에
말리기 시작하는 강현.
그게 그리 나쁘지 않다.

강하경찰서 사람들

박준영 강상준

강하경찰서 강력 1팀 팀원.

차분하고 이성적인 성격.
흑과 백, 선과 악, 내 편과 적을 확실히 가르고 그 기준에 따라 움직인다.
감정에 흔들리지 않고 범죄자는 범죄자일 뿐이라는 단호한 태도를 갖고 있다.

듬직하고 다정한 강현의 베프.
언제나 강현에게 든든한 버팀목이자 지원군이다.
강현과는 경찰대 동기로, 마음이 잘 맞는 오랜 친구.
수사를 하면서 서로 눈만 마주쳐도 무슨 생각인지 안다.

그런데 철없는 재벌 3세가 형사랍시고 나타나더니
강현의 파트너 자리를 노리기 시작한다.
그게 영 못마땅하다.

최경진 김신비

강하경찰서 강력 1팀 팀원.

머리도 좋고 센스도 좋은데 깊이 생각을 안 한다.
시키는 일은 열심히 하는데 실수가 잦고 어리바리한 느낌도 있다.
눈치가 없는 건지, 일부러 그러는 건지, 하고 싶은 말은 다 하고 산다.
2년 된 여친과 꽁냥거리느라, 셀럽들 피드에 '좋아요' 누르느라 업무에 지장이 좀 있다.
물론 이수의 팔로워.
좋아하는 거 많고, 그걸 다 표현해야 하고 자기 욕망에 충실하다.
일이 사생활을 침해하는 걸 정말 싫어한다.
야근과 잠복, 너무 싫다.
제일 한가한 부서가 어디인가 연구 중. 언제든 튈 생각이었는데,
이수가 팀으로 들어오면서 뭔가, 사는 게 재미있어졌다.

황성구 강하경찰서 서장. 김병춘

경찰로서의 사명감은 잊은 지 오래. 옹졸하고 비겁하다.
은퇴를 앞두고 있어서 작은 바람에도 몸을 사린다.
대충 넘어가고, 조용히 사건을 종결하는 게 최선이라고 생각하는데,
자꾸 사건을 키우는 강현이 언제나 눈엣가시다.

박찬건 강하경찰서 형사과장. 이도엽

자부심 강한 원칙주의자.
어떤 상황에서든 옳고 그름을 확실히 따져 공명정대하게 움직인다.
강현의 아버지가 사수였다.
존경했던 선배가 뇌물 수수 혐의로 파면되자 배신감마저 들었고,
그 영향으로 강현을 싫어한다.

안병식 강하경찰서 강력 2팀 팀장. 김결

연차로는 강현보다 한참 선배지만 7년 차 만년 경위다.
나이도 어린 강현이 실적 올리는 꼴이 보기 싫다.
틈날 때마다 강현을 괴롭힌다.

이수네 가족

진명철 장현성

한수 그룹의 회장.

타고난 안목과 영민한 머리로 젊은 나이에 여러 형들을 제치고 회장 자리에 앉았다.
현재 한수 그룹은 전자, 물류, 제약, 화학 등의 계열사를 거느리고 있다.
자수성가한 아버지로부터 권위적이고 강압적인 교육을 받은 명철은
자식들에게 엄하고 무뚝뚝한 아버지다.
부하 직원들에게는 예의가 바르지만, 쉽게 곁은 주지 않고
내 사람이 아니다 싶을 때는 냉정하게 내치는 보스다.
그런 명철에게 가장 큰 골칫거리는 이수다.
이수는 늘 방황하며 사고를 쳤다.
명철은 회사 일에 관심 없이 놀기만 하는 이수에게 실망하다 못해 포기한 상태.
시장 선거에 출마한 명철에게 이수가 찬물을 끼얹으면서
부자 관계는 돌이킬 수 없게 되고 마는데….

진승주 곽시양

이수의 형, 한수 그룹 부회장.

명민한 머리와 부드러운 카리스마를 갖춘 차기 한수 그룹의 회장.
누구에게든 젠틀하고 반듯하다. 외강내유 스타일.
이수에게는 세상에서 가장 가까운 친구이자 형제.
승주는 이수가 뭘 하든 언제나 응원해 주고,
명철과 대립할 때는 중재를 해 주는 지혜롭고 속 깊은 형이다.
하지만 일을 할 때의 승주는 전혀 다른 모습을 보인다.
감정을 배제하고 냉철하게 능률과 성과만을 생각하고,
몇 수 앞을 내다보며 두뇌 회전이 빠르고 능수능란한 지략가.
그게 승주다.

최정훈 김명수

이수의 비서, 한수 그룹 명예 이사.

선대 회장이 아꼈던 인물로 한수 제약의 대표를 역임했다.
4년 전, 은퇴를 하려던 정훈에게 명철은 방황하는 이수를 맡아 달라고 부탁했고
현재 은퇴를 미루고 이수의 곁을 지키고 있다.
마치 배트맨의 알프레드처럼 모든 것을 챙겨 주고 수많은 정보를 찾아 주는 정훈은
세상에서 가장 이수를 잘 아는 사람이다.
어떤 일에 휘말리든, 어떤 사고를 치든, 이수를 보호하고 지켜 준다.
어쩌면 이수가 바라는 아버지상이 정훈일지도 모른다.
그 따뜻함 덕분에 이수는 이제까지 잘 버텨 왔다.

언제나 인문학 서적을 끼고 사는 로맨스 그레이,
세련된 패션 감각을 지닌 멋쟁이.

조희자 전혜진

진명철의 처.

산업자원부 장관 집안의 딸.
명철과 정략결혼을 했다.
곱게 자란 갑질의 여왕. 분노 조절 장애에 알코올 중독.
손아랫사람은 누구든 한 번씩 따귀를 맞은 적이 있다.
업다운이 심하고 제멋대로라 기분 맞추기가 고역인 인물.
아들인 승주에게는 둘도 없이 자상하고 따뜻한 엄마이지만
친자식이 아닌 이수에게는 분노의 화신.

강현네 가족

이형준 권해효

강현의 부, 과거 강하경찰서 형사과장.

속이 깊고 따뜻하며 올바르다.
강력계에만 삼십여 년을 있었던 베테랑 형사였지만
일 년 전, 누명을 쓰고 경찰 생활을 접어야 했다.
이제 긴 시간 고생한 아내를 위해,
좋은 형사가 되고자 애쓰는 딸을 위해 살고자 한다.
본래 서예를 좋아해서 글을 썼었지만, 글이 싫어져서 사군자를 배우고 있다.
작은 텃밭에서 야채를 키우며 평온한 삶을 사는 중이다.

고미숙 윤유선

강현의 모, 가정주부.

귀여운 속물. 참견 많은 동네 통장.
형사 남편을 둔 죄로 무슨 일이든 혼자서 다 처리하고 외로운 척 한번 없이 30년을 버텼다.
젊었을 때는 범인 잡는다고 집에 들어오질 않더니
퇴직하고 집 안에 들어앉아 늙어 가는 남편을 보면 속이 상한다.
어떻게든 나가서 뭐든 했으면 좋겠어서 들들 볶는다.
강현이가 좋은 사람 만나 결혼하는 게 소원인데, 앞집에 이수가 이사 와서 신이 난다.

그 외 등장인물

윤지원 정가희

국립과학수사연구원의 부검의.

고혹적인 외모에 우아한 옷차림. 고상한 말투의 소유자.
살았건 죽었건 오로지 사람 몸에만 관심이 있는 괴짜.
살인의 과정이나 상처를 설명할 때 살인자로 빙의해 그 행동을 직접 보여 주는 취미가 있다.

김영환 최동구

이수의 중학교 친구, 영화 제작사 대표.

중학교 시절에 이수를 처음 만났다.
집안의 사업이 망하면서 미래가 불확실해지자, 영환은 돈을 노리고 이수의 친구가 되었다.
외롭고 위태로운 이수의 마음을 이용해 돈을 융통하고 호화롭게 사는 중이다.

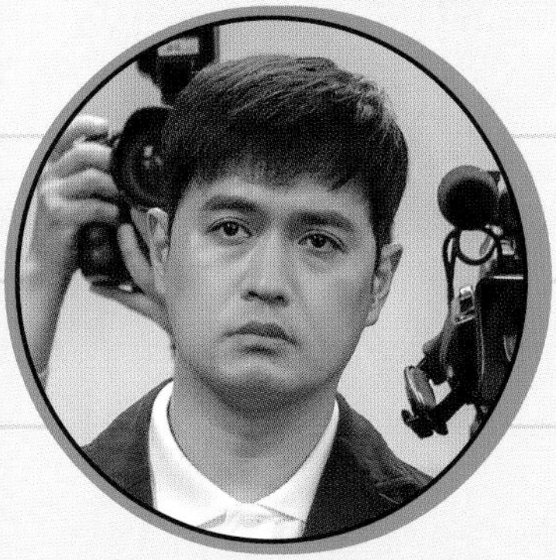

이기석 서동원

SBC 탐사보도부 팀장.

특종을 위해서는 무슨 짓이든 할 수 있는 두뇌 회전이 빠르고 이기적인 속물.
사적인 감정은 없다. 팩트는 팩트일 뿐.

왕종태 장혁진

국민자유당 3선 의원.

약삭빠른 기회주의자. 비열할 만큼 자기 잇속을 챙긴다.
국회의원을 3선까지 할 수 있었던 이유는 단 하나, 네거티브 전략이다.
이번에는 진명철의 상대 진영 후보로 서울시장 선거에 출마했다.

CONTENTS

ep.01

넌 경찰이 될 거야

1. 도로, 밤

안개 낀 좁은 도로 위, 달리는 택시.
차 안의 이수, 굳은 얼굴로 안개를 보는.

이수 NA 누구든… 각자의 인생에서 풀어야 할 숙제가 하나씩 있다고 한다.

이윽고 길이 끝나는 곳에 차가 멈추고.
이수, 내린다.
멀리 외진 곳에 위치한 작은 별장이 보인다. 그 옆으로는 호수, 혹은 강.
그곳을 향해 걸어가기 시작하는 이수….

이수 NA 나는… 그 말을 믿지 않았다. 의미 없이 사는 것도 나쁘지 않았으니까.

별장을 향해 안개 속으로 걸어가는 이수.

2. 별장, 밤

#현관

육중한 현관문 앞에 선 이수.

이수 NA　　하지만 이제 내 인생에… 질문이 던져졌다.

문을 밀고 들어가는 이수….

#복도

이수, 어둡고 긴 복도를 걸어간다.

굳은 얼굴. 꽉 쥔 주먹….

이수 NA　　나는 지금… 그 답을 찾으러 간다….

#거실

거실로 들어선 이수.

벽난로에 장작이 타고 있고, 그 앞에 남자가 등을 지고 서 있다.

가운을 입은 남자는 불을 바라보고 있다.

그를 바라보는 이수. 일그러진 얼굴…

남자 서서히 돌아서는데… '쾅-' 소리와 함께 암전.

3. 이수의 빌라, 오후

<자막: 2개월 전.>

#거실

이수의 집 안이 소개된다. 전망 좋은 거실.

모던한 가구들 사이 곳곳에 독특한 물건들이 배치되어 있다.
벽에는 서핑 보드가 서 있고, 한쪽에는 승마용품. 레이싱용 장식품들, 진열장에는 최고가의 드론들. 벽에는 헬기 시점의 사진.
그리고 바다 바닥에 선, 프리다이빙을 하는 이수의 고요한 사진.

부엌에서는 도우미가 과일즙 내리고.
최정훈 이사(남, 나이 지긋한, 품격이 흐르는 멋쟁이), 우아하게 도우미에게 인사하며 들어와서 주스를 들고 들어간다.

#침실
바닥에는 스쿠버 장비들 쏟아져 나온 열린 트렁크.
탁자에는 사진 액자. (햇빛 사이로 웃고 있는 여자의 모습. 앙각. 여자는 젊은 미인으로 마치 이수의 애인 같은 느낌이 있다. - 이수의 엄마임)
액자 뒤로 등대가 들어 있는 오르골 워터 볼.
거대한 침대에서 이불 둘둘 말고 자고 있는 이수. (안대, 실크 잠옷)
최 이사가 주스 '탁' 내려놓으면 눈 뜨고, 편안한 미소.

이수 아저씨….

최 이사가 주스 내밀면, 눈 감고 마시는 이수. 잔 다시 주고.

이수 (핸드폰 찾아 인스타 열고) 이거 봤어요?
최 이사 (보면, 상어 떼 사이에서 플라이보드 혹은 전동 보드 타는 이수 영상)
이수 (미소) 죽이죠?
최 이사 (미소) 네, 죽입니다.
이수 (하품하면)

최 이사 (다정하게) 어제도 못 잤어요?

이수 (피곤하고) 잠이야 뭐… 맨날 그렇죠. 몇 시에요?

최 이사 (암막 커튼 열면서) 여섯시입니다. 두 시간 뒤에 경영전략회의에요.

이수 에? (하며 보는데, 양복 세트 맞춰 옷걸이로 서 있고)

최 이사 (미소) 경영전략실장님이 가야겠죠?

이수 아… 더 잘래. 못 간다고 하세요.

다시 이불 둘둘 마는 이수를 잠시 보는 최 이사. 뭔가 한마디 할까 하다 말고 암막 커튼을 다시 쳐 준다.

4. 한수 그룹 전경, 밤

거대한 한수 그룹 본사 외경.

5. 한수 그룹, 밤

#대회의실

<2024년 한수 그룹 경영전략회의> 붙어 있고, 각 자리에 음료와 이름표를 놓는 직원들. 그 가운데 회장 진명철, 부회장 진승주, 경영전략실장 진이수의 이름도 있다.

#로비

들어서는 진명철(60대)과 진승주(39) 뒤로 임원들, 비서들. 로비 근방의 모든 직원들 멈춰 서서 인사하고, 보지도 않고 걸어가는 명철, 따르는 승주.

#대회의실

임원들, 자리에 앉았고, 명철은 비어 있는 이수의 자리를 못마땅한 듯 본다.
승주, 이수에게 문자 남긴다. <진이수, 너 어디야?!>

6. 이수의 빌라, 밤

#침실
자고 있는 이수, 부재중 문자, 부재중 수신 내역 뜨고 사라지는 핸드폰.
순간, 사이렌이 울리며 핸드폰에 <긴급> 뜬다.
번쩍 눈 뜨고 확인하는 이수.

INSERT. *핸드폰 화면*
문자. <납치 사건 발생, 22시까지 현장으로 집결!>
밑으로 번호 없는 승합차 CCTV 사진, 피해자 정보, 사건 현장 지도 뜬다.

눈빛 바뀌는 이수, 벌떡 일어나 화장실로 가고.

#화장실
샤워하는 이수.

#거실
소파에 느긋하게 앉아 두꺼운 인문학 서적 읽고 있는 최 이사.

이수 (샤워 가운 입은 채) 사건이에요!

지나가면 보는 최 이사. 무슨 일인지 알겠고. 책을 '탁' 덮고 일어나는 최 이사.

#드레스 룸

어마어마한 규모의 드레스 룸.
고가의 양복들 사이로, 헬기 조종사복, 레이싱복, 스쿠버용 복장들 즐비하고.
각종 헬멧도 있다. 이수, 경찰 특공대 옷을 찾아서 입기 시작하고.
뒤이어 들어온 최 이사가 이수를 돕는다. '착- 착-' 옷 입고 보호 장비 차고.
방탄조끼 입고, 자동 소총 비스듬히 차고, 헬멧 들고 나간다.

#현관

현관에 줄줄이 걸려 있는 차 키.
BMW 키 '탁' 골라 들고, 나가는 이수. 따르는 최 이사.

#주차장

여러 대의 슈퍼 카 늘어섰고, BMW 바이크 몰고 나가는 이수.

최 이사 (지켜보다가 통화) 지원 팀 대기시키세요.

7. 도로, 밤

질주하는 이수의 바이크, 상기된 이수의 얼굴.

8. 주차장, 밤

어두운 주차장 입구로 '부아앙~' 들어와서 코너링하며 거칠게 바이크를 세우고 급히 내리는 이수, 군화 스타일의 신발.
사방을 경계하며 인이어 낀다.

이수 (빠른 걸음으로 이동하면서, 무전) 상황 보고.

무전(영환) 납치범들은 총 열한 명. 최상층에 VIP가 있다.

INSERT.

카메라 위로 올라가면서 각 층의 곳곳에 있는 범인들의 몽타주가 스친다. 마지막으로 달려가는 곳은 VIP 라운지. 그곳에 여자가 바닥에 묶여 있고, 총을 든 두 명의 납치범들이 지키고 있다. 여자의 맞은편에 앉은 두목까지. 빠른 컷으로 보이는 스케치.

이수, 이동하는 사이 인서트가 교차된다.

9. 문 닫은 백화점, 밤

#넓은 계단

어두운 내부, 밖에서 들어오는 빛이 어슴푸레 실내를 비춘다.
위로 이동하는 이수, 뭔가 느끼고 기둥 뒤로 숨고, 다시 나오면서 코너에 숨어 있던 범인을 발견, 머리를 쏴 버린다. 범인은 벽에 머리를 부딪히고 쓰러진다. 총알이 튀기며 천장의 조명이 깨져 떨어진다.
표정 없이 쓰러진 놈을 지나 경계하며 걸어가는 이수.

#명품관

명품관을 빠르게 이동하는 이수. 이제야 이곳이 문 닫은 백화점이라는 게 밝혀진다. 모든 조명이 꺼진 명품관은 평소와는 전혀 다른 분위기다.

#복도

거대한 LED 스크린에서 파도가 밀려오는 복도.

그곳을 걸어가는 이수, 뒤로 특공대원들이 하나둘 합류하여 (총 여섯 명) 파도를 헤치고 걸어가는데, 앞에서 총알이 튀어나온다. 한 명 맞고 쓰러진다. 엄폐하고 응사하며 앞으로 전진하는 특공대. 범인 둘 쓰러지고, 그 위를 넘어 걸어가는 특공대원들.

#주얼리 코너

잔뜩 긴장한 특공대원들 다섯. 순간, 어느 진열대 뒤에서 두 명이 나타나 난사한다. 특공대 하나 쓰러지고, 이수와 영환은 은폐하고 놈들을 쏜다. 박살나는 보석 진열장들. 쓰러진 놈들을 확인하고 전진하는 대원들.

#일각

여러 매장이 있는 복도를 걸어 엘리베이터 앞으로 이동하는 특공대.
엄폐하고 있던 범인들이 곳곳에서 나타나 사방에서 공격을 해 온다.
바닥을 슬라이딩하며 몸을 숨기고, 응사하는 특공대.
범인들 모두 쏘고 나면 특공대원 둘 죽어 있고, (피 한 방울 없이)
영환과 이수만 엘리베이터에 오른다.

#엘리베이터 안

이수와 영환, 서로를 본다. 긴장한 얼굴, 식은땀 흐르는.

#라운지

여자, 묶여서 쓰러져 있고, 범인들 올라오는 엘리베이터를 보고 있다.
문이 열리자마자 총을 쏘는데, 뒤편 계단에서 나오는 이수와 영환, 각각 한 명씩 처치한다. 이수, 천천히 여자 쪽으로 걸어가고, 영환은 뒤편을 경계하는데, 어둠 속에서 두목이 나타나 영환을 쏜다. 쓰러지는 영환, 뒤돌며 분노한 얼굴로 두목을 쏘는 이수.

(이곳은 문 닫은 백화점이다. 거대한 홀과 기하학적인 창문, 유리로 된 바닥, 푸드 코트, 최고급으로 꾸며진 라운지 등의 이미지를 이용하여 빠른 컷으로 이수의 액션이 펼쳐진다. 이수는 그곳에서 진짜 작전을 펼치는 것처럼 서바이벌 게임을 하는 것이다)

이수, 여자를 부드럽게 일으키고 손목의 끈을 끊어 준다.

이수 괜찮아요?

여자 (미소) 재밌었어요.

이수, 일어서서 신사처럼 손을 내민다. 여자가 그 손을 잡고 일어서면, 여자에게 곁에 놓여 있던 외투 걸쳐 주며.

이수 (무전 하는) 인질 구출 완료.

#백화점 곳곳

불이 켜지며, 곳곳에서 쓰러져 있던 인질범들과 특공대원들이 일어난다.

#주얼리 코너

백화점 직원들 몇, 깨진 진열장과 난장판인 바닥을 보고 있는데, 뒤에서 최 이사 들어온다. 부드러운 미소로 명함을 내미는 최 이사.

최 이사 피해 상황은 같이 확인하시죠. 세 시간 안에 정리될 겁니다.

최 이사 뒤를 돌아보면, 복구 팀이 각종 장비와 유리, 전구들 끌고 들어오고 있다. 한편에서 환호하는 소리 들려 돌아보는 최 이사와 백화점 직원.
총 맞은 데 보여 주며 시끄럽게 나가는 이수 일행. 이수는 여자를 에스코트

하고 있다.

직원 재벌들은 저렇게 노나 봐요?

최 이사 (밝은 얼굴의 이수 보면서) 저분이 좀 특별하죠. 노는 데 목숨을 걸었거든요….

일행들과 웃으며 나가는 이수에서.

10. 골목, 밤

꼬마 빌딩들이 있는 복잡한 골목. 전속력으로 뛰어가는 남자의 다리. 쫓기는 사내가 돌아보면.

준영 거기 서! 오병수!

소리치며 그 뒤를 쫓는 박준영(강현과 동갑, 직급은 경위), 최경진(27세 막내, 직급은 경장)의 모습이 스친다. 하지만 엄청 잘 뛰는 오병수, 멀어지고…
준영과 경진은 숨이 턱까지 차서 악으로 뛰는데, 뒤에서 '빵!' 클랙슨 울리고.
준영과 경진이 돌아보면, 낡은 SUV 등장한다. 앞뒤 범퍼는 찌그러져서 곧 떨어질 판이고, 문짝에 긁힌 자국이 가득한 흡사 범퍼카 같은 차를 운전하고 있는 강현(강력 1팀장, 직급은 경감)의 모습이 슬로우로 보인다.
준영과 경진이 보는 가운데, '휙' 지나가는 강현의 차. 멀어지고….

뛰어가던 오병수가 돌아보면 돌진해 오는 강현의 차.
화들짝 놀라 아무 방향이나 꺾어 들어가는데, 건물로 막힌 막다른 골목이다!
오병수가 다시 나오려는데, '휙' 방향 꺾어 들이닥치는 강현의 차! 차 한 대 겨우 들어갈 좁은 골목에 앞 범퍼 박으며 사선으로 차를 세우는 강현! 골목에 차가 꽉 찼다. 멈칫하는 오병수. 강현, 문 열고 내려 수갑 꺼낸다.

강현 오병수, 강도 살인 혐의로 체포한다. (다가가는데)

오병수가 칼을 꺼내 휘두른다. 물러서며 피하는 강현. 열 받아 굳은 얼굴.

강현 (차분, 근엄) 칼 버려. 칼! 버려!

병수 (휘두르며) 뭐, 씨! 어쩔 건데? (휙- 휙)

강현, 차분히 보며 한숨 쉬다가 뒤춤에서 테이저 건 꺼낸다.

강현 셋 센다.

병수 (당황하며 버리려고 하는데)

강현 (빠르게) 셋, 둘, 하나. (바로 쏴 버린다)

테이저 건 맞고, 픽 쓰러져 기절하는 오병수. 가서 맥 짚고 차 안에 테이저 건 충전기에 꽂는 강현. 뒤이어 달려온 준영이 차 위를 뛰어넘고, 경진도 슬라이드 해서 넘어온다. 기절한 오병수 보고 놀라는 경진과 준영.

경진 (허걱) 차로 쳤어요?

강현 ('내가 그랬겠니.') 아~ 니!

준영 (강현을 보면)

강현 테이저 한 방 쐈어. 어디 경찰한테~

강현, 바닥에 떨어진 칼을 '툭' 발로 멀리 차면.

CUT TO

오병수, 정신을 차리고 눈을 뜨면, 강력 1팀 모두 쪼그려 앉아 오병수를 내려다보고 있다. 흠칫 놀라는 오병수.

강현 (서늘) 공범 어딨어?

병수 (온몸이 아프고, 울상) 몰라요….

강현 (차 안에 충전 중인 테이저 건을 가리킨다)

충전 끝나기 전에 불어. 아님 또 쏜다.

병수 (공포, 준영을 살려 달라는 듯 보는데)

준영 쏠 거야. 우리 팀장은 범인 잡는 데 목숨 걸었거든.

경진 (옆에서 끄덕끄덕)

오병수가 겁에 질린 얼굴로 테이저 건을 보고… 1팀도 보는데…

주황색이던 불이 '탁' 초록으로 바뀐다. 일어나 테이저 건을 빼 드는 강현.

병수 (벌떡 일어나며) 저도 몰라요!

강현 사람이 셋이 죽었어. 뭘 몰라?

병수 그 형님이… 누군지도 몰라요. (횡설수설) 감방 동기가 소개해 준 일인데… 빈집이라고 들어갔는데… 사람 있다고 다 죽이고. 저도 무서워서 도망쳤다고요!

강력 1팀 (진위를 가늠하며 보는)

강현 전화해, 만나자고.

오병수, 갈등하는데 강현 테이저 건 들어 보인다.

급히 전화를 거는 오병수. 오병수의 핸드폰 "미친 새끼"에서.

11. 강하경찰서 전경, 밤

12. 강력팀 몽타주, 밤

#오병수를 끌고 들어오는 1팀, 주위로 사무실 전경 보인다.
1팀과 2팀이 함께 하는 공간으로 파티션으로 나뉘어 있다.
1팀 공간은 책상 네 개, 마주 보는 식으로 배치되어 있고, 한쪽에는 회의용 테이블, 그 주변으로 커다란 보드 판, 구석에는 철제 캐비닛들.
벽에 붙은 족자, 멋들어진 필체로 <따뜻하게 보호하고 공정하게 집행한다>
(경찰 헌장, 경찰 다짐 중 일부)

#화이트보드, 사건의 현장 사진들 (핏자국, 엉망이 된 집안, 남겨진 오병수의 지문, 버려진 흉기 등등) 오병수의 머그샷.

#테이블 위로 지도 펼치는 경진. 주변에 선 1, 2팀들.
그들을 보면서 지도 짚으며 잠복 위치 설정해 주는 강현.
(강현을 보는 2팀들의 시선 곱지 않다)

#몽타주 전문 경찰 앞에서 설명하는 오병수. 모니터 안에서 완성되어 가는 범인의 얼굴에서.

13. 맥줏집과 골목 곳곳, 밤

#맥줏집 안
누군가의 핸드폰에 떠 있는 용의자의 몽타주. 밤 열두 시의 시계.
핸드폰에서 시선을 드는 건, 준영이다. 맞은편에는 경진.
손님인 척 앉아 주변을 보고 있다. 시선 끝에, 초조하게 앉은 오병수.

#맥줏집 밖

창밖으로 보이는 오병수, 손톱 물어뜯으며 다리 떨고. 그 모습에서 날아가며 뒤로 멀어지는 카메라. 골목 끝의 편의점에 강력 2팀장(안 팀장)과 팀원 1.

#반대 골목 끝

카메라 다시 날아가면, 골목에 주차된 차량 안의 강력 2팀원 둘.

#일각

고지대, 차량 안 혹은 공원 등에서 은폐하고 내려다보고 있는 강현.
긴장한 강현의 얼굴에서.

14. 클럽 안, 밤

귀를 울리는 음악, 춤추는 사람들 거꾸로 보인다.
이수가 소파에 기대어 천장을 보고 있는 것.
살짝 취한 이수는 무료한 얼굴로 멍하고.
고개를 들어 내려다보면, 보이는 플로어. 춤추는 사람들을 재미없다는 듯 보다가 샴페인을 마시고… 문득 영환을 찾는다. 안 보인다.
자리로 돌아오는 친구에게 영환이 어디 있냐고 묻는 이수, 친구가 고개를 저으면 일어선다. 뭔가 짚이는 게 있다.

15. 클럽 앞, 밤

주차장 입구, 이수가 둘러보며 걸어 나오는데,
밖에 주차된 차 안에 영환이 앉아 있다. 멍한 얼굴.
이내, 표정 굳으며 다가가 차 문을 확 여는 이수.

영환 (이수 보고) 아, 진이수… 부러운 새끼, 너 못 하는 게 뭐냐?

이수 (한숨) 김영환, 너 또…!

영환 왜? 기분 좋은데… (마약 봉지 들고) 너도 한번 할래?

이수, 열 받은 얼굴로, 마약 봉지 집어 던져 버린다.

영환 미쳤어?! 이게 얼마나 구하기 힘든 건데!

이수 (영환 멱살 잡는다) 다시 한번 이 짓 하면 나하고 끝이라고 했지?

영환 너같이 다 가진 새끼가 내 기분을 알겠냐?

이수 (싸늘) 내일 당장 회사 문 닫게 해 줘?

영환 (표정 굳고)

이수, 다가오는 주차 요원에게 팁을 주며.

이수 대리 좀 불러 주세요.

주차 요원 돌아서고… 이수, 영환을 노려보는데,
그때, 이수에게 전화 온다. <형>이다.

이수 (영환에게) 여기 가만히 있어. (전화 받으며 걸어가는) 어 형.

승주 (부회장실, 여태 일한 분위기, 이하 교차)
(화났지만 차분하게) 진이수, 너 어디서 뭐 해?!

이수 어… 어딘가에서 쓸데없는 짓 하고 있지, 왜?

승주 오늘 회의는 참석하라고 했잖아….

이수 코드 제로 사건이 떠서 어쩔 수 없었어. (피식)

승주 (기가 차고) 경찰 놀이 했어?

이수 응, 엄청난 미인을 구했지.

승주 (깊은 한숨, 미치겠다) … 9시간 뒤에 기자 회견이다.

이수 (미소 거두고) 내가 가면 아버지 쪽팔릴 텐데?

승주 이수야… 제발 형 말 좀 들어라.

이수 (가만있다가) … 알았어. 시간 맞춰서 갈게.

승주 그만 놀고 들어가.

이수 알았다고.

이수, 전화 끊고 돌아서는데 영환이 안 보인다.
돌아보면, 길 건너 골목 안쪽에 한 사내와 마주 선 영환이 보인다.
그쪽으로 걸어가기 시작하는 이수. 주차 요원, 이수 쪽을 본다.

16. 잠복 위치, 밤

#강현 위치
강현, 시계 본다. 새벽 두 시.

#안 팀장 위치
못마땅한 얼굴의 안 팀장.

안 팀장 (비웃듯) 이강현이 삽질했구먼. (무전) 언제까지 대기할 거야?

#강현 위치

안 팀장 (무전) 두 시간 지났어. 그 새끼 안 와.

강현 (갈등하는데)

#맥줏집

준영과 경진 앞에 난처한 얼굴로 선 주인.

경진 (무전 하는) 팀장님, 가게도 닫을 시간이라는데요?

#강현위치

생각하던 강현, 결정한다.

강현 (무전) 철수하죠. 선배님들 고생하셨습니다. 준영아, 오병수 데리고 가.

17. 클럽 앞 골목, 밤

이수, 영환과 사내(마스크 쓴)에게 다가가는데.

영환 (담배 들고, 사내에게) 불 있냐고 불~

이수 (다가서며) 뭐야?

날카로운 눈으로 경찰 특공대 옷을 입은 영환과 이수를 번갈아 보는 사내.
뭔가 서늘한 낌새를 챈 이수가 사내를 보는데, 사내가 무표정한 얼굴로 주머니에서 꺼낸 칼을 휘두른다.
놀라 얼굴을 가린 영환의 팔을 긋는 칼. 피가 뚝뚝 떨어지고.
이수, 공격하는 놈의 팔을 막고 발로 차 버린다. 바닥을 구르는 놈.

이수 (영환의 팔을 잡고) 괜찮아?!

손수건을 꺼내 지혈하는데, 주차 요원이 놀라서 뛰어온다.

놈이 달아나자, 주차 요원에게 영환을 맡기고 쫓는 이수.

18. 강현 차량 위치, 밤

강현, 차 문을 열고 타려고 하는데, 옆 골목에서 사내와 이수가 달려 내려와 옆 골목으로 꺾어진다. 심상치 않은 분위기. 차 문을 다시 닫고 그들이 달려간 곳으로 향하는 강현.

19. 막다른 골목, 밤

막다른 골목, 사내를 쫓아온 이수. 사내는 돌아서면서 칼을 휘두르고. 이수는 피하며 옆구리를 주먹으로 갈긴다.
독이 오른 놈이 이수의 목을 노리고 칼을 휘두르는데, 이수는 사이로 달려들어 사내를 무릎으로 친다. 사내, 벽에 부딪히며 칼이 떨어져 안 보이는 곳으로 미끄러지며 들어간다. 이수, 칼을 보는데.
순간, 바닥에 떨어진 쇠파이프를 들어 휘두르는 사내! 이수는 파이프를 잡고 사내를 발로 차 버린다. 빌라 베란다에 머리를 부딪힌 사내가 쓰러진다.
그때, 두 사람을 쫓아온 강현이 골목에 들어선다.
강현의 시선에는 쓰러진 사내가 피를 흘리고 있고, 이수는 쇠파이프를 들고 사내를 보고 있다. 강현이 온 줄 모르고 거친 숨을 몰아쉬며 사내를 보는 이수. 흘러나온 피에 놀라 사내에게 다가서는데.

강현 (달려가서 이수를 발로 차며) 그만해!!

벽에 얼굴을 '퍽-' 부딪히는 이수. 바닥으로 떨어지는 쇠파이프.
강현, 쓰러진 사내를 살핀다. 의식이 없다. 번지는 피. (마스크 때문에 얼굴 식별 불가)

이수, 쌍코피 났고, 기가 막혀서 닦으며 돌아서는데, 강현이 그 팔을 뒤로 꺾어 벽으로 몰아붙인다.

강현 (이수 복장을 보고 헷갈리는) 어디 소속이야? 너 특공대야?!

이수, 기가 막히는데. 강현, 이수 제복의 패치를 잡아 뜯듯 보고.

강현 가짜잖아. 경찰 사칭하는 거야?!

이수 이거 놔!! (몸을 뒤틀며 팔 풀고 마주 서는데)

강현 (놔주지 않고 한쪽 팔에 수갑을 '탁' 채우는)

이수 뭐 하자는 거야? 이거 안 풀어?!

강현, 이수를 잠시 본다. 힘으로는 어렵겠다. 바로 엎어치기를 해서 이수를 쓰러뜨린다. 갑작스런 공격에 정신없는 이수. '으…' 하는 사이 팔을 뒤로 꺾는 강현.

강현 (무릎으로 허리 누르고 수갑마저 채우며) 폭행 현행범으로 체포한다.

이수 (기가 막혀서) 당신 실수하는 거야!

강현 (안 듣고 제 할 말만 한다) 불리한 진술을 거부할 수 있고, 체포적부심을 신청할 수 있으며 변명의 기회가 있다. (이수를 놔주면)

이수 (일어서면서) 변명의 기회는 됐고, 지금 설명을 좀 듣지?

강현 입 다물어! (피해자 살피며 무전하는) 구급차 보내. 폭행 피해자가 있어.

수갑 찬 채 강현을 노려보는 이수. 이수를 노려보는 강현.

20. 강하경찰서 전경, 밤

21. 강력팀 사무실, 밤

강현, 피곤한 얼굴로 방검조끼 벗고, 장비 챙기고 있는데,
준영이 강현에게 다가와서 서류를 내민다.

준영 (삐딱한 미소) 한수 그룹 막내아들이다. 진이수.

강현 ('엥?' 눈썹 구기며 준영을 보고, 서류 반아 여는데)

경진 (듣고 놀라 쪼르르 온다) 진이수요? 우리가 체포한 게 진이수예요?

준영 알아?

경진 그럼요! 셀럽이잖아요.

강현과 준영은 '얘 왜 이러니.' 하는 얼굴인데.
경진, 태블릿PC 열어 보여 준다. 받아서 '휙휙' 넘겨보는 강현.

INSERT. *태블릿에 나오는 이수의 인스타.*
셀럽들과 노는 사진들 나온다. 백종원과 요리하는 사진. 축구 선수와 축구하고 찍은 기념사진. 포커 대회에서 수상하고 돈더미 쌓아 놓고 피스 손가락 한 사진, 박세리와 골프 치고 상어 떼 사이에서 보드 타는 사진.

그 가운데 동영상, 플레이하면 레이싱 경기장에서 슈퍼 카로 영환과 경기하다가 차를 벽에 박는 이수가 보인다. 차량 반파되고…
그 안에서 가만히 앉아 있는 이수.

경진 (흥분) 죽이죠? 대박이죠?

강현 흠… (끄덕이며) 정상이 아니네.

준영 관종이지. 오늘은 백화점에서 서바이벌 게임을 했댄다.

경진 와~~ 쩐다~

준영 쩔어? 넌 또라이가 멋있냐?

경진 또라이래도 재벌 3세면 좋죠. 얼마나 사는 게 재밌을까….

강현 (한심하게 경진 보고, 준영 보고) 뭐래?

준영 코뼈 부러졌대.

강현 (골치 아프게 됐다)

안 팀장 (강현 보다가 팀원들에게) 나가서 맥주나 한잔 하자. (일어서는데)

그때, 속 좁게 생긴 황성구 서장(59세)과 박찬건 형사과장(48세)이 들어온다. 꾸벅 인사하며 돌아서서 강현과 1팀을 보는 2팀들.

서장 (걸어오면서) 이강현이, 너 뭐 하는 새끼야?

강현, 준영 (맘에 안 드는 얼굴로 꾸벅 인사)

경진 (바짝 긴장해서 인사하고 옆으로 물러서는)

서장 살인범 잡으랬더니 왜 한수 그룹 아들을 잡아 와? 어? 코뼈까지 부러뜨리고!

강현 (침착하게) 만취 상태로 행인을 폭행했습니다.

서장 잔말 말고 그냥 풀어 줘. 일 복잡하게 만들지 말고.

강현 (능글맞게) 그럴 순 없죠, 현행범인데요.

서장 (기가 차서 얼굴 들이대고) 뭐 인마? 넌 서장이 우습냐?

준영 (나서는) 체포한 이상 조사는 해야죠. 그냥 풀어 주는 게 더 문제 될 겁니다.

형사과장 (서늘하게) 네가 왜 나서? (강현 보고) 1팀 엉망이다.

준영 (형사과장에게 지지 않고 눈빛 쏘는데)

강현 최대한 빨리 조사 마치고 정리하겠습니다. (넉살 좋게 웃으며) 걱정 마십시오.

서장 (강현 노려보다가) 아휴, 조용히 좀 살자, 왜 일을 만드냐?! (혀를 차며 돌아서고)

형사과장 (마음에 안 드는 듯 강현 보고) … 똑바로 해라.

강현 알겠습니다. 충성! (경례하고)

형사과장이 서장 따라가면서 준영의 어깨를 일부러 치고 간다.
2팀들도 구경 끝났는지 자리를 뜨고, 1팀만 남는다. 눈치 보는 경진.

준영 어떡할 거야?
강현 (생각하며) 글쎄… 어떡할까….

22. 진술 녹화실, 밤

퉁퉁 부은 코에 응급 처치되어 있는 이수, 짜증이 난 얼굴.
강현, 노트북 들고 들어온다. 부라리는 이수.

강현 (비굴하게) 아이, 한수 그룹 아들이라고 말씀을 하시지….
이수 말할 기회는 줬고? (코 아파서 잡고) 고소장 날아올 거니까 기대해라.
강현 … 고생하셨습니다. 이만 가셔도 됩니다. (숙이는)
이수 (강현 째리며 혀를 차고 일어서는데)
강현 (고개 들면서) 이럴 줄 알았지? 앉아!
이수 ??
강현 앉으라고! 재벌 특혜 같은 거 없으니까.
이수 (황당해 엉거주춤 앉는데)
강현 (앉아서 가만 보다가) 코 아프지?
(노트북 펼치며 미소) 우리 빨리 끝내자.
이수 (황당해서 보는)
강현 (노트북 파일 띄워 타자하면서) 이름 진이수. 주민번호 921119….
이수 (삐딱하게 보며) 뭐 하자는 거?

강현 조사하자는 거. (타자하면서) ○월 ○○일 새벽 2시 ○○동에서 행인을 폭행한 사실, 인정?

이수 노인정. 그쪽은?

강현 (보면)

이수 특정범죄가중처벌법 위반 독직폭행, 인정?

강현 (하!) 똑똑하네? 어디서 주워들은 게 많으신가 봐?

이수 형법 125조, 재판, 검찰, 경찰 그 밖에 인신구속에 관한 직무를 수행하는 자가 그 직무를 수행하면서 형사 피의자나 그 밖의 사람에 대하여 폭행 또는 가혹행위를 한 경우에는 5년 이하의 징역과 10년 이하의 자격정지에 처한다.

강현 (입 벌리고 보는)

이수 내가, 변호사 자격증이 있어. 이번 건은 파면까지도 갈 수 있지.

강현 (노트북의 이수 관련 자료 본다)

INSERT. *화면, 변호사 자격증 취득, 2020년.*

강현 재벌 3세가 변호사 자격증은 왜 땄을까?

이수 (피식) 심심해서.

강현 (피식) 독직폭행, 그거 형사들이 제일 무서워하는 건데… 근데 현행범을 제압하는 데 상당한 이유가 있는 경우에도 통할지, 한번 해 봐, 고소해.

이수 (보는데)

강현 처음부터 얘기 좀 해 볼까.
백화점에서 서바이벌 게임을 하고. 클럽에서 술 먹고… 약도 좀 했나?

이수 (정색) 난 약 같은 거 안 해.

강현 그건 검사해 보면 되고.… (이수를 보다가) 이해는 간다.
돈은 많고 할 일은 없고… (점차 서늘하게) 세상에 무서운 것도 없고. 책임 같은 거. 져 본 적도 없지?

이수 (강현을 보다가 기가 차서 피식) 나를 잘 아네… 팔로워야?

강현 경험이지. 너 같은 갑들을 좀 만나 봤거든. 체포해 봤자 기소는 못 했었는데, (미소) 이번엔 될 거 같아.

이수 수사를 이따위로 하니까 기소를 못 하지.
그 자식이 칼을 갖고 있었어. 난 정당방위야.

강현 현장에 칼 같은 건 없었어. 그리고 내가, 돈 있고 빽 있다고 정당방위로 빼 주는 그런 형사님이 아니야.

이수 내가 돈도 있고 빽도 있는데, 이번 건은 정당방위가 팩트야. 그놈이 칼을 휘둘러서 내 친구가 다쳤거든. (핸드폰 꺼내 전화하는) 확인해 봐.

테이블 위로 강현에게 전화기를 미는 이수.

영환 E 여보세요? 이수야?

미심쩍게 이수를 보던 강현이 전화를 든다.

강현 강하경찰서 강력 1팀장 이강현입니다.

이수 (강현을 보는, 영환의 목소리는 들리지 않는다)

강현 진이수 씨가 폭행 사건으로 현행범 체포됐습니다. 피해자가 칼을 들고 있었고, 친구 분이 칼에 찔렸다고 하는데, 사실입니까?

이수 (자신만만하게 보고)

강현 (이수를 표정 없이 보며 듣는… 전화 끊고) 그런 사실… 없다는데?

이수 (놀라 굳고)

강현 친구가 거짓말은 못 하겠나 봐. 뒤통수 좀 아프겠다? (핸드폰 밀면서) 전화해.

이수 (보면)

강현 연봉 비싼 변호사들 불러야지.

이수 (굳은 얼굴로) … 필요 없어.

강현 (의아해 보면)

이수 난 잘못한 게 없으니까.

서로 보는 이수와 강현에서.

23. 유치장, 밤

플라스틱 박스에 핸드폰, 지갑, 고급 시계 넣는 손.
유치장 경찰(이하 박 경장) 앞에서 소지품을 풀어 넣고 있는 이수다.
박 경장, 경찰 특공대 복장의 이수를 삐딱하게 보면서 몸수색하고.

박 경장 (무표정, 사무적) 신발 벗으세요.

이수, 한숨 푹 쉬며 신발 벗어 박스에 넣고 보면.

박 경장 양말 벗으세요.

이수 양말(까지) … ?

박 경장 절차입니다. 벗으세요.

이수, 뭐라고 반항하려다가 무뚝뚝한 박 경장 표정에 그냥 벗고…
박 경장, 이수 몸수색한다.

이수 내가 목이 말라서 그러는데 아아 한 잔 부탁합시다.

무표정으로 보는 박 경장.

CUT TO

이수, 속상한 얼굴로 유치장 안에 서 있고, 박 경장 철창을 '탁' 닫는다.

이수, 한숨을 쉬며 유치장 안을 보는데, 취객, 깡패, 노숙자 여기저기 누워 있고, 한쪽에는 누가 토해 놨고.

이수 아, 여기 누가 토를 해 놨네… (철창 잡고) 누가 토했다고요!

안 들리는 척 제 일 하는 박 경장. 이수는 손 떼는데 철창에 껌 붙어 있었고, 손에 붙어 쭉 늘어나고. 최악이다… 어디 앉을 엄두도 안 나고, 괜히 여유로운 척 벽에 기대선다. 묘하게 모델 같다.

24. 강하경찰서 일각, 밤

경진, 여자 친구와 조용히 통화 중.

경진 오늘 우리 팀이 누구 잡았는지 알아? 아이, 이거 비밀이라 말은 못 하겠고, 아주 엄청난 인물이 잡혔다고. 아이, 말하면 안 돼.

경진이 통화를 하며 걸어가는데, 뒤에서 이기석 기자(남, 38세)가 스윽 나타난다. 생각을 하며 경진을 보는 이 기자. '누굴 잡았다는 거지?'

25. 로비 - 유치장 앞, 밤

#로비

들어서던 이 기자, 유치계 박 경장을 발견한다.

박 경장이 지나가면 따라가는 이 기자.

#유치장 앞

박 경장이 문을 여는 찰나, 이 기자가 다가선다.

이 기자 (반가운 척) 박 경장, 결혼 준비는 잘 돼?

박 경장 ('웬 반가운 척?') 아, 이 기자님….

이 기자 지옥문 들어가기 전에 밥 한번 먹어야지.

박 경장 (떨떠름) 예, 그러시죠.

박 경장이 유치장 문 열고 들어가면, 닫히는 문 사이를 보는 이 기자.
유치장에 기대선 이수가 보인다.
'누구더라…?' 하다가 눈빛 변하는 이 기자.

26. 한수 그룹 전경, 아침

한수 그룹의 건물 유리창 위로 해가 떠오른다.

27. 한수 그룹 회장실, 아침

회장실에 딸린 작은 방.
명철, 안락의자에 앉았고, 이발사가 면도를 하고 있다.
뒤에는 수행비서 둘이 옷 들고 서 있고. 뒤로 승주 조용히 들어온다.
면도가 끝나 일어서면, 승주 다가오고 비서들 뒤로 물러선다.

승주 발표문입니다.

명철 (끄덕이고 보면서) … 이수는?

승주 시간 맞춰 올 겁니다.

명철 (시선 들고, 냉정하게) 이수, 해외 지사로 내보내라.

승주 (놀라 보는데)

명철 그 자식은 불량품이야.
(승주 보는) 난 이번에 모든 걸 걸었어. 무조건 이길 거다.
이렇게 중요한 시점에 불량품이 나돌면 안 되지.

차가운 명철의 얼굴을 잠시 보는 승주.
그때, 세련된 옷차림의 조희자(50대 후반)가 들어와 비서의 손에서 재킷을 빼어 들고 명철에게 입혀 준다.

희자 (명철을 보면서) 우리 남편, 멋있네.

별 반응 없이 명철이 돌아서서 앞장서고.

28. 한수 그룹 복도, 낮

복도를 걸어가는 명철과 승주, 희자, 뒤로 비서들과 경호원들.
벽에는 계열사의 로고들 줄지어 붙어 있고. (전자, 물류, 화학, 백화점 등등)
그 아래로, 긴 LED 화면이 설치되어 있고, 걸어가는 명철 일행을 따라 화면에 지난 한수 그룹의 사진들이 바뀌며 펼쳐진다.
1980년대에 전자 회사를 설립하는 선대 회장 옆으로 젊은 명철. 1990년대에 공장을 살펴보는 명철.
이어 한수 장학 재단, 후원 재단, 환경 재단을 설립하고 봉사 활동을 하는 명철의 사진들, 사이사이로 대통령 표창을 받는 사진들.
복도 끝에 이벤트 홀 문 앞에 선 명철. 옆에서 비서들이 문을 열면, 걸어 나간다. 플래시 불빛이 안쪽에서부터 터져 나온다.

29. 한수 그룹 이벤트 홀, 낮

사진 플래시 터지는 가운데 연단에 서는 명철.
앞으로 기자들 각자 노트북이나 패드를 놓고 앉아 있고, 사진 기자들 사진과 영상을 찍고 있고. 명철이 그들을 보면, 술렁이던 사람들 조용해지고.

명철 선대 회장이신 저희 아버지께서 항상 하시던 말씀이 있습니다. 너는 결정하고 책임지는 사람이다. 쉬운 길로 가지 마라. 힘들어도 옳은 길을 가라. 저 진명철은 서울 시장 선거에 출마하겠습니다. 그것이 옳다고 믿기 때문입니다!

터지는 플래시들. 명철을 자랑스럽게 보는 희자.
승주는 그런 명철을 잠시 보다가 이수를 찾는다. 안 보인다.
전화를 하는 승주.

30. 강하경찰서 유치장, 낮

소지품 바구니 안에서 울리고 있는 이수의 핸드폰.
유치장 안, 노숙자 노인과 얼굴을 맞대고 자고 있는 이수.
팔짱 끼고 초라하게 모로 누운 이수의 얼굴.

31. 한수 그룹 이벤트 홀, 낮

기자들 손 들고 질문하고 있고, 명철이 가리키면.

기자1 각종 자선 활동과 장학 사업을 해 온 것도 정계 발판을 마련하기 위한 목적이었습니까?
명철 제가 후원 재단을 처음 만든 게 25년 전입니다. 그때 오늘을 예상했다면 제가 진로를 잘못 선택한 거죠. 점쟁이가 됐어야죠.

기자들 웃는데, 이 기자가 들어온다. 점점 앞으로 걸어오며 명철을 보는 이 기자. 손을 든 기자 2를 가리키는 명철.

기자 2 상대 후보는 여당 중진의원인데 자신 있으십니까?

명철 제가 어떻게 이 자리까지 왔는지 여러분이 더 잘 아시겠죠. 저는… 지는 싸움은 하지 않습니다.

기자들 사진 찍고.
이 기자가 손을 들면, 여유로운 얼굴로 고개를 끄덕이는 명철.

이 기자 막내 아드님이 지금 강하경찰서 유치장에 있는 건 알고 계십니까?

명철 (멈칫, 미소가 사라진다)

이 기자 폭행당한 피해자는 현재 의식이 없다던데요.

놀라 굳는 명철. 일그러지는 희자.
기자들, 정적이 흐르다가 이 기자의 기사(SBC)를 검색하기 시작하고, 제각기 그 단독 보도를 복사해서 올리기 시작한다.
화면 위로, 이 기자의 기사, 그 위로 복사되는 기사들 겹쳐지며 흐르고.
<새벽의 폭행 사건, 철없는 재벌 3세의 폭주>
<아들 관리도 못 하는 진명철 회장, 서울 시장 출마 선언?>
기자들은 이제 명철에게 관심이 없고, 웅성대고.
싸늘하게 굳은 명철이 승주를 돌아본다.
당황해 얼어붙은 승주.

32. 도로, 명철의 차 안, 낮

굳은 얼굴로 분노를 참고 있는 명철.
옆자리에서 그런 명철을 보는 승주.

33. 강하경찰서 전경, 낮

건물 앞에서 대기하고 있던 최 이사, 명철의 차가 도착하면, 문 열고 고개 숙인다. 최 이사를 서늘하게 보고 걸어 들어가는 명철. 따르는 승주.

34. 유치장, 낮

철창 앞에서 이수를 보고 있는 굳은 얼굴의 강현.
노숙자 옆에 누워 자는 이수. 한결 편안한 자세.

강현 진이수.
이수 (잠결에 노숙자에게 안기듯 파고들고)
강현 (기가 차서 보다가 큰소리로) 진.이.수!!

이수, 눈 뜨면 수염 덥수룩한 노숙자 할아버지가 지그시 보고 있고
'헉!' 소스라치고 냄새에 코 막으며 일어난다.

강현 (딱딱한) 나와.

철창 열리고, 이수 나온다.

35. 강하경찰서 복도, 낮

살짝 앞서 걸어가는 강현. (명철이 이수를 빼 주러 왔다고 생각하는)

이수, 풀려나는 건 줄 알고 여유 부린다.

이수 그러게 수사를 똑바로 했어야지. 조사도 안 하고 무조건 유치장에 처넣고. (그냥 가는 강현 보고) 말해. 기다리잖아.

강현 (멈춰 보고) 뭘?

이수 (강현을 잠시 보다가) 실수를 했으면 인정을 하자. 그게 더 멋있는 거야.

강현 (기가 차서) 실수?

이수 내 말이 맞았잖아.

강현 (차분) 재벌 3세라도 현행범이면 잡을 수 있다는 착각을 했지. 다음에 다시 걸려라. 제대로 잡아 줄게.

이수 (빙글) 뭘 잘못했는지 반성 먼저 하시지?

강현 (열 받아 가고)

이수 (쳇, 따라가고)

접견실 앞에 경찰서장이 웃으며 서 있고, 그 옆에 최 이사가 이수를 본다.

이수 아저씨~

최 이사는 약간 굳은 얼굴로 이수를 보고, 다독이듯 어깨를 살짝 잡고.
강현은 못마땅한 얼굴로 서장에게 인사하고 돌아서고. 서장은 문을 열어 준다.

서장 들어가시죠.

이수 들어가고, 서장도 따라 들어가는데.

36. 접견실, 낮

웃으며 들어가던 이수는 방 안의 명철과 승주를 보고 멈춰 선다.

이수 아버지….

명철 (어금니 물고 이수를 보는)

서장 (문밖에서 이수와 명철을 보는데)

이수 (조심스럽게) 기자 회견은… 잘 하셨어요?

명철, 잠시 이수를 보더니 한발 성큼 다가와서 주먹으로 이수의 얼굴을 친다. 갑작스런 공격에 뒤로 밀리며 벽에 부딪히는 이수.
놀라며 보는 서장. 최 이사, 명철을 힐난하듯 보고, 명철, '내 집안일이다'라는 눈빛을 쏜다. 최 이사, 이내 표정 관리하고는.

최 이사 (서장에게) 자리 좀 비켜 주시죠.

서장 나가면, 최 이사 나가면서 문을 닫는다.
이수, 터진 입가의 피를 닦으며 일어서서 명철을 본다.

명철 (소리치지 않는다, 낮게) 선거 끝날 때까지만 얌전히 있으라고 했는데… 그것도 못 해?

이수 (명철을 보는데)

명철 네가 무슨 짓을 했는지 알아?

이수 (냉소적으로) 아버지한테 맞을 짓을 했겠죠.

명철 (한심하고) 어디가 네 바닥이냐?

이수 글쎄요. 아직 내려가는 중이라….

명철 (냉정해지는) 처음부터… 널 집에 들이는 게 아니었어.

이수 (상처 받은 듯 보는데)

명철 내 자식이니까 끝까지 품어 주려고 한 게 실수다.

승주 (너무 심하다는 얼굴로 명철을 보고 이수를 보는데)

이수 (비꼬듯) 저를 품어 주셨어요? 몰랐네.

싸늘하게 이수를 보는 명철.

지지 않고 차갑게 보는 이수.

명철 (이수를 보면서) 승주야. 이제 내 아들은 너 하나다.

승주 (놀라서 명철을 보고)

명철 진이수 실장 해고하고, 법무팀은 이 일에서 손 뗀다. (이수 보고) 교도소에 가든 벌금을 물든 네가 벌인 일, 네가 책임져 봐.

이수, 차가운 얼굴로 명철을 보고 있다.

명철 넌 내가 없으면 아무것도 아니야.

명철, 문을 열고 나가 버리고.

이수, 옅은 한숨을 내쉬며 아버지의 말을 곱씹는다.

승주, 이수를 보다가 손수건을 내밀고.

이수는 손수건으로 입가를 닦고 의자에 앉는다.

승주 (이수를 보다가) 왜 연락 안 했어?

이수 (삐딱하고) 그냥 귀찮아서… 별일도 아니고.

승주 (부드럽게 보다가) … 기자 회견 망칠까 봐 그런 거지?

이수 (그게 사실이지만 대꾸하지 않는다)

승주 솔직히 말씀드리지 그랬어.

이수 (자조하듯) 그런 거 아냐, 나 원래 생각 없잖아. 태생부터 회장님 골칫덩이고….

승주 (보다가) 내가 아버지한테 잘 말씀드릴게.
형이 해결할 테니까 걱정 말고.

이수 (승주를 본다) 형. 나 사고 친 거 아니야. 잘못한 거 없어.

이수를 보는 승주….

37. 강력팀 사무실, 낮

강현, 이수가 했던 말을 떠올리며 생각에 빠져 있다.

INSERT. *강하경찰서 복도.*

이수 *실수를 했으면 인정을 하자.*

열 받아서 한숨 푹 내쉬다가 문득.

INSERT. *진술 녹화실.*

이수 *그 자식이 칼을 갖고 있었어. 난 정당방위야.*

INSERT. *강하경찰서 복도.*

이수 *그러게 수사를 똑바로 했어야지.*

이수 *내 말이 맞았잖아.*

생각하는 강현, '정말 내가 놓친 게 있나?'

38. 종합 병원 전경, 낮

강현, 차를 몰고 들어와 주차하고 내린다.

39. 병실 앞, 낮

강현, 복도를 걸어 병실 앞으로 오고.
병실을 지키고 있던 경진.

경진 (인사하며) 팀장님.
강현 어, (끄덕이고) 밥 못 먹었지? (주머니에서 샌드위치 꺼내 준다) 이거 먹어.
경진 (미소) 와, 배고팠는데…. (뜯어 먹기 시작)
강현 (안을 잠시 보고) 피해자는, 의식 없어?
경진 예. 며칠 더 지켜봐야 한다던데요.
강현 피해자 소지품은?
경진 (비닐 꺼낸다. 집 열쇠 하나) 이게 다예요. 핸드폰도, 지갑도 없었어요.

강현, 비닐을 잠시 보다가 병실 안으로 들어간다.

40. 병실 안, 낮

강현, 병실로 들어간다.
피해자는 이름도 없이 <절대 안정>. 호흡기 끼고 있고, 머리에는 붕대.
다가서서 피해자를 내려다보는 강현… 그러다 뭔가 떠오르고! 핸드폰의 용의자 몽타주와 비교한다. 눈을 감고 있어서 정확하지는 않지만 비슷한 얼굴이다.
그러다 문득 피해자의 손을 보는데, 손에 칼날이 스친 상처가 있다.
(손가락 네 개에 연이어 그어진 자국)

INSERT. *강현의 상상.*
누군가를 찌르는 칼을 든 손. 칼이 상대의 몸에 부딪힐 때 칼날이 밀리면서 손가락이 베인다. 칼을 놓친 손에는 피해자와 같은 상처가 남는다.

강현, 모바일 지문 인식기를 켜서, 피해자의 지문을 찍는다.
결과 뜬다. 이창현, 강도 전과 2범.
강현, 표정 굳는다. '이놈이다.'

41. 막다른 골목, 낮

강현, 이수를 체포한 곳에서 주변을 살펴보고 있다.
에어컨 실외기나 쌓인 박스들 아래, 뒤를 샅샅이 살피는데, 칼은 없다…
시선 돌리는데, 바닥에서 뭔가 반짝한다.
다가가 보는 강현. 반지하 방 창문 턱 (혹은 쉽게 보이지 않는 곳에) 칼이 끼어 있다.
무거워지는 강현의 얼굴. 주머니에서 비닐 봉투와 장갑을 꺼내 장갑 끼고 칼을 꺼내 봉투에 넣는다.

42. 강하경찰서 전경, 낮

43. 서장실, 낮

서장과 형사과장이 앉아 있고, 맞은편에 선 강현.
서장은 난감한 얼굴로 한숨을 쉬더니 강현을 노려본다.

형사과장 (차분하게) 확실해?

강현 오병수가 확인했습니다.

형사과장 정체가 뭐야?

강현 (파일 펼치고, 파일에는 범인의 정보) 이창현, 33세. 강도전과 2범입니다.

서장 아… 미치겠다. 은퇴 6개월 남았는데… (강현 노려보고) 이거 어떡할 거야? 어? 어떻게 책임질 거야?!

강현 (침착하게) 진이수 씨 풀어 주고… 수사 발표 준비하겠습니다.

서장 수사 발표? 뭐라고 할 건데?!!

형사과장 (강현 보고) 넌 나가 있어.

강현 (형사과장을 보는데)

형사과장 나가라고! 이 새끼야!!

서장과 형사과장 맘에 안 드는 듯 노려보고.
강현, 굳은 얼굴로 꾸벅 인사하고 나간다.

44. 강하경찰서, 낮

#로비
승주, 변호사 셋 데리고 들어온다.

#복도
승주 일행 복도를 걸어가는데, 과수대 문 열리며 경찰 둘이 나온다.
스쳐 지나가면서.

과수대1 진이수, 폭행으로 들어온 거라며?

과수대2 (작게) 아니 그런 줄 알았는데… 맞은 놈이 살인범이라는데?

과수대1 살인범?

과수대2 그 왜… 강하 2동 건 있잖아.

과수대1 일가족 살인 사건?

과수대2 조용히 해. 기밀이야.

그들을 잠시 보는 승주.

#엘리베이터

타고, 뭔가 생각하는 승주 얼굴.

승주 (변호사에게) 확인해 봐.

누군가에게 연락하는 변호사, 생각에 잠긴 승주. 닫히는 엘리베이터 문.

45. 서장실, 낮

서장과 형사과장, 심각한 얼굴로 이야기 중이다. (비밀 얘기하듯 소리 낮춰서)

서장 이거… 사실대로 밝히면 핵폭탄이다.

형사과장 이강현이 독단으로 행동한 걸로 발표하고… 직위 해제 하시죠.

서장 그건 좋은데… 그걸로 마무리가 되겠냐 이거야….

형사과장 아버지 사건도 있고, 매스컴이 좋아할 스토리잖아요.

서장 (한숨 쉰다. 뭔가 걸린다)

하는데. 문 열리고 난처한 얼굴의 비서 들어온다.

서장 (신경질 나서) 방해하지 말랬지?

돌아보는데, 승주와 변호사들 보인다.

서장 (승주 알아보고, 불길한)

승주 (들어서며) 저랑 같은 이슈로 고민이신 것 같아서. 방해 좀 하겠습니다.

불안한 얼굴로 보는 서장과 형사과장.

승주 (비서에게) 차는 필요 없습니다. (나가라는 뜻)

비서, 문 닫고 나가면.
들어와서 제 사무실인 듯 편하게 앉는 승주. 뒤로 서는 변호사들.
승주는 잠시 아랫사람 보듯 서장과 형사과장을 본다.
침묵이 불편한 서장과 형사과장.

서장 (떠보는) 같은 이슈라는 게… 무슨 얘긴지…?

승주 (빤히 보다가) 제 동생이 잡은 남자가 일가족 강도 살인 사건의 범인이라는 거 (반말하듯 끊었다가) 말입니다.

서장, 형사과장 (굳어 보는데) …

46. 강력팀 사무실, 낮

강현, 깊게 가라앉아 있고, 책상에 걸터앉은 준영이 강현을 보고 있다.

준영 네 잘못 아니야. 너 아니었으면 범인인 줄도 몰랐을 거고.

강현 쫓아낼 좋은 구실이기도 하지.

준영 (보다가) 가서 얘기 좀 해 볼게. (일어서는)

강현 (잡는) 내 편 들지 마. 너까지 다친다.

준영 (보는데)

강현 어차피 총대는 내가 메야 돼. (무거운 얼굴)

47. 서장실, 낮

침묵 속에 앉은 서장, 형사과장, 승주.

서장 (당황스러운 상황이지만 차분한 척) 그래서… 지금 당장 동생 분은 풀어 주고, 정당방위로 불송치하고….

승주 그걸로… 커버가 되겠습니까? (싸늘해지는) 저희 회장님 출마 선언이 비웃음거리가 됐는데.

서장 (밀린다) 그건 저희 쪽에서 어떻게든 책임을 지고….

승주 (끊고) 책임은! 그럴 만한 능력이 있는 사람이 지는 겁니다.
서장님 계획은 그냥 덮는 거겠죠. 아닙니까?

형사과장 (기분 상해서 보고)

서장 (자존심 상하는데 할 말 없고)

승주 경찰의 체면은 유지하고 회장님의 이미지도 반전시킬 방법이… 하나 있습니다.

승주를 보는 서장과 형사과장.

CUT TO

이야기를 끝낸 승주가 일어선다. 서장과 형사과장도 엉거주춤 일어서고.

승주 빨리 움직이셔야 될 겁니다.

승주와 변호사들 나간다.

48. 강하경찰서 전경, 해 질 녘

노을 지는 강하경찰서 전경.

49. 접견실, 밤

의자에 앉아 있는 이수, 피곤한데…
문이 열리고 승주가 들어온다. 아이스 커피와 종이백 들고.

이수 (승주 보고) 형~
승주 (다정하게 아이스 커피 주고) 마셔.
이수 (쭉 마시고) 아, 이제 살겠다.
승주 (종이백 주고) 옷 갈아입고.

이수, 특공대복 벗어 쓰레기통에 던진다.

CUT TO

이수 (멋진 옷으로 갈아입고 커피 마시는데)
승주 (보다가, 피식) 코는 괜찮아?

이수 (코 만지다가 아프고 열 받고) 아, 몰라. 숨도 잘 안 쉬어져. 하여튼 그 여자… 하, 이름도 모르네, 고소할 거야. 일단 독직폭행으로 형사 고소 가고! (생각하다) 근데… 어떻게 됐어? 나 정당방위지?

승주 (묘하게 미소 지으며) 넌 참… 운이 좋아….

이수 좋긴 뭐가 좋아. 코뼈 부러지고, 유치장에서 할아버지 껴안고 자고, 최악이었는데!

승주 (재밌다는 듯, 씩) 네가 잡은 놈, 살인범이었어.

이수 (놀라고) 에?!

승주 강하 2동 일가족 강도 살인 사건 범인.

이수 (활짝) 뭐야, 용감한 시민상 받는 건가요~?

승주 그 정도가 아냐. 넌 경찰이 될 거야.

놀란 이수의 얼굴에서.

50. 서장실, 밤

놀란 강현의 얼굴.

강현 네?

서장 진이수 씨가 두 달 전부터 경찰로 활동해 온 걸로 한다고.

강현 (황당하게 보는데)

서장 변호사 자격증 있으면 특채로 경찰 될 수 있잖아. 그동안 은밀히 협력해 왔다. 공조 수사로 범인을 잡았다. 이렇게 갈 거야.

강현 그게… 말이 됩니까?

서장 (못마땅하게 보고) 말이 되게 만들어. 기자 회견은 네가 할 거니까.

강현 서장님! 이게 숨겨질 일입니까? 정석대로 하시죠.

서장 (짜증 내는) 정석대로? 재벌 3세가 사람 하나를 잡았는데, 그게 경찰이 두 달 동안 못 잡았던 살인자다. 그렇게 발표할까? 그것도 모르고 경찰은 용감한 시민을 코뼈를 부러뜨려서 체포했다?

강현 (입 다무는)

서장 너네 팀 뿔뿔이 흩어져서 지방 발령 받고 3개월 감봉.
너는! 저쪽에서 걸고넘어지면 옷 벗어야 돼.

강현 (무거운 얼굴로 보는데)

서장 (쐐기를 박는) 네 아버지처럼 되고 싶냐? 그게 네가 원하는 거야?!

강현 (얼굴 굳는다)

서장 너만 망가지는 거 아냐. 경찰 전체에 똥칠하는 거라고. 그게!

서장을 보는 강현, 굳은 얼굴….

51. 접견실, 밤

이수 (황당해 웃고) 에이. 갑자기 무슨 경찰을 해?

승주 (차분, 냉정) 벌써 윗선까지 얘기 다 끝났어.

INSERT. *경찰청 고위 간부 회의실.*
고위직 경찰들 앉아 있고, 서장이 설명하고 있다.
고위직 경찰들, 천천히 끄덕이고….

승주 차라리 잘 됐어. 아버지는 나라를 위해 시장 선거에 출마하고, 너는 사회에 봉사하기 위해 경찰이 된 거야. 이걸로 네 이미지도 바뀔 거야.

이수 내 이미지가 어때서? 나 인기 많아.

승주　(답답하고) SNS에서? 그건 진짜가 아니잖아.

이수　그게 좋아, 그 사람들은 목적 없이 나를 좋아하거든.

승주　폭행 사건으로 기소되고 재판 받으면 그때도 사람들이 네 편을 들까?

이수　(할 말 없는데)

승주　선거 끝날 때까지만 조용히 있어. 서로 협조하기로 했으니까 어려울 건 없을 거야. 그냥 경찰 놀이한다고 생각해.

이수　(승주 보며 고민하다가) 아, 몰라. 안 해.

승주　(보다가 진지하게) 시장 선거… 아버지가 오래 고민하신 일인데… 지금 웃음거리가 됐다.

이수　(삐딱하게) … 그게 나랑 무슨 상관인데? 아까 들었잖아. 이제 남이야.

난처한 얼굴로 이수를 보는 승주.

52. 강하경찰서 탈의실, 밤

생각에 잠긴 강현, 사물함 문을 여는데, 문 안에 사진 몇 장 붙어 있다.
강력 1팀 단체 사진(야유회). 준영의 가족사진(엄마와 준영이 웃는 사진), 경진과 여자 친구가 페스티벌에서 찍은 사진, 그리고 맨 위에 정복을 입은 젊은 강현부와 어린 강현(아버지의 정복 모자를 쓴) 사진이 있다. 그 사진을 보며 한숨을 내쉬는 강현.

53. 강하경찰서 기자 회견장, 밤

정복으로 갈아입은 강현이 연단 앞에 서 있고, 뒤로 준영과 경진 굳은 얼굴로.
기자들 십여 명 앞에 앉아 있고, 그 가운데 이 기자도 있다.
'뭐라고 떠드나 볼까.' 싶은 이 기자의 얼굴.

강현, 딱딱하게 굳은 얼굴로 발표문 내려다보다가… 결심한 듯 입을 연다.

강현 … 진이수 씨는 지난 ○월 ○○일, 변호사 특채로 경찰이 되었고. 두 달 전부터 강력 1팀과 함께 일가족 살인 사건의 수사를 해 왔습니다.

기자들 (저게 무슨 소린가 보는)

강현 어젯밤 공범인 오병수를 체포, 용의자를 유인하도록 하고 12시부터 강력계 전체 인원과 진이수 씨는 잠복을 시작했고… 새벽 2시경 거동 수상자를 발견한 진이수 씨가 용의자를 잡게 된 것입니다.

이 기자 (당황해서 보고)

강현 용의자는 33세 남자, 이창현. 현재 병원에 있는 용의자의 상태가 호전되는 대로 본격적인 조사를 시작할 계획입니다. 이미 지문과 흉기를 확인하였고, 경찰은 이창현이 본 사건의 범인이라고 확신합니다.

기자들. 술렁이며 이 기자를 본다. 이 기자, 당황한 얼굴.

기자1 (손 들고) 그럼, SBC 단독 보도는 어떻게 된 겁니까?

강현 (이 기자를 보며) SBC의 기사는. 오보입니다.

이 기자, 강현을 굳어 보고, 강현 역시 시선을 피하지 않는다.
사진 기자들, 이 기자를 향해 사진을 찍고.

54. SBC 부장실, 밤

부장 책상 있고, 작은 회의 테이블 있다.
유리벽 뒤로 늘어선 기자들 책상들 보이고 다들 안의 상황을 보고 있다.
이 기자, 회의 테이블 앞에 서 있고, 열 받은 부장은 태블릿을 '휙' 테이블 위로 던진다.

INSERT. *테블릿 화면.*
이 기자를 걸고 강현을 찍은 사진.
<SBC 단독 기사는 오보>

부장 (이 기자 잡아먹을 듯 보는데, 핸드폰 울리고 받고 듣다가) 누가 기사 복사하래? 남의 기사 따서 올리지 말고 니들이 직접 확인을 했으면 될 일 아니야?! (끊어 버리고)

이 기자 (이 악물고 섰고)

부장 캡이라는 놈이 확인도 안 하고… 특종이라며?!

이 기자 (답답하고) 제가 분명히 봤어요. 진이수, 유치장에 있었다고요. 한수 그룹하고 서장이 손잡고 수 쓴 거예요.

부장 (빤히 본다. 거짓말은 아니다. 하지만 한수를 건드릴 필요는 없다) 상대는 한수 그룹이야. 괜히 들쑤시고 다니지 말고, 너 하나 쪽팔린 걸로 정리해.

부장을 보는 이 기자. 억울한데 일단 누르는 얼굴.

55. 도로, 최 이사의 차 안, 밤

운전하는 최 이사, 보조석에 이수.
최 이사, 이수 안색을 살피고.

최 이사 실장님, 고생하셨어요.

이수 (아무렇지 않게) 저 이제 실장 아니에요. 잘렸어요.

최 이사 (뭔가 할 말이 있는 듯 보는데)

이수 (말하기 싫은 듯 눈을 감는다)

56. 이수의 빌라 전경, 밤

빌라 주차장으로 들어가는 차.

57. 빌라 주차장, 밤

최 이사가 차를 세우면, 내리는 이수. 최 이사, 따라 내리려고 하는데.

이수 (혼자 있고 싶은) 들어가세요. 필요한 거 없어요.

최 이사, 이수를 잠시 보다가 차 몰고 떠나면.
이수, 걸어가는데… 입구 앞에 영환이 서 있다. 담배를 피우면서.
이수를 보고 영환이 급히 담배를 끄고 달리듯 온다.

영환 이수야!
이수 (흘기고) 누구세요? (스쳐 지나고)
영환 (쫓아가며) 이수야. 미안해. 친구가 이러면 안 되는데… 내가 (소리 죽여) 어제 약을 했잖아. 검사하면 바로 걸린단 말이야.
이수 (못 들은 척 걸어가서 엘리베이터 버튼 누르고)
영환 너는 바로 나올 줄 알았지. 네가 누구냐? 한수 그룹 3센데! 사람을 죽였어도 바로 나오지.
이수 (영환을 차갑게 본다)
영환 물론, 네가 그럴 사람은 아니지만….
이수 (영환을 무표정하게 보는데, 엘리베이터 문 열린다)
영환 진짜 미안해. 무릎 꿇을까? 응? (꿇는 척하는) 꿇을까?
이수 꽁초나 치워. 여기 금연이야. (엘리베이터에 타는데)
영환 (버튼 눌러 문 열어 놓고) 용서해 주는 거지? 응?

이수 손 떼.

엘리베이터 문이 닫히자.

영환 (표정 변하는) 재수 없는 새끼. (하는데, 다시 문이 열린다. 놀라는)

이수 … 치료 받았어?

영환 어? 어….

이수 가라. (문 닫힌다)

58. 치킨집 전경, 밤

59. 치킨집, 밤

강현, 준영, 경진, 치킨에 술 먹고 있다.
강현 앞에는 얼음이 가득 담긴 500cc잔, 준영이 잔에 소주를 콸콸 쏟아 부어 주면 맥주 마시듯 마시는 강현.

강현 하… 이게 무슨 일이니… 두 달 쫓던 범인을 금수저한테 뺏기고… 전 국민 앞에서 거짓말을 하고… 미치겠다. (술 더 마시려고 하는데, 준영이 막고 치킨을 준다. 받아먹는다)

준영 다른 방법 없었잖아.

경진 (취했고, 살짝 미소) 근데… 좀 두근두근하지 않아요?

준영 (설레발 알겠고) 이유는 안 들을게.

경진 이제 재벌 3세랑 같이 일하는 거잖아요.

강현, 준영 (서로를 보다가 눈빛만 봐도 같은 생각)

강현 설마….

준영 (그럴 리가 없지, 고개 저으며) 그럼~.

경진 뭐가요?

준영 그 자식이 출근하겠냐? 외근이라고 대충 때우다 말겠지.

경진 진짜요? (실망하고) 아, 기대했는데….

강현 뭘 기대해?

경진 뭐, 돈도 많고, 빽도 세고 그런 사람이 우리 팀이면 재밌을 거 같은데….

준영 돈도 많고 빽도 센데 개념 탑재가 안 돼 있잖아. 한수 그룹 막내아들 와 봤자 갑질이나 하겠지.

경진 에이, 이수 형님은 그런 재벌 아니에요.

준영 형님?

경진 아하하. 팔로워들은 형님이라고 부르는데….

준영 너, 나한테 형님이라고 하면 죽는다.

경진 (정색) 안 할 건데요, 선배님.

준영과 경진, 실랑이하는데, 진지한 얼굴로 고민하는 강현.

강현 설마 진짜 출근을 하진 않겠지….

60. 이수의 빌라, 밤

#거실

샤워 가운을 입고 소파에 앉아 있는 이수. 편안하게 와인을 마시는…

하루가 너무 길었다… 소파 옆에 놓인 박스가 눈에 들어온다.

이수, 박스를 열어 본다.

박스 안에는 경찰 정복과 임명장, 그리고 경찰 신분증.

가만히 내려다보는 이수. 그 위로 들리는 명철의 목소리.

명철 E 넌… 내가 없으면 아무것도 아니야.

박스 뚜껑 거칠게 닫는다. 그 바람에 바닥에 떨어지는 박스.

#침실

이수, 모로 엎드려 자고 있다.
잠든 이수, 마치 이수를 내려 보는 듯한 엄마의 사진….

61. 강하경찰서 전경, 낮

62. 강력팀 사무실, 낮

수사 보고서를 쓰고 있는 강현과 준영, 경진.
강력 2팀 하나둘 들어오고.
안 팀장, 강현에게 다가와서.

안 팀장 (위로하는 듯 놀리는) 이강현이, 어떡하냐… 이제 골치 좀 아프겠다.
강현 (떨떠름) 괜찮습니다.
안 팀장 우리가 1팀 힘내라고 뭐 좀 준비했어.

보면, 2팀 형사 셋, 와서 책상 앞에 서고.
준영과 경진, 그들을 보는데.

2팀원 1팀 파이팅!!

외치며, 품에서 뭔가 꺼내 허공으로 던지는. 색색으로 펼쳐져 하늘하늘 내려오는 건 낙하산 장난감이다. 지나가면서 웃는 다른 형사들과 순경들. 인상 구기는 준영.

강현 선배님. 재미없습니다.

안 팀장 난 재밌는데? 그러게 처음부터 사건 나한테 넘기라고 했잖아.
범인 뺏기고 금수저 낙하산을 받았네?

강현 (능글) 실망시켜서 죄송하지만, 금수저 출근 안 합니다.
(시계 가리키고) 11시 반이에요, 지금.

준영 그 자식이 여기가 어디라고 오겠어요?

INSERT. *강하경찰서 입구.*
서장과 형사과장, 나와서 서 있고, 바닥에는 레드 카펫.
옆에는 악대가 조율하고 있다.
앞으로는 기자들이 카메라 설치하며 누군가를 기다리고 있다.

경진 (창밖을 보다가) 오늘 뭐 있어요…?

어리둥절 보는 강력팀원들.
그때, 전화 오고 경진이 받는다.

경진 네. (끊고 강현에게) 과장님이 빨리 내려오라는데요?

무슨 일인가 보는 강현과 준영.

63. 강하경찰서 입구, 낮

서장, 형사과장, 경찰들 서 있고, 멀리 떨어져 선 기자들 보이고.
포돌이, 포순이 탈 쓴 남녀가 건물에서 나오는데, 형사과장이 앞쪽으로 끌어와 세우고, 뭔가 어리둥절한 분위기의 포돌이와 포순이.

그때, 빠른 속도로 들어오는 BMW.
입구 바로 앞에 주차하는 이수의 차.
정복 입은 이수, 차 문 열고 내린다.
자신감 있는 미소, 군더더기 없는 움직임.
주변 형사들 구경하고 있고, 경악한 느낌의 포돌이 포순이.
악대의 연주가 시작되고, 경찰 신분증을 목에 걸고 당당하게 걸어오는 이수.

서장 E 그동안 진이수 경감은 비밀리에 활동해 왔습니다. 특별 대우는 필요 없다, 일선 경찰들과 똑같이 움직이겠다는 뜻이었죠. 하지만 낭중지추라고. 뛰어난 능력을 숨길 수가 없다는 것을 이번 사건으로 입증한 것입니다. 이렇게 귀한 인재가 경찰 조직에 들어온 것을 진심으로 환영하는 바입니다!

서장은 이수와 마주 서서 악수를 한다.
기자들이 사진을 찍기 시작한다.
서장이 포순이를 찌른다. 똑바로 하라는 얼굴로.
포순이 망설이다 인형 탈을 벗는데, 열 받은 강현이다.
이어 탈을 벗는 준영. 역시 열 받은 얼굴.

이수 오, 뭘 이렇게까지 준비를 했어~ 대환영 감사. (손 내밀고) 앞으로 잘해 보자.

강현 (기가 막혀 보는데)

서장 (강현에게 부라리고)

강현 (마지못해 손 내미는)

웃는 이수, 어쩔 수 없이 악수하는 강현.

'파바박' 찍히는 사진에서.

1화 엔딩.

ep.02

앞으로 잘해 보자

1. 강하경찰서 입구, 낮

웃으며 손을 내민 이수.
포순이 옷 입고 악수하며 노려보는 강현에서.

2. 이수의 빌라, 낮

#침실
이수, 이불 둘둘 말고 자고 있다.

<자막: 3시간 전.>

포기한 듯 내려다보고 있는 최 이사. 핸드폰 울리자 받고.

최 이사 네, 부회장님… 아무래도 안 가실 것 같습니다.
이수 아, 아저씨… 나 좀 자게~ (이불로 더 파고들고)
최 이사 (통화하며 나가는)

#현관

최 이사가 문을 열면, 승주가 들어온다.

#침실

승주, 경찰복 박스 들고 들어와서 테이블에 올려두고.

승주 일어나. (보다가) 진이수!

이수 (발 동동거리며 짜증) 아 진짜, 아침부터 왜~~? 피곤하다고… 코도 아프고!

승주 일어나. (이불 확 걷고) 오늘 출근하라고 했지?

이수 (코 부었고) 하… 안 해. 안 한다고 했잖아. 형 진짜 왜 그러냐~~

승주 (보다가) 이건 그동안 네가 사고 쳤던 거랑은 달라. 아버지 이름! 회사 이미지까지 모두 걸린 거라고!

이수 그러니까 나 같은 놈을 뭘 믿고 일을 벌였어?

승주 (답답하고) 그런 식으로 말하지 마. 난 너 믿어.

이수 형이 잘못 생각하고 있는 거야.

승주 (한숨) 이번 일 망치면 너 후회할 거야. 아버지랑… 정말 이렇게 끝낼 거야?

이수 (한숨 쉬고 먼 곳 보는) 형… 나는 아버지 자식이 된 순간부터 인생이 꼬였어. (승주 보고) 이제 그만할 때도 된 거 같아.

일어나는 이수, 고개 숙인 승주. 깊은 생각에 잠긴.

#화장실

세수를 하려다가 물끄러미 거울을 보는 이수에서.

#침실

씻고 나오는 이수. 둘러보는데 승주는 가고 없다.

이수를 가만히 보는 최 이사.

이수 … 형 갔어요?

최 이사 (주변 정리하며) 기자 회견 하신답니다.

이수 날마다 기자 회견이야. 재미 붙였나….

최 이사 모두 부회장님이 꾸민 일이고… 거짓말이었다고 발표하신대요.

이수 !!

최 이사 그럼 모든 책임을 지고 부회장직에서 내려오셔야 될 거고….

이수 (난처하고)

최 이사 회장님 선거도 어렵게 되겠네요… 부회장님은 해외 지사로 쫓겨나시겠죠. 그 자리를 노리던 사촌 형님들이 좋아하시겠군요.

이수 아…. (얼굴 가린다. 미치겠다)

3. 한수 그룹 일각, 낮

기자들 모여 있고, 카메라 설치 중인데, (이 기자도 있다) 떨어진 복도에서 그들을 보는 승주, 긴장한 얼굴, 뭔가 결심하고 기자들을 향해 걸어가기 시작한다… 기자들 앞에 선 승주. 촬영이 시작되고….

승주 제가 오늘 이 자리에 선 것은… 지난 주에 있었던 제 동생의 사건에 관해 알려 드리기 위해서입니다.

이 기자 ('사실을 말해라.')

승주 (결심하듯 기자들을 보고) … 사실은…. (하는데)

이수 E 그 사실은!! 제가 직접 얘기하죠!

승주, 보는데, 멀리서 정복을 차려입은 이수가 다가온다.

기자들 모두 돌아보다가 사진을 찍기 시작하고.
이수와 승주가 나란히 선다.

이수 (승주에게) 형을 위해서야.

승주 (이수를 보며 미소 짓고 어깨를 다독인다)

CUT TO
기자들의 질문에 답하는 이수.
떨어진 곳에서 최 이사와 서 있는 승주.

최 이사 오실 줄 아셨습니까?

승주 (미소) 이수… 착하잖아요? (시선 돌려 이수를 보는)

최 이사 (그런 승주를 보는)

기자들 기대하는 얼굴로 보고 있고, 막상 앞에 서자 이수는 할 말이 없다.

이수 (여유로운 척) 궁금한 게 많으실 텐데… 질문하시죠.

기자 어떻게 경찰이 되신 겁니까?

이수 제가 원래부터 추리물 마니아라….

기자들 ('엥?')

이수 경찰에 대한 로망이 있었죠. 사명감… 이라고 할까요?

이 기자 (날카로운) 범인을 어떻게 잡은 겁니까? 공범과 만나기로 한 장소에 나타나지 않았다고 하던데요?

기자들 ('그랬나? 그럼 어디서 어떻게 잡은 거지?')

이수 아… (영환이 얘기도 못 하고 우연인 것도 말 못 하고 거짓말도 잘 못 한다)
잠복 중에… 동물적인 직감 같은… 딱 느낌이 오더라고요. (미소 짓고)

4. 강력팀 사무실, 낮

책상 위에 낙하산 장난감들 흩어져 있고, 안 팀장 보는 강현.

강현 (능글) 금수저 출근 안 합니다.

준영 그 자식이 여기가 어디라고 오겠어요?

안 팀장 (웃으며, 태블릿PC 보여 준다) 너네 이거 못 봤구나?

INSERT. *기사(이 기자).*

사명감과 동물적인 직감으로 살인범 체포한 진이수 경감 인터뷰

<무능한 경찰에 내 도움이 필요했다.>

황당해서 입이 떡 벌어지는 강현과 준영.

준영 (빠직) 무능한… 경찰?

경진 (밖을 보다가) 오늘… 뭐 있어요?

INSERT. *강하경찰서 입구.*

서장과 형사과장, 경찰들 있고, 기자들 준비하고 있다.

어리둥절 보는 강력팀원들.

그때, 전화 오고 경진이 받는다.

경진 네. (끊고 강현에게) 과장님이 빨리 내려오라는데요?

'무슨 일이지?' 보는 강현과 준영.

5. 강하경찰서 입구, 낮

빙글거리는 이수를 노려보고 있는 포순이.

서장이 포순이를 푹 찌르고.

강현, 포순이 탈 벗으면, 옆에서 탈을 벗는 준영. 둘 다 열 받은 얼굴 컷.

이수 오, 뭘 이렇게까지 준비를 했어~ 대환영 감사.

(손 내밀고) 앞으로 잘해 보자.

악수하며 이 악물고 이수를 보는 강현에서.

6. 강력팀 사무실, 낮

강현과 준영, 인형 옷을 벗어 던지고 있고.

경진, 눈치 보는데.

발에 밟힌 낙하산 인형을 발로 차 버리는 강현.

그때, 이수와 최 이사가 들어온다.

이수 내 자리는 어디야?

강현 (누르고) 출근 안 해도 되는데… 그냥 가시죠?

이수 (빙글) 왜 존댓말을 하고 그래, 이제 와서?

강현 그냥 가라고. 이럴 필요까진 없잖아.

이수 그건 곤란하지. 내가 하면 제대로 하자는 주의라.

강현 (빠직) 제대로 뭘 할 건데? 경찰 놀이?

준영 (강압적인) 여기 놀이터 아닙니다.

경진 (눈치 보는)

이수 분위기가 왜 이럴까…? 나한테 이러면 안 될 텐데?

강현 무능한 경찰들이 기립 박수라도 쳐 드려야 되나?

준영 (책상 위 태블릿 기사 '휙-' 밀고)

이수 (탁, 잡아 보고) 이런 식으로 말 안 했는데… 기자들이 그렇지 뭐…
(나도 성질 있다) 근데… 틀린 말은 아니잖아?

강현, 이수를 보다가 위압적으로 다가서기 시작한다.

강현 그래서. 제대로 출근을 하시겠다? 사명감이 쩔어서?

이수, 버티려고 하는데, 강현이 너무 다가오니까 자기도 모르게 조금씩 뒤로 밀리는데… 이수의 뒤에는 빈 책상, 그리고 의자에는 <의자 주의>라고 종이 붙어 있다.

이수 (안 밀리려고 하면서) 어, 아주 성실하게.

강현 그럼 충고 하나 하자. 아무것도 하지 말고 가만히 있어.
이 공간에서 들은 거, 본 거, SNS에 올리면 가만 안 둔다.

이수 (강현에게 책상까지 밀리는)

강현 내 수사에 방해가 되면… 죽는다.

이수 (밀린 김에 책상에 걸터앉으며) 하나가 아닌데?

질렸다는 듯 이수 보다가 돌아서는 강현.

강현 수사 회의 가자.

준영은 이수 뒤로 지나가며 의자에 붙은 <의자 주의>를 떼어 내서 구겨 버린다. 뒤로 지나가다 이수에게 귓속말하는 경진.

경진 저는 환영해요! 이따 사진 한 장….

이수 (의아하게 경진 보는데)

준영 (문 앞에 서서) 경진이 안 오냐!

경진 갑니다!!

이수 (나가는 1팀들 보다가) 텃세 부리는 거야 뭐야, 유치하게.

의자에 앉는데, 등받이가 휙 젖혀지며 이수 바닥에 흉하게 엉덩방아를 찐다.

이수 (기가 차서 웃으며) 의자까지 엉망이구먼!

최 이사 (여유롭게 다가와서) 제가 다시 준비하겠습니다.

이수 (생각하다가) 아저씨, 부탁 하나 더 할게요….

7. 강력계 회의실, 낮

형사과장, 회의 테이블 앞에 앉아 있고, 강력 2팀원들 앉아 있다.
강력 1팀원들 형사과장 앞에 서 있다.

강현 (뒷짐 지고 딱 서서) 과장님. 진이수 내근직으로 옮겨 주십시오.

형사과장 내근직? 네가 못 잡은 범인을 잡았는데? 걔 이제 너네 팀이야.

강현 경찰 수사가 애들 장난입니까? 훈련도 안 된 민간인. 그것도 철없는 재벌 3세입니다. 사고 칠 겁니다.

형사과장 그건 네가 감당해야지.

안 팀장 (놀리듯) 니들이 저지른 일이잖아.

준영 말은 똑바로 하시죠. (과장 보고) 윗선에서 결정한 일 아닙니까.

형사과장 그럼 이제라도 사실대로 밝히고, 책임지고 나가든지.

안 팀장 그것도 그림 괜찮겠네….

준영 (안 팀장을 노려보는데)

강현 (삼키고) 아닙니다. 제가 관리하겠습니다.

형사과장 제대로 마크해. (일동에게) 다들 입조심하고.

일동 네!

과장 (안 팀장에게) 수사 상황 보고해!

2팀원들이 자료 꺼내면, 굳은 얼굴로 자리에 앉는 1팀원들.

8. 명철의 집 전경, 낮

9. 명철의 집 다이닝 룸, 낮

커다란 테이블, 한식을 세팅하고 있는 도우미 둘.
테이블이 준비가 되면, 도우미들 밖으로 사라지고.
희자, 들어와서 앉고, 승주와 명철도 들어와 앉는다.
대화 없이 식사를 시작하는 세 사람.
희자는 뭔가 할 말이 있는지 자꾸 명철을 쳐다보더니….

희자 이수가 좀 걱정이에요.

승주 (무슨 말을 하려나 보고)

명철 (무심히 밥만 먹고)

희자 안 그래도 마음 못 잡고 계속 방황하는데, 경찰을 만들어 놔서… 물론 우리 승주가 다른 방법이 없으니까 그런 거지만… 혹시 무슨 사고라도 칠까 봐 어젠 잠도 안 오더라고요.

승주 (그만하라고 희자 보고, 명철에게) 이수 그렇게 철없지 않아요. 잘할 거예요.

명철 (말없이 밥 먹고)

희자 우리 승주는 저렇게 믿음직스러운데 이수는 왜 그럴까 몰라~

승주 (희자 보고) 엄마….

명철 (수저 내려놓는다)

희자, 승주 (보는데)

명철 네 엄마 말 틀린 거 없어. 선거 끝나면 이수 내보낼 준비해.
당선되면 더 부담될 거다.

명철이 일어나 나가면. 승주, 희자를 본다.

승주 엄마, 이수 건드리지 마요.

희자 (흘기고) 내가 언제 건드렸다고 그래….

승주, 한숨 쉬고 현관으로 향하는 명철을 보다가 따라나선다.

10. 강력계 회의실, 낮

회의가 한참 진행된 분위기.

형사과장 그럼 당분간 2팀은 연쇄 강도 사건에 집중하고. 앞으로 들어오는 사건은 1팀이 맡는다. 이상.

회의가 끝나고 일어나는 1, 2팀.

11. 강하경찰서 복도 - 로비, 낮

굳은 얼굴로 걸어가는 강현. 같이 걸어가며 강현을 보는 준영.

준영 너무 걱정하지 마. 자기 아버지 선거가 걸린 일인데… 조심하겠지.

강현 그럴까…. (걱정스런 얼굴인데)

강현, 복도를 꺾어 걸어가다 놀라 멈춰 선다.
로비에 케이터링 요리사와 보조가 요리를 하고 있다! 접시에 고급 요리들이 담겨 있고.
너무 황당해서 말도 안 나오는 강현. 이내 열 받아 사무실로 향하고.
준영은 요리사들을 보며 다가가는데, 준영 뒤에서 2팀원 다가오며.

2팀원 아유~ 이게 다 뭐예요?

요리사 오소부코와 파르미지아나 디 멜란지네입니다.

최 이사, 접시를 내밀면, 받아 드는 경진.

경진 우와~~ 이름부터 맛있어~

12. 강력팀 사무실, 낮

사무실로 들어가는 강현.
경찰서에 전혀 어울리지 않는 커다란 중역 책상, 의자 세트가 있고.
편한 복장으로 갈아입은 이수는 자리에 앉아 커다란 모니터 앞에서 헤드폰 쓰고 뭔가에 열중하고 있다.
이수, 갑자기 긴장하며 급히 마우스를 두드리는데. 보면, 게임이다.
'이 미친 새끼'라는 얼굴로 다가가는 강현.

이수 (게임에 열중) 가만있어 봐, 얘부터 죽이고.

강현이 보고 있는 줄 모르는 이수, 빠르게 마우스 클릭하는데.

멀티탭 전원 버튼을 눌러 버리는 강현.

이수, 컴퓨터 나가고, 황당해서 강현을 보고 일어선다.

이수 (너무 당황해서 화도 안 난다) 컴퓨터, 그런 식으로 끄면 안 되는 거 몰라?

강현 (버럭) 경찰서에서 게임하고 놀면 안 되는 거 몰라?!

이수 (말문이 막히고)

강현 여기 놀이터 아니라고 했지! 상황 파악이 안 돼?

이수 (정색하고) 상황 파악은 정확히 하고 있어.

이건 경찰 조직과 한수 그룹이 손을 잡은 일종의 비즈니스야.

너와 나는 계약 관계고. 그런데 넌 이 계약을 엎을 힘도 없으면서 협조도 하고 있지 않지. 자존심인지 열등감인지 뭐가 꼬여서.

강현 난 그딴 거 안 키워.

이수 그런 게 없는 사람은 없던데?

강현 생각 없는 네 행동이 문제야.

성실하게 계약을 이행할 거면 이딴 짓은 안 해야 되는 거 아니야?

이수 애초에 니들이 수사를 제대로 했으면 나도 이렇게 피곤할 일 없어.

서로 노려보는 이수와 강현.

13. 강하경찰서 로비, 낮

요리사들을 보는 준영. 2팀은 뭐 막 집어 먹고 있는데,

준영이 벽을 '탕탕-' 친다. <관계자 외 출입 금지>

준영 3분 안에 나가지 않으면 공무집행방해죄로 체포하겠습니다.

최 이사, 준영을 본다.

안 팀장 이게 무슨 공무집행방해냐. (먹고 요리사에게) 맛있네~.

준영, 보는데 뒤에 숨어서 먹고 있던 경진, 눈 마주치고, 접시 들고 복도 돌아 사라지고….

준영 (시계 보고) 2분 40초 남았습니다.

요리사들, 최 이사 눈치 본다. 최 이사, 준영에게 다가와서.

최 이사 주변에 괜찮은 식당이 없더군요. 다른 동료 분들도 같이 드실 수 있게 준비했습니다.

준영 (기도 안 차고) 누구신데요?

최 이사 (미소) 진이수 경감님 비서입니다….

준영 형사는 비서 필요 없습니다. 앞으로 출입 금지입니다.

'세게 나오네.' 싶은 최 이사.

최 이사 (요리사들에게) 정리하시죠.

최 이사, 요리사들과 같이 치우기 시작한다. 준영, 사무실을 돌아보는데, 이수의 중역 책상 보이고. 잔뜩 열 받은 강현이 씩씩대며 걸어간다. 강현을 보는 준영.

14. 강하경찰서 옥상, 낮

흡연 구역 있고, 등나무 벤치 그늘막에 샌드백 매달려 있다.
샌드백 치고, 발로 차면서.

강현 (샌드백 치며) 아우, 짜증 나!!

뒤에서 보고 있는 준영. 강현이 멈추며 숨 고르면.

준영 (다가가서) 다 했어?

강현 (다시 생각해도 기가 찬다) 책상 봤냐?

준영 진정해, 우리 열 받게 하려고 더 오버하는 거야.

강현 (준영 보고 또 한숨) 어떡하지…?

준영 그러게…. 쫓아낼 수도 없고 다른 부서로 보낼 수도 없고….

강현 (생각하다 눈 반짝) 제 발로 나가게 만들어야겠다.

준영 어떻게?

강현과 준영이 서로 보는데.
우물우물 접시 버리러 오던 경진, 두 사람 보고.

강현 맛있냐?!

경진 (머쓱해서) 아니, 뭐… 쪼끔 맛만 봤어요….

강현 일로 와!

경진 (기죽어서 다가오고) 왜요….

강현 (살벌하게) 진이수… 약점이 뭐야?

경진 약점이요?

준영 그래, 넌 알 거 아냐. 팔로워라며?

경진 약점…? 없는 거 같은데요? 장점은 많은데….

강현 ('이씨!') 그럼 싫어하는 거 뭐 없어?

경진 싫어하는 거… 아, 형님은 재미없는 거 질색해요.

강현 재미없는 거…? (생각하는)

15. 강력팀 사무실, 낮

이수, 책상에 발 올리고 눈감고 헤드셋으로 음악 듣고 있다.
수사 자료 더미 들고 온 강현, 이수를 쳐다보고 섰는데, 이수는 모르고.
강현이 수사 자료를 툭 책상에 놓으면 눈 뜨는 이수.

이수 (헤드셋 벗으며) 뭐야?!

강현 일이다.

이수 (자료 보면)

강현 이창현 수사 자료야, 오늘 안으로 다 정리해.

이수 ('뭔 소리?', 보는데)

강현 경찰 일은 90%가 보고서야. 성실하게. 제대로. 해 봐.

강현 가는데, 경진이 다가오며.

경진 보고서 다 썼잖아요?

강현 (경진 밀며 복화술) 조용히 해라.

이수, 서류를 건성으로 손가락으로 훑는다.
'이런 식으로 나오시겠다?'

16. 카페, 낮

테라스에서 커피를 마시는 강력 1팀.

강현 (커피 쭉 빨고) 얻다 대고 무능력한 경찰? ('하!') 뭘 제대로 해, 지가?

경진 보고서 쓰기 힘들 텐데….

준영 (피식) 너도 아직 제대로 못 쓰잖아.

경진 아이, 선배님… (생각하다) 근데 이거… 직장 내 괴롭힘 아니에요?

강현 (빠직) 가서 신고해라, 신고해!

경진 (쩝)

17. 강력팀 사무실, 낮

문으로 빼꼼 안을 들여다보는 강현, 준영, 경진.
이수의 책상이 비어 있다.

강현 없다, (씩) 갔나 봐.

준영 (강현 보며, 피식)

경진 수사 자료도 없는데요?

강현, 다시 책상을 보는데 핸드폰 울린다. <서장님>

강현 네, 예, 알겠습니다. (끊으면)

준영 왜?

강현 몰라, 올라오라는데? ('무슨 일이지?' 싶은 얼굴)

18. 서장실, 낮

#앞

강현, 노크하고 들어간다.

#안

문 열리면, 서장은 책상에 서류 더미를 쌓아 놓고 타자 중이고,
이수는 소파에 느긋하게 앉아 커피를 마시고 있다.
'헉!!' 하는 얼굴의 강현, 빙글 웃으며 놀리듯 보는 이수.

강현 (서장 책상으로 다가가는) 서장님….

서장 (어금니 물고) 어, 이 팀장… 내가 이 나이에 보고서를 다 써 본다?

강현 ('아흐…') 죄송합니다. (이수 보고 눈으로 욕하는데)

이수 ('내가 뭘?')

서장 진 경감이 보고서 어떻게 쓰는 거냐고 물어보더라고.

강현 (쭈글)

서장 신입이 들어오면, 차분히 데리고 다니면서 하나하나 가르쳐야지, 안 그래?

강현 네, 시정하겠습니다.

강현이 서류 더미 들고 나가면, 따라나서는 이수.

#앞

한숨 푹 쉬며 걸어가는 강현. 따라가며 웃는 이수.

19. 강력팀 사무실, 낮

강현에 이어 이수 들어오고, 경진과 준영이 보는데.

강현, 서류를 경진의 책상에 올린다.

강현 (기운 없이) 이거 치워라….

경진은 이수를 힐끔 보고, 이수는 윙크하고.
경진 웃고, 준영은 강현을 보는데.

강현 (지나가며) 아무것도 묻지 마. (털썩 앉는데)

밖에서 순경들이 빠른 걸음으로 지나간다. 약간의 소란.

강현 무슨 일 있어?
경진 강하 3동에서 70대 치매 노인이 실종됐대요.
강현 아… 강하 3동이면 엄청 넓은데 거길 어떻게 다 찾… (하다가, 번뜩) 우리가 도와주자!
경진 에?
강현 실종 수사팀 인원 얼마 안 되잖아. 우리가 도와야지, 가자!
준영 (피식, 왜 저러는지 알겠고)
강현 진이수, 나와!

강현 앞장서고. 준영, 가기 싫은 경진 나서면,
또 무슨 꿍꿍인가 보며 따라가는 이수.

20. 강하 3동 공원, 낮

실종 수사팀장, 설명하고 있고, 다수의 순경들, 뒤로 1팀이 서 있다.

강현 (다가가서) 선배님, 여기부터 강하역까지 저희가 맡을게요.

실종팀장 (다독이며) 고마워, 나중에 밥 살게.

순경들 각기 출발하고, 1팀이 있는 곳으로 온 강현.
강현이 문자 보내면, 팀원들 핸드폰에 노인의 사진이 뜨고. 신상 명세 나온다.

강현 (가리키고) 강하역까지 우리가 맡는다.

이수 (귀찮고) 여기서부터, 걸어 다니면서, 찾는다고?

강현 어, 해지기 전에 찾아야 돼.
실종자는 당뇨가 있어서 쓰러질 수 있어. 가자!

준영과 경진이 출발하고. 강현, 이수를 보는데, 이수는 하늘을 보고 있다.

이수 해 곧 질 거 같은데….

강현 그러니까 빨리 움직여!

이수 알았다고. (하면서도, 핸드폰 만지작거리고 섰다)

강현 (가려다 돌아보고) 진이수!

이수 알았다고, 참 나…. (마지못해 따라오고)

21. 몽타주, 해 질 녘

동네 곳곳을 훑는 이수 - 강현 조와 준영 - 경진 조의 모습들. 컷컷.

#이수 위치

이수와 강현이 걸어가는데, 고급 오토바이 스치고.
오토바이 남, 이수와 서로 눈인사하고. 강현, 뭔가 보고.

#준영 위치

준영과 경진 뒤로 달려가는 오토바이 세 대. '?' 보는 준영.

#이수 위치

오토바이 여러 대 지나간다. 이수, 손을 내밀면. '탁, 탁' 손바닥 치며 지나가는 오토바이들.

강현 뭐야?

이수 (모른 척하며 지나가며) 뭐가?

#준영 위치

아주, 골목이 오토바이, 전기자전거로 정신이 없다.
'뭔 일이야.' 보는 준영과 경진.

#이수 위치

이수, 핸드폰 본다.

이수 (강현에게) 찾았대. 가자. (앞장서고)

강현 (핸드폰 본다. 아무 연락 없고 갸우뚱 이수를 따라가고)

22. 강하 3동 공원, 저녁

오토바이, 자전거들 사이에 이수가 서 있고.
거대한 오토바이 한 대 들어온다. 뒤에 노인을 태우고.
환호하는 바이커들. 실종 수사팀 형사들이 노인을 데려가고.
이수는 노인을 데려온 사람에게 시계를 풀어 준다. 환호하는 사람들.

어떻게 된 건가 보는 강현에게 핸드폰을 내미는 경진.

INSERT. *이수의 인스타.*
노인 신상 명세 떠 있고, '제일 빨리 찾는 사람에게 시계 쏜다!'
하고, 비싼 시계 사진 떠 있다.

경진 형님이 능력자라니까요.
강현 (째리다가) 당장 사진 내리라고 해!

강현, 못마땅하게 보는데, 이수가 빼기며 뒤돌아 강현을 본다.
돌아서서 씩씩대며 걸어가는 강현. 피식 웃는 이수에서.

23. 강하경찰서 전경, 아침

출근하는 형사들, 주차하고 내리는 강현.

24. 강력팀 사무실, 아침

먼저 와 있던 준영이 들어오는 강현에게 손들어 인사하고.
강현, 들어오다가 이수의 중역 책상에 부딪히자 확 열 받는데.

강현 아이씨! 이놈의 책상! (발로 차고)
이수 (뒤로 들어오며) 공간 지각 능력이 떨어지네….
강현 (이수 보고 '씨~' 하는데)
이수 (빙글) 굿모닝~
강현 (인사 안 받고)

경진 굿모닝입니다~~ (이수에게) 형님 어제 쩔었습니다.

이수와 경진, 로우 파이브 하고. 강현은 그런 둘을 흘기는데,
전화 울린다. 경진을 보던 준영이 전화 받고.

준영 네, 알겠습니다. (끊고) 선착장에서 변사체 발견됐어.

강현 어, 가자. (가다가 이수에게) 나와!

강현과 준영 앞장서고. 경진 따라가고 이수도 따른다.

25. 강하경찰서 주차장, 낮

강현의 차 앞, 강현이 차 열면, 옆의 승합차 타려던 경진과 준영이 돌아보고.

경진 제가 운전할게요. 이거 타죠.

강현 (서늘) 내가 운전할 거야.

'쩝-' 차 안의 쓰레기 치우며 차에 타는 준영과 경진, 바로 안전벨트 '탁' 메고.
(강현의 차는 더럽고, 운전을 난폭하게 한다)
이수, 자신의 차 앞으로 오는데,
'부릉~' 강현의 차 달려오고, 운전석의 강현.

강현 (창문 내리고) ○○ 선착장, 30분 안에 도착해라. 늦으면 죽는다.

출발하며 가는 강현의 차.

이수 (보다가 피식, 기도 안 찬다) 또 해 보자는 거야?

이수, 차에 타고, 속도 높여서 '붕-' 출발하는 이수의 차.

26. 도로, 강현의 차 안, 낮

강현, 운전하고 있고, 보조석에 준영. 뒷자리에 경진.
강현, 분노의 운전을 하고 있고 준영은 강현을 보는데,
'붕-' 이수의 차가 옆 차선에서 위협적으로 들이대고.
강현은 피하며 브레이크를 밟고.

준영 저 새끼가!

약 올리듯 속도 높여 가는 이수.
열 받은 강현이 쫓는데… 얼마 안 가 뒤처진다.
속도 차이가 너무 난다. 신경질 나는 강현.
하지만 이내 우회전하며 멀어지는 이수의 차.

강현 (피식 웃는) 저기 공사 중인데….
준영 (마주 웃고) 도련님이 길을 잘 모르네….

27. 선착장 전경, 낮

28. 선착장 주차장 출입구, 낮

차단기와 작은 주차관리실이 있는 2차선 도로.

강현, 인도에 긁으며 차 세우고.

강현 (주차 관리 요원에게) 경찰입니다.

주차 관리 요원은 난처한 듯 뒤를 보고, 강현도 보면, 다가오고 있는 관리실장.
강현, 차에서 내린다. 준영과 경진도 내리고, 관리실장 다가오면.

강현 (신분증 들고) 강하서에서 나왔습니다. 시신을 발견하셨다고요.

관리실장 아, 예예. 제가 신고했습니다. 차는 여기에 대시고 같이 가시죠.

강현 현장이 요트 아닙니까? 저 안쪽에 주차하죠.

관리실장 아이, 여기는 선주 분들 주차장이라 아무나 들이면 제가 큰일 납니다.

준영 (정색) 아무나라뇨. 저희 수사하러 온 겁니다.

강현, 답답하게 관리실장을 보는데, 뒤로 KCSI 차량 와서 서고.
무슨 일인가 강현 쪽을 본다.

관리실장 (난처한) 저도 이러고 싶지 않은데 예민한 분들이 좀 있어 가지고… 어쩔 수가 없어요.

강현 (내가 더 난처하다는 얼굴)

그때, 요란한 소리와 함께 이수의 차가 도착하고.
자동으로 차단기 올라간다. 쓱 지나쳐가면서… 선글라스 쓰며 미소를 짓는 이수. 강현과 준영이 황당하게 보는데.

경진 (탄성) 역시…!

준영 (가볍게 경진의 뒤통수를 툭)

29. 선착장 주차장, 낮

스포츠카에 기대어 선 이수, 모델처럼 서서 걸어오는 경찰팀들을 보고 있다. KCSI 대원 둘은 무거운 가방을 강력팀과 나눠 들고 걸어온다. 그들 뒤로 우아하게 차려입은 미모의 여성이 한 명 보이는데, 그녀는 국과수 부검의 윤지원(30대 중반)이다. 눈살을 찌푸리고 걸어가는 강현의 옆에 다가서는 윤 박사.

윤 박사 재가 그 금수저야?

강현 네.

윤 박사 얄밉게 생겼다.

30. 요트 앞, 낮

요트 앞에 가방을 내려놓고 비닐장갑 등을 착용하며 준비하는 KCSI팀.
경진도 가방에서 장갑과 비닐 커버들을 꺼내 준영과 강현에게 주는데,
자연스럽게 다가와서 손을 내미는 이수. 경진도 자연스럽게 장갑을 주는데.
'탁' 뺏어 들고 삐딱하게 보는 준영. 이수, 준영을 보는데.

준영 (뺏은 장갑 끼면서) 현장에는 진짜 경찰만 들어갑니다.

이수 (기가 차고) 현장에 오라며?

준영 반말하지 마십시오.

이수 내가 팀장하고 말 깠잖아.

준영 (까칠) 나한테는 까지 마세요.

이수 (말문이 막히는데)

강현 (비닐 쓰고 신발에 끼우면서) 넌 차에서 대기해.

이수 (황당하고) 뭐?

강현 네 차에 가만히 앉아서 대기하라고.

이수 (빠직) 그러려고 오라 그랬냐?

강현 혼자 두면 또 무슨 짓을 할지 몰라서 데려온 거야. (손가락질) SNS 금지다.

돌아서서 요트 위로 올라가는 강현과 준영. 이수를 잠시 보고 따르는 경진.
황당히 서 있는 이수. 슬슬 짜증 나고.

31. 선착장 주차장, 낮

이수의 차 안, 기가 차서 '이게 뭐야.' 싶은 얼굴로 혀를 차며 앉아 있는 이수.
한숨을 쉬다가 문득.

이수 내가 왜 저 여자 말을 듣고 있지? (선바이저 내려 거울에 코 비추며)
한 대 맞아서 그런가? 외상 후 스트레스 장애?

'휙', 창밖 요트가 있는 쪽을 보는 이수.

32. 요트 안, 낮

(시신이 있는 요트는 선실이 있다. 시신은 밖에서 보이는 곳에, 예를 들어 뒤쪽 소파 위나 갑판 위의 해먹 같은 곳에 있다. 바깥쪽에서는 누운 여자의 머리나 발이 보이는 위치)
각자 할 일을 찾아서 움직이는 KCSI 대원들과 강력팀.
KCSI팀은 손잡이 등에서 지문을 채취하고 경진은 선실로 들어가고.
준영과 강현은 시신을 내려다본다.
머리 주변에 약간의 피(진득한 피가 아닌 물이 섞인 흔적 조금)가 있을 뿐, 화려한 옷차림의 시신은 마치 잠자는 숲속의 공주같이 아름답고 고요하다.

강현 (시신과 외부를 같이 보면서) 밖에서 다 보이는 곳에 시신을 뒀네.

준영 응, 관리실장이 출근하면서 보고 처음엔 자는 줄 알았대.

강현 (생각하면서) 숨길 생각이 없었다….

윤 박사가 올라오면, 강현과 준영이 물러서고.
윤 박사는 시신을 살펴보기 시작한다.

경진 E (선실 안에서) 여기 가방 있습니다!

소리에 선실 안으로 들어가는 강현과 준영.
선실 안, 테이블에는 샴페인 병과 잔 두 개. 하나는 립스틱 묻어 있다.
준영, 테이블 위에 증거물 박스 올리고 박스 안에 가방을 엎는다. 옆에서 보고 있는 강현. 여자의 소지품, 지갑 등 박스 안으로 흩어지고. 작은 지퍼백이 나온다.

CUT TO

강현 (윤 박사에게 다가가며) 어때요?

윤 박사 (목에 멍 보여 주며) 여기 압박흔이 있고, (머리 돌려 보여 주며) 후두부에 상처가 있어. 옷이 젖어 있는데 이슬 같지는 않아.

강현 익사의 가능성도 있는 건가요?

윤 박사 (입과 코를 자세히 보면서) 익사는 아닌 거 같은데… 정확한 건 부검 해 봐야 알겠어. (옷의 택을 들춰 보고) 옷이나 구두는 명품인데… 너무 말랐고 (얼굴 살피고) 영양 부족 상태야… (가만히 보다가) 이 얼굴 어디서 본 거 같지 않아…?

강현 (시신의 얼굴을 가만히 보는데)

순간, 배가 크게 흔들린다. 쪼그려 앉아 있던 윤 박사 비틀하고, 뒤쪽에 있던 준영이 잡아 주는데… 보면, 날렵한 레저 보트를 끌고 속도 갑자기 높이며 지나가는 이수. 요트가 흔들리고 보란 듯이 크게 음악까지 틀며 멀어지는 이수.
잠시 일을 멈추고 모든 경찰이 이수를 바라본다.
모두가 생각하지만 입 밖에 내지 않았던 한마디를 뱉는 경진.

경진 부럽다….

강현, 멍하니 이수를 보는 사람들을 향해 박수 치고.

강현 일합시다!!

다시 일에 집중하는 사람들.

33. 이수의 보트, 낮

흔들흔들 평화로운 보트 위에 눕다시피 앉아서 음악을 듣는 이수.
선글라스를 쓴 이수의 시선에 보이는 세피아 톤의 하늘. 새 한 마리 날아가고….

34. 요트 안, 낮

KCSI 대원, 갑판에 찍힌 발자국 하나를 찍고,
조사가 많이 진행된 듯 여기저기 증거물 번호 표시가 세워져 있다.
강현은 소파 틈에 떨어진 하얀 가루를 발견한다.

강현 (KCSI 대원에게 가루를 가리키고) 이거 분석 좀 해 줘.

준영, 피해자의 핸드폰을 켜 보는데, 화보 사진이 뜬다. (암호 설정되어 있어 열리지는 않는다) 옆에서 사진을 본 경진.

경진 어! 이 사람 모델인데?

준영, 경진을 보는데.
경진이 자기 핸드폰 꺼내서 인스타를 뒤지더니, 여자를 찾아낸다.

경진 뭐였더라… 무슨 CF였지… (중얼거리며 찾는) 이 사람 맞죠? 정이나.

INSERT. *핸드폰 화면.*
정이나의 인스타그램 사진들. 모두 화보와 광고 촬영 사진들이다.

준영, 핸드폰 사진 보는데, 강현도 다가와서 사진을 보고 시신의 얼굴을 본다. (시신은 바닥에 눕혀져 바디 백 안에 들어 있다)

강현 (경진에게 핸드폰 주며) 소속사 어딘지 알아 봐.
경진 네! (답하고 밖으로 나간다)

강현, (가방에서 나온) 지퍼 백을 들어본다. 아무것도 들어 있지 않다.
'이게 뭘까?' 하고 들어 보는데, 해지는 풍경을 뒤로 하고 다시 돌아오는 이수의 보트.

35. 이수의 보트, 해질 녘

INSERT. *보트를 몰고 들어오는 이수의 시점.*

시신이 있는 요트 옆면에 최근에 긁힌 자국이 있다. 길고 굵은 자국.

자국을 보는 이수.

그때, 영환에게서 문자가 온다. <진 경감 이따 볼까?>

문자 보며 요트 긁힌 자국 잊어버리고 보트 모는 이수.

36. 요트 앞, 해질 녘

이수, 보트를 멋있게 선착장에 묶고 훌쩍 뛰어내린다.

입 헤벌리고 보고 있던 경진.

경진 사진 한 장 찍어도 돼요?

이수 (피식) 물론이지.

보트를 배경으로 같이 사진을 찍는 이수와 경진.

경진 저 언제 한 번만 태워 주세요.

이수 (보다가) 네가 몰게 해 줄게. 대신 너 이제 내 편이다.

경진 (눈웃음) 저는 원래 형님 편이죠~~ 스타로드 X가 저예요!

이수 (?)

경진 팔로워라고요. 제 여친도 팬이에요.

이수 그럼 여친은 가모라?

경진 그루트요.

이수 새로운 조합이네.

하는데, 요트에서 내린 강현이 이수를 본다.

강현 진이수, 가자!

이수 또 어딜 가?

강현 따라 와. (앞장서면)

이수 (경진에게) 너네 팀장은 원래 저렇게 강압적이고 막 지 맘대로고 그러냐?

경진 우리 팀장님 성격 좋은데… 그냥 형님이 싫은 거 같아요.

이수 (경진 다시 보고) 너 지나치게 솔직한 스타일이구나. 좋아. 팁 하나 줘 봐. 개기까?

경진 (고개 젓고) 아뇨.

이수 (경진 보는)

37. 선착장 주차장, 저녁

#출입구

이수 어이, 이봐! 이 팀장!!

대답 없이 성큼성큼 걸어가는 강현.
이수, 짜증 나서 잰걸음으로 쫓아가는데, 어느새 강현의 차 앞이다.

강현 (차 문 열고) 타!

이수 아니, 내가 뭐 오라면 오고 가라면 가고 그런 사람인 줄 알아?

강현 그런 사람 같은데, 지금?

이수 아, 나 퇴근할 거야. 그 말 하러 온 거야. 약속 있어.

강현 출근은 네 맘인데, 퇴근은 팀장 권한이야. 상명하복. 내 명령에 따라야 된다

고. 싫으면 내일부터 집에서 쉬든가. (운전석에 타고)

이수 (따라 타면서) 차는 왜 이 모양이야? 범퍼카야?

#강현의 차 안

이수 (구시렁대는) 생각이 없어요, 경찰이라고 일은 벌려 놓고 출근을 안 해 봐, 어떻게 되겠어? 나 같은 셀럽이… (발아래 쓰레기들 발로 치우며) 아후, 왜 이렇게 더러워?

강현, 이수 보며 출발하다가, 급정거. 이수는 앞으로 확 쏠린다.
'아잇!' 하면서 강현을 보는 이수.

강현 입 다물고 벨트 매.

이수, 강현 흘기고 벨트 맨다.

38. 도로 - 모델 에이전시 앞, 밤

차 안, 둘 다 말이 없다.

이수 어디 가는 건데?

강현 영화 같은 거 보면, 수사가 흥미진진하지. 도망치는 범인 쫓고, 화려한 액션에, 수갑 채워서 멋있게 슬로우로 걸어가고, 응?

이수 ('뭔 소리야?')

강현 거기 없는 게 뭔지 알아? 진짜 형사의 노동이 없어.
사건 하나 나 봐. 가족, 친구, 직장 동료 다 일일이 만나서 얘기 들어야지.

CCTV 하나 확보 하려면 전화통 붙잡고 사정하고 가게마다 다 찾아다니고, 여름에는 땀띠 나고 겨울에는 동상 걸려.

이수 나한테 하소연하냐?

강현 (누르고) 그게 아니라… 곱게 잘 자란 재벌 3세가 왜 사서 고생을 하냐 이거지…. (미소)

이수 (하) 괴롭히고 협박하더니 이제 설득이야? 안 통하거든?

강현 너를 위해서 하는 말이야….

이수 그런 말 하는 사람 중에 나 위하는 사람 없던데?

강현, '쩝' 입 다물며 주차하면.

이수 그래서 여기가 어딘데?

강현 (사무적) 피해자가 모델이야. 여긴 소속 에이전시고.

39. 모델 에이전시 로비, 밤

광고 촬영을 끝내고 들어오는 모델들 여럿. 화려하게 입고 화장한 모습에 이수 시선을 뺏기고, 강현은 아무 감흥 없이 안내 데스크로 간다.

강현 (신분증 보이고) 경찰입니다. 대표님 어디 계세요?

안내 직원이 앞장서고 강현이 따라간다.
모델 보던 이수가 뒤늦게 따라가는데, 돌아서서 막는 강현.

강현 넌 회사 직원 모두 만나서 피해자, 정이나에 대해서 알아 와.

이수 회사 직원 모두?

강현　　응, 쓸 만한 정보 갖고 와라.

걸어가는 강현을 보는 이수.

40. 모델 에이전시 사장실, 밤

화려하게 꾸며진 실내, 모델 핏의 양복을 입은 사장이 이어폰을 끼고 통화 중이다. 강현이 들어가면 기다리라고 손가락 들고, 계속 상대의 말을 듣는. 강현, 사무실을 둘러보는데, 벽에 정이나의 사진들이 걸려 있다.

사장　　아니, 그 금액으로는 못해. 언제 적 이나 생각하는 거야. (강현을 모델 지망생으로 보고 위아래 훑는다. 후줄근한 옷에 머리에 다 맘에 안 든다는 눈으로 보다가 강현에게) 옷이 이게 뭐니, 몇 살이야?

강현　　('뭔 소리지?' 하다가, 신분증 꺼내 보인다)

사장　　(관심 없어졌고 통화 계속) 알아, 좋은 기횐 거 아는데, 우리 가치는 우리가 정하는 거야. 계약서 다시 보내라고 해. 아니 그러니까….

강현　　(큰소리로) 나중에 통화하시죠!

사장　　(강현 보다 끊고) 무슨 일이에요?

강현　　정이나 씨, 여기 소속이죠?

사장　　(긴장하는) 이나가 왜요?

강현　　시신으로 발견됐습니다.

놀라는 사장에서.

CUT TO

테이블에 앉아 있는 사장과 강현.

사장 어제 저녁에 회사에 왔었어요. 중요한 약속이 있다면서 나갔는데….

강현 그게 몇 시쯤입니까?

사장 여덟 신가 그랬을 거예요.

강현 누굴 만나러 갔는지 아세요?

사장 아뇨… 근데 어떻게 죽은 거예요?

강현 아직 조사 중입니다. 혹시 최근에 정이나 씨가 좀 달라졌다거나 주변에 이상한 일이 생겼다거나 하는 건 없었나요?

사장 (갸우뚱 생각하면서) 아뇨… 별다를 게 없었는데.

강현 정이나 씨 가족 관계는 어떻게 되죠?

사장 홀어머니 한 분 계셨는데, 열흘 전에 돌아가셔서 아마 가족이 없을 거예요.

강현 (명함 꺼내서 주며) 혹시 떠오르는 게 있으시면 연락 주세요.

강현이 돌아서서 나가려는데, 이미 다른 통화하고 있는 사장.

사장 (짜증 나는 얼굴로) 야, 정이나 죽었어. 계약서 다 체크 해 봐.

강현, 사장을 잠시 본다.

41. 모델 에이전시 로비, 밤

강현이 나오는데, 이수, 모델들에 둘러싸여서 마치 팬 미팅 하듯 놀고 있고.

모델 1 (인스타 찾아 보여 주며) 그럼 우리 맞팔해요.

모델 2 이 오빠, 바람둥이라던데?

이수 바람둥이 아니고 로맨티스트.

모델 2 MK 그룹 홍은아랑도 로맨스예요?

모델1 아, 나도 봤어, 강남대로 사건~~

이수 그건 로맨스가 아니라 스릴러. 내가 피해자고.

모델들 (웃는데)

기가 차는 강현, 그대로 걸어가는데. 이수, 강현 보고 뒤늦게 쫓아간다.

42. 모델 에이전시 앞, 밤

강현, 차 출발하는데, 달려오는 이수.

이수 어디 가? 알아낸 거 있어!

강현 (보다가) 보고서로 올려. (가 버린다)

이수 (기가 차서 보다가) 매너가 아주… 똥매너야!!

43. 강하경찰서 전경, 밤

44. 강력팀 사무실, 밤

조용한 사무실 안, 준영은 컴퓨터 작업 중이고 경진은 팩스 들어온 것들을 받는 등 각자 일을 하고 있고, 강현은 보드에 증거 사진들을 붙이고 있다.
갑판 위의 신발 자국, 마약 가루, 빈 지퍼 백. 피해자의 소지품들…
피해자의 아름다운 화보 샷, 그 옆으로 시신의 사진,
그 두 사진을 멀거니 보는 강현에서.

45. 국과수 부검실, 밤

윤 박사, 복장 갖춰 입고, 시신의 천을 거둔다.
굳은 정이나의 시신. 부검을 시작하는 윤 박사.
떨어진 곳에서 혹은 유리창 뒤에서 그걸 보고 있는 강현.

46. 강현의 집 전경, 밤

오래된 골목, 2층짜리 단독 주택, 작은 마당에 비닐하우스가 있는.
집 위층에는 다락방 혹은 옥탑방과 넓은 베란다가 있다.
그 집 앞에 강현, 차 세우고 내린다.

47. 강현의 집 마당, 밤

마당으로 들어서는 강현, 작은 비닐하우스 (문이 없는 구조) 안으로 토마토며, 상추며, 식물들이 잘 자라 있고.
강현은 걸어 들어가며 토마토를 서너 개 따서 입에 넣으며 집으로 들어간다.

48. 강현의 집 안, 밤

거실 중앙에는 커다란 책상, 벽에는 글귀들 쓰인 족자.
책상 위로 먹, 벼루, 한지 쌓여 있고 그리던 그림들 있다.
(강력팀 사무실의 족자는 아버지의 작품이다)
한편에 정복을 입은 강현의 사진, 옆에는 액자가 있었던 흔적. (아버지가 파면 후 정복 사진을 떼어낸 것)
꾸부정한 자세로 그림을 그리던 강현 부(이형준, 59세) 고개를 돌려 강현을 본다.

형준 이제 오냐?

강현　(지나가며) 안 잤어?

형준　밥은?

강현, 가방 툭 내려놓고 냄새를 맡는다.

강현　김치찌개?

형준　(미소) 한잔할래?

강현　좋지.

CUT TO

부엌 식탁에 앉은 강현.

형준이 찌개 뚝배기를 식탁 위의 버너에 올리고. 살짝 맛본 강현이 너무 짜서 역시나 하는 얼굴로 물을 많이 붓는다.

강현은 소주병을 흔들어 딴다. 잔에 소주를 채우는 강현. 보글보글 끓는 찌개. 형준은 사리면을 들어 보이고 강현은 받아서 뜯어 넣는다.

서로 짠하고 소주 마시고. 찌개와 라면을 먹는 부녀.

형준　사건 터졌어?

강현　(한숨) 어… 스물두 살밖에 안 된 모델, 이제 막 잘 되기 시작했는데… 부검 시작하는 거까지 보고 왔어.

형준　(말없이 소주를 따라 준다) 내일부터 바쁘겠네….

강현　(끄덕이고 마시고)

형준　신참은 어때?

강현　와 나 또 그렇게 참신한 또라이는 처음 봤네? 경찰서에 케이터링 서비스를 불러 놓고 이따 만한 컴퓨터 갖고 와서 게임을 하고 있어! 서장까지! (하다가, 입 다무는)

형준 (씁쓸한 미소 지으며) 우리 딸 고생 많네….

강현 (이러려고 얘길 시작한 건 아닌데) … 아니야….

방문 벌컥 열리더니 강현 모(고미숙, 54세) 나타나고.

미숙 아이고, 둘이 또 술판 벌렸어?

형준 이제 두 잔 마셨구먼. 술판은 무슨….

미숙 하여튼 부녀가 눈만 마주치면은….

강현 고 여사님도 한 잔?

미숙 (흘기다가 다정하게) 강현아, 있잖아… 약국집 아들이….

강현 됐어요.

미숙 아, 일단 들어 봐. 걔가 내가 봤는데, 송중기 닮았드라?

강현 송중기 닮은 애가 애인이 없으면 성격이 안 좋은 거지. 싫어, 안 해.

미숙 (버럭) 나는 네가 남자 친구 집에서 외박하는 게 소원이다. 숙직실에서 자는 게 아니라! 젤 예쁠 땐데 청춘이 아깝지도 않니?

강현 (생각하고) 별로? 연애할 시간 있으면 범인 하나 더 잡겠다.

미숙 (뭐라 하려다가 입 다물고) 하여튼 둘 다 잘났어, 아주!

형준 갑자기 나는 왜…?

미숙 그만 먹고 씻고 자! 오밤중에 김치찌개는.

미숙, 방으로 들어가는데.
형준과 강현, 술 따르고 짠하고 서로 키득대는데,
다시 문 벌컥 열리며.

미숙 둘 다 엉덩이 안 떼?

급히 마시며 일어나 흩어지는 강현과 형준. 강현은 계단으로 올라가고.

49. 강현의 방, 밤

정리가 안 된 방에 들어와 가방 툭 내려놓고, 침대에 풀썩 눕는 강현.
피곤하다. 서랍장 위에 놓인 아버지의 정복 사진을 물끄러미 보는 강현.

CUT TO
모니터에는 고양이 동영상이 나오고 있다. (강현은 동물 동영상 틀어 놓고 자는 게 버릇이다. 살인 사건의 잔영에서 벗어나기 위해서)
침대에 누운 강현, 씻지도 않고 잠이 들었다.

50. BAR, 밤

위스키 빈 잔 보고 있는 이수.
영환, 바텐더에게 병으로 달라고 하고 이수의 잔을 채워 준다.

영환 왜 이렇게 다운돼 있어??
이수 내가 아주 조직적으로 무시를 당하고 있다.
영환 너를 무시해? 누가?
이수 와라, 가라, 가만히 있어라, 아무것도 하지 마라. 그러더니 나를 길바닥에 버리고 갔어! (다시 생각해도 황당)
이해가 안 되네. 어쩌자는 거?
영환 (상황 파악됐고, 피식) 고등학교 때 기억 안 나? 너 질투해서 은근히 견제하던 애들 많았잖아.
이수 ('그랬지….' 영환 보는데)

영환 걔들은 네가 또 범인 잡을까 봐 쫄은 거야. 밟아 버려.

이수 (천천히 스마일) 그럴까?

이수와 영환, 건배하는데.

51. 국과수 앞, 아침

아침 햇살을 등에 진 국립과학수사연구원 건물 전경으로
강현, 차 몰고 들어와 주차하고 내리는데,
'부웅~' 이수의 세컨드 카, 주차되고 이수, 커피 들고 내린다.

강현 ('여기 왜 왔냐.') 아침부터 뭘까? 모닝커피를 못 마셔서 기분 별론데.

이수 일찍 일어나지. (손에 커피 쭉 빨아 마시는)

강현 (보는데) 뭐냐고.

이수 부검 결과 나왔잖아.

강현 그걸 네가 왜?

이수 이 경감, 가자, 늦었다. (앞장서고)

강현 (맘에 안 드는 얼굴로 따라간다)

52. 국과수 복도, 낮

경찰 신분증 내보이며 자신감 있게 걸어가는 이수, 못마땅한 강현.

강현 부검실 아무나 들어가는 거 아니다. 보통 사람은 못 견뎌.
나도 수사물은 절대 안 봐. 사람 죽는 거 그만 보고 싶어서. 집에 가면 고양이 동영상만 본다고.

이수 (피식) 내가 보통 사람이냐? (걸어가고)

강현 (얄밉고)

53. 국과수 부검실, 낮

이수와 강현, 들어와서 부검대 쪽으로 다가간다.
인사하는 조수. 윤 박사는 안 보인다.

강현 (조수에게) 윤 박사님 어디 계세요?

조수 방에 계실 거예요. 오셨다고 할까요?

강현 아뇨, 제가 갈게요. (나가고)

이수, 둘러보는데, 조수가 정이나의 시신을 밀고 다가온다.
이수 옆에 시신을 두고, 얼굴을 열어 놓고 가는 조수.
이수, 빨려 들어갈 듯 정이나의 얼굴을 보는데… 서서히 얼굴이 하얗게 질린다.

INSERT. *어떤 그림이 보인다. (전체가 아닌 얼굴 부분)*
그림 안에는 <존 에버렛 밀레이의 오필리아>처럼 여자가 물에 잠겨 있다.

점차 숨이 안 쉬어지는 이수, 부검대 난간을 잡고 쓰러질 듯 하고….

INSERT. *물속에 잠기는 이수의 얼굴, 숨을 쉬지 못하고 괴로워하고.*

가슴을 부여잡고 쓰러지는 이수!

부검실로 들어오는 강현과 윤 박사.

윤 박사 금수저도 같이 왔어?

강현 네, 귀찮아 죽겠어요…. (하는데, 이수 안 보이고)

강현, 쓰러진 이수를 발견하고 다가간다.

강현 진이수! (이수의 얼굴을 탁탁 때리며) 진이수!!

이수 (헉, 숨을 몰아쉬며 눈을 뜨고! 강현의 얼굴을 보고 안도의 한숨)

강현 … 기절한 거야?

이수 (정신 차리고, 억지로 웃으며) 장난이야. 속았지?

강현 가지가지 해라.

이수, 아무렇지 않은 척 일어나고, 윤 박사에게 인사하고.
윤 박사는 저게 진짜 장난이었나 잠시 본다. 시선 피하는 이수.
(이수도 자신이 왜 그랬는지 모르겠다. 일단은 아무렇지 않은 척한다)

강현 사망 시각은 나왔어요?

윤 박사 (파일 확인하며) 새벽 1시에서 1시 반.

강현 사인은요?

윤 박사 그게 좀 복잡해. 지난번에 봤지? (시신의 목을 들어 보인다)

이수 (시신의 얼굴을 보지 못하는)

윤 박사 목을 조른 손자국은 있는데, 울혈도 없고 골절도 없어.

이수 (생각하다가) 목을 조르는데 골절이 생겨요?

윤 박사 (이수에게 다가가서 목을 조르는 척한다. 뭔가 압도적인 섹시함이 있다)
손으로 목을 조르면 여기 있는 설골이 부러지는 일이 많아요.

이수　아…. (알아듣고, 긴장 좀 풀리고)

강현　액사는 아니겠네요.

윤 박사　응, (돌아서며 다시 사무적으로) 익사도 아니야. 위에서 강물 성분이 나오긴 했는데, 그냥 물을 좀 먹은 정도.

강현　물에 빠지기는 했다는 거네요.

윤 박사　문제는 후두부의 좌열창이야. 출혈도 출혈이지만 두개골이 파일 정도의 충격이었어. (벽면의 스크린을 보면 두개골이 깨진 엑스레이 사진이 보인다.) 흉기는….

부검대 옆 사이드 테이블 위의 망치를 들어 보인다.

윤 박사　이런 거… 아님 (옆의 스패너 - 둥근 부분이 있는 - 들고) 이런 거.
각도를 봤을 땐 범인은 왼손잡이야. (피해자의 왼쪽 뒤통수에 상처 있다)
힘도 좋겠지.

이수　(생각하다가) 옆에서 오른손으로 이렇게 쳤을 수도 있잖아요?

강현　(답답한 소리 한다는 듯 흘기는데)

윤 박사　어머, 예리한 데가 있네? 근데 옆에서 칠 때하고 뒤에서 쳤을 때 (스패너 휘두르는 척) 남는 상처의 모양이 좀 달라요. 우리도 연구해.

강현　피해자는 어젯밤 목이 졸리고 머리에 가격을 당하고 강에 빠졌다.

윤 박사　응. 사인은 두개골 골절 및 뇌 내 손상.
아, 그리고 양쪽 팔 밑에 멍이 들었어. (보여 준다. 길게 멍이 든 두 팔을)

강현　이게 뭘까요….

윤 박사　(강현 보면서) 글쎄….

54. 국과수 복도, 낮

강현과 이수, 걸어가고 있다.

이수 (명탐정인 듯) 머리를 때리고, 목을 조르고, 강에 던졌다… 그리고 다시 건져서 요트 위에 올려놨다? (정리가 안 된다) 아니면 강에 던졌다가 다시 끌어 올려서 머리를 쳐? 뭐 하러?

강현 (흘기고 멈추며) 명탐정 나셨네. 왜 이러니?

이수 어?

강현 무슨 콘셉트냐고.

이수 (빙글) 왜, 무섭냐?

강현 맥락이 없다, 지금.

이수 내가 또 범인 딱 잡아 버릴까 봐 무서운 거 아니야.

강현 (기가 차서) 내가. 네가. 무서워? (진심으로 웃는다) 하하하하하하….

이수 (긴 웃음에 기분 나빠지고)

강현 이봐요, 아저씨, 묻지 마 폭행범이 경찰 되더니, 정신 줄을 놨네. 수사가 장난인 줄 알아? 또 아무나 잡아 오면 범인일 거 같아?

이수 잡으면 어떡할래?

강현 절대 그런 일은 없어.

이수 못 잡으면, 네 눈앞에서 사라져 줄게. 내근직으로 옮기든 출근을 안 하든.

강현 그거 좋네.

이수 대신 잡으면. 너도 인정해. 내가 경찰이라는 거.

강현 (가만히 보다가) 콜.

'어디 두고 보자.' 서로 보는 이수와 강현.

55. 강하경찰서 전경, 낮

56. 강하경찰서 복도, 낮

강현과 이수 걸어가는데,
KCSI 조끼 입은 대원, 강현을 보고 다가온다.

대원 팀장님, 감식 결과 나왔는데요, (하며, 파일을 펼치고)

강현이 파일을 보면, 이수도 같이 서서 본다.

대원 현장에서 발견된 지퍼 백은 안에 아무것도 없었어요. 새 거예요.

이수 (중얼) 빈 지퍼 백을 왜 갖고 다니지?

강현 다른 건?

대원 (틈새에서 발견된 가루 사진 보여 주고) 이 가루는 신종 마약이에요. LSD계열.

강현 족적은?

대원 280mm 등산화예요, 제조사는 확인됐는데 작년에만 12만 켤레 이상 팔려서 의미가 없어요.

강현 그래… 현장에 혈흔은?

대원 시신 주변에 희석된 혈흔밖에 없었어요. 샴페인 잔에서는 지문 나왔고요. (파일 건네주면)

강현 (받고) 알았어, 고마워. (가면)

이수 수고했어요~ (하고, 따라가는)

57. 강력팀 사무실, 낮

강현 (들어가며) CCTV에서 나온 거 없어?

준영 (강현 보며) 용의자 특정됐어.

강현과 이수, 준영의 모니터에 모이고. 준영은 잠시 이수를 힐끔 보고.

INSERT. *모니터 화면.*

정박된 요트들 가운데 길을 비추는 화면.

밤 11시, 정이나와 함께 배에 오르는 남성의 모습.

남자, 정이나의 어깨에 손을 올리고 걸어간다.

준영NA 둘이 같이 들어가서 (빨리 돌리면)

술에 취한 듯 화가 난 듯 혼자 걸어 나오는 남자. 12시.

준영NA 1시간 뒤에 혼자 나왔어.

카메라 가장 가까운 쪽을 지나며 고개를 들어 얼굴이 선명히 보이는 지점에서 멈추는 화면.

이수 어! DN 미디어 막내아들이네?

강현 그건 우리도 알아. 천태성. (파일 보여 주고) 샴페인 잔에서 지문 나왔거든.

이수 DN 미디어… 정이나 씨 거기 CF 찍었는데?

경진 네, 맞아요. 일주일 전에.

강현 (흥, 보는데)

이수 이건 모를 걸? 그 CF를 다른 모델 빼내고 억지로 들어갔다는 거?

강현 (몰랐다. 이수 보는데)

이수 경찰 정보력으로 거기까진 좀 무리지… 내가 모델들한테 알아냈어~

준영 (왜 이러나 보는데)

강현 (경진에게) 요트 주인은 누구야? 천태성이야?

경진 아뇨, 주인은 천태영입니다. 천태성 형이에요.

이수 아, 그 형제들 소문을 좀 아는데….

강현 (끊고) 천태성부터 봐야겠다. 어딨어?

경진 그게… 파악이 안 돼요. 출근도 안 했고, 비서도 어딨는지 모른다네요. (핸드폰 화면 보여 주며) 한 시간 전에 SNS에 이 사진을 올렸는데, 여기가 어딘지는 모르겠어요.

INSERT. *고급 시가 룸 같은 곳에서 위스키 마시는 천태성.*

강현, 사진을 보는데, 빼꼼 머리 디밀며 보는 이수.

이수 나는 아는데. (놀리듯 강현을 보더니 나가 버린다)

준영 왜 저래?

강현 범인을 자기가 잡겠대.

준영 (기막히고)

강현 못 잡으면 내근으로 돌리겠대. (살벌하게 경진 보고) 빨리 찾아, 저기가 어딘지!!

58. 프라이빗 클럽 전경, 낮

검은 건물 앞. 기하학적인 모양의 간판만 (룬 문자 같은) 붙어 있다.
이수가 차 세우고 내린다. 건물의 육중한 문을 열고 들어가는 이수.

59. 프라이빗 클럽, 낮

#복도

걸어가는 이수, 클럽 문 앞에 안전 요원 둘,
이수를 알아보고 인사하며 문을 열어 준다.

#로비
높은 천장, 부드러운 조명 아래, 고급스럽고 넓은 홀.
이수가 들어가면 매니저(여)가 우아한 미소로 인사한다.

매니저 (깍듯이) 진 실장님, 오랜만에 오셨네요.
이수 (미소) 좀 바빴어요.
매니저 어디로 모실까요?
이수 DN 천 실장 와 있죠? 만나기로 했어요.
매니저 ('그런 얘기 없었는데?' 하다가, 바로 표정 바꾸고) 태닝실에 계십니다. 이쪽으로 오시죠.
이수 제가 찾아갈게요.
매니저 (보면)
이수 (미소 짓고 가는)

#1층
이수 지나가면 보이는 시가 룸 (천태성 SNS 사진) 레스토랑….

#계단
올라가는 이수.

#2층
사우나로 가는 통로 있고, 옆으로 마사지 룸, 바버 샵이 늘어섰고,
끝에 태닝 룸이 보인다. 태닝 룸 문을 열고 들어가는 이수.

60. 프라이빗 클럽 태닝 룸, 낮

이수, 방으로 들어서면, 직원들이 서 있고, 태닝 머신 보인다.
직원들에게 신분증 보이며 조용히 나가라고 사인하는 이수. 직원들 나가고.
태닝 머신으로 다가가면, 안에 천태성이 보호경 쓰고 누워 있다.
이수, 패널 조작해서 머신을 꺼 버린다.

태성 뭐야?!

이수 (머신 열고 보호경 들추고) 나야.

태성 (어리둥절 보는데)

이수 나 누군지 알지?

태성 알지, 한수 그룹 망나니.

이수 망나니는 너고. (신분증 보여 주고) 형사님~

천태성, 짜증 난 얼굴로 나와서 수건 허리에 두르는데.

이수 비위가 좋네~ 사람 죽이고 태닝이 하고 싶냐?

천태성, 긴장한 얼굴로 이수를 노려보는데.

이수 뭘 째려봐. 일로 와.

하는데, 일단 여기서 튀어야겠다 마음먹은 천태성이 어설프게 주먹을 휘두르고! 이수는 유연하게 피하며 천태성의 뒤통수를 잡아 태닝 머신에 박아 버린다.
턱이 빠진 (혹은 어딘가에 얼굴을 데인) 천태성이 비명을 지르며 상처를 잡고.
이수는 천태성의 팔을 꺾어 보호경으로 손목을 묶는다. (수갑이 없다)

이수 정이나 살인 혐의로 체포한다.
('다음이 뭐였더라?' 잠깐 생각)

INSERT. *1부, 막다른 골목.*

강현 *불리한 진술을 거부할 수 있고, 체포적부심을 신청할 수 있으며 변명의 기회가 있다.*

이수 불리한 진술을 거부할 수 있고, 체포적부심을 신청할 수 있고. 변명의 기회는… 이따가 줄게. (하는데)

태성 (뒤틀며) 박 실장!!! (소리치고)

이수, 천태성을 끌고 일어서는데 문 벌컥 열리고, 덩치 둘이 나타난다.
멈칫하는 이수, 눈썹 꿈틀하는 덩치들에서.

61. 프라이빗 클럽 앞, 낮

문 열고 들어오는 강현.
안전 요원들, 강현을 본다.

강현 (신분증 보이고) 경찰입니다. 찾을 사람이 있어서 잠깐 들어갈게요.

안전 요원 (막고) 여긴 회원들만 들어가실 수 있습니다.

강현 아이, 여기나 저기나 그놈의 회원… 사람만 찾고 나온다고요. 협조해 주시죠.

안전 요원 (미소) 영장 받아 오시죠.

강현 (서늘) 진짜 받아 온다?

안전 요원 능력 있으면 가져오세요.

강현 (짜증 참고) 안에 천태성 있지?

안전 요원 …

강현 진이수는, 한수 그룹 진이수 들어갔어?

하는데, 문이 '쾅-' 열리며 이수가 던져진다. '윽-' 신음하며 구르는 이수.
강현, 이수를 보는데. 이수, 아무렇지 않은 척 일어서더니.

이수 어, 왔어? 늦었네?

강현 또 뭔 짓을 한 거야?

이수 천태성 잡았지.

강현 ('퍽이나 잡았겠다.', 보는데)

나와서 두 사람 앞에 서는 덩치 둘.
강현, 덩치들을 차분히 보는데, 뒤로 천태성이 나온다. (수건 한 장, 슬리퍼)

태성 (상처 입은 데 잡고 이수 가리키고) 저 새끼 죽여.

강현 (신분증 내밀고) 경찰이다, 물러서.

덩치들, 멈칫하는데.

태성 잘리고 싶냐?! 저 새끼 밟으라고!!

사고에 휘말리고 싶지 않은 안전 요원 둘, 문 잠그고 들어가고.
덩치들은 싸울 기세로 이수와 강현 앞으로 나온다.

강현 뒤에 서.

이수　나 싸움 잘해.

강현　(이수 잠시 보고) 알아서 해라. (삼단봉 착 펼치는데)

이수 뒤로 덩치들 서넛 더 들어온다.

이수　(덩치들 돌아보고) 나도 뭐 하나 줘.

강현　없어. 싸움 잘한다며?

이수　난 일대일만 잘해.

강현　뭐?

이수　시합만 했다고.

강현　아이씨… (내 뒤에) 붙어.

이수, 다가가서 강현과 등대고 선다.
다가오는 덩치들, 살기등등한 천태성.
긴장한 채 덩치들에게 주먹을 휘두르기 시작하는 이수와 강현에서.

2화 엔딩.

ep.03

엄청난 사실을 알아냈지

1. 프라이빗 클럽 앞, 낮

긴장해 덩치들을 보는 이수와 강현.

덩치들, 획 달려들고, 싸움이 시작된다. 지켜보고 선 천태성.

강현, 주먹을 휘두르는 놈의 팔과 어깨를 삼단봉으로 내려치고!

이수는 제대로 배운 자세로 주먹을 피하고 옆구리를 치고. (킥복싱)

강현은 발로 차는 놈을 피하며 정강이를 때리고 비틀거리는 놈의 다리를 발로 차서 쓰러뜨린다.

이수가 앞에서 달려드는 놈의 허벅지를 밟고 옆에 선 놈의 목을 발로 차면 쓰러져 기절하는 놈. 이어 뛰어내리며 허벅지 밟힌 놈의 턱에 한 방 제대로 박으면 뒤로 쿵 쓰러지는 마지막 덩치.

쓰러져 구르는 덩치들. 이수와 강현이 서로 잠시 보고… 천태성을 보면,

눈치를 보다가 튀는 천태성. 슬리퍼에 수건 걸치고 뛰어나가다가… 수건이 너풀거리며 문고리에 걸리더니… 슬리퍼 미끄러지며 (문 앞의 짧은) 계단을 구르는 천태성.

이수와 강현이 계단으로 가서 보면, 천태성, 나체로 기절해 있다. (중요 부위는 이수의 등에 가려 안 보인다)

강현 (급히 눈 가리며) 어우… (수건 가리키며) 저거 좀 덮어 줘.

이수 내가? 아우~ 싫어~.

강현 그럼 내가 하냐?

이수 괜찮은 생각이야.

강현 (잽싸게) 안 내면 진다, 가위바위보!

이수, 졌고… 한숨 쉬며 인상 쓰고 '아우…' 수건을 살짝 잡아 천태성을 덮어 준다.

2. 강하경찰서 전경, 낮

3. 강력팀 사무실, 낮

경찰청 마크 담요를 덮고 있는 천태성. (경찰청 트레이닝 바지, 슬리퍼)
회의 테이블에 1팀 강압적으로 서거나 앉고, 천태성은 약간 위축된 느낌.

강현 얘기해 봐, 어떻게 된 건지.

태성 (짜증) 아, 그년이 나를 먼저 꼬셨다니까~!

준영 (삼단봉 들고 부라리고) 망자에 대한 예의가 없다.

태성 (흠칫) 그 여성 분께서… 저를 꼬셨다고요….

강현 그래서?

태성 (한숨) 아, 다시 생각해도 열 받네.
남녀가 밤늦게 요트 가서 (미소 지으며 요트에 오르는 전태성과 정이나 컷)
샴페인까지 처먹었으면 (테이블에서 샴페인을 마시는 전태성과 정이나 컷)
그다음 코스는 뻔한 거 아니야? 근데 키스 좀 할려는데
(태성이 다가왔는데 뒤로 빼는 정이나 컷)

날 밀치면서 머리를 쥐어뜯었다니까!

(키스하려는 태성의 머리를 잡아 뜯는 정이나 컷)

강현 (서늘) 그래서?

태성 그래서… (주눅 들며) 홧김에 목을 좀 졸랐더니… 애가 픽 쓰러지길래. 그냥 놓고 나온 거예요. 죽을 정도는 아니었다니까!

준영 (강압적) 목을 졸라 놓고 쓰러진 여자를 그냥 두고 나왔어?

태성 그럼 기분 더러운데 업고 나올까?

이수 아, 최악이다~ 너 같은 놈 때문에 재벌들이 욕먹는 거야~

강현 (태성을 보다가 경진에게) 경진아, 마약 검사 키트 가져와.

경진, 사무실을 나가고.

태성 (황당) 마약? 마약이 나왔어? 요트에서?

강현 (말 안 하고 쳐다본다)

태성 그거 태영이 형이야. 태영이 형이 요트에 숨어서 마약한다고!

강현 (안 믿는다는 듯 보는데)

태성 내가 나간 다음에 형이 왔을 거야. 새벽에 요트에서 마약한다니까!

강현 (태성을 보다가 준영을 보면)

준영이 컴퓨터로 가서 CCTV 화면을 다시 켜 본다.

INSERT. *모니터 화면.*

천태성이 선착장을 떠나고 시간이 흘러 1시가 되면 천태영이 요트로 향한다.

준영이 강현을 보면, 강현이 다가와서 화면을 본다.

쪼르르 따라가 보는 이수.

강현 (조용히) 천태영 어떻게 됐어?

준영 오고 있어.

태성 (흥분) 맞지? 내 말 맞지?

하는데, 문이 열리고 경진이 키트를 들고 들어오는데.
뒤로 천태영(32세, 깡마른 체형)이 들어온다. 뒤로 비서 한 명 따르고.
강현과 준영, 모두 천태영을 보는 가운데. 경진, 이수 옆에 서면.

이수 왔네, 천태영. DN 스튜디오 대표….

경진, 돌아보는데.

태성 (일어서서 다가가는) 형, 형이지? 사고 쳤지? 마약 검사는 저 새끼를 해~!

태영 (당황하는데)

태성 아니야, 이 새끼 옷에 마약 있어. 비밀 주머니 있어.

천태성이 일어나더니 천태영의 옷을 잡아채 뒤진다.

태영 천태성! 그만 안 해?!

천태성은 아예 천태영의 자켓을 벗기려고 하고, 천태영은 양복을 잡다가 그만 속주머니가 찢어져 버린다. '툭' 떨어지는 작은 비닐 봉투. (봉투 안에 하얀 종이 조각들과 가루가 있다)
'헉-' 모두가 바닥에 떨어진 봉투를 보며 멈춘다.

태영 이 미친 새끼야!

천태영, 천태성의 턱을 날리고. '와우' 놀라는 이수!
다시 문이 열리며 천태준(43세, 고급 양복)이 들어온다. 뒤로 비서 둘.
자연스럽게 경진은 이수를 본다. 누구냐는 얼굴로.

이수 천태준. DN 미디어 부회장. (손으로 가리고) 별명이 모델 킬러.

천태성이 천태영의 멱살을 잡았는데, 그 앞에 천태준이 서고.

태준 잘하는 짓들이다. 니들은 이제 회사에 발도 못 붙일 줄 알아.
태성 (태영 놓고 타깃 변경) 네가 뭔데! 뭐라도 된 거 같냐?
태준 형한테 이 새끼가… 말 똑바로 해라.
태영 (듣다가 피식) 지랄… 네가 형이냐? 우리가 형제야?
태준 (열 받다가) 됐다. 약쟁이한테 무슨 말을 더하냐. 넌 끝났어.
태영 (태준에게 달려들며) 뭐, 약쟁이? 이 새끼가!

갑자기 문이 벌컥 열리더니 이수민(천 회장의 둘째 아내, 화려한 외모, 50대 중반) 들어온다. 뒤로 잘생긴 남자 비서 둘.

수민 (사자후) 내 아들 잡아간 년이 누구야!! 내가 누군지 알아?!!

강력 1팀 모두 '쟤 누구니.' 하는 얼굴로 이수를 본다.

이수 천 회장 두 번째 부인 이수민, DN 광고 대표, 마담 출신.
태성 (이수민에게 매달리며) 엄마!
수민 내 새끼 누가 그랬어?
태성 (강현 가리키며 징징) 저년이~ 난 잘못한 것도 없는데~~

강현 (헐)

수민 (눈을 부라리고 강현에게 다가선다) 너야? (하는데)

준영 (팔 들어 막고) 물러서세요.

수민 이 미친 것들. 서장 나오라 그래! 서장 어딨어!!

하는데, 벌컥 열리는 문. 서 있는 수수한 옷차림의 50대 아줌마.
자동으로 이수를 보는 1팀.

이수 응? 청소하시는 분….

경진 아. (그렇지)

청소부 아줌마, 어색한 분위기에 문 닫는데, 다시 벌컥 열리는 문!
싸늘한 냉기를 풍기는 최현주(60대 초반의 우아한 용모) 들어선다.
뒤로 따르는 날카로운 인상의 50대 비서실장.
다시 이수를 보는 일행.

이수 천 회장 첫 번째 부인, 최현주 DN 방송 대표.

현주 천박하게 굴지 말고 체통을 좀 지키지?

수민 (돌아서며) 체통?

현주 이래서 출신은 못 속인다고 하는 거야.

이수민, 눈 돌아간다. 확 달려들어 최현주의 머리채를 잡는다.

수민 이게 내 체통이다, 이년아! 니들이 꾸민 짓이지?

'헉-' 모두 놀라 멈추고. 이어 아들들이 말리려고 하지만 두 여자 완전히 엉켜

붙었다. 고가의 핸드백은 구두에 밟히고 있고, 머리는 산발이 되어 간다.

이수 (웃고) 이거 완전 막장이네?!!

하면, 옆에서 팝콘 뜯는 경진. 나란히 구경하며 팝콘 먹고…
엄마들 싸움에 끼어들었다가 서로 엉켜 싸우는 삼 형제.

삼 형제 (서로 멱살 잡고 머리채 잡고) 이거 안 놔? / 너부터 놔, 새끼야….

'이게 무슨 일이야.' 싶은 강력계 형사들 분위기.
그때, 서장과 형사과장 뒷문으로 뛰어 들어오고,
(강력팀 사무실의 문은 앞뒤로 두 개)
비서들, 이런 일 한두 번 아닌 듯 차분히 앞뒷문을 닫는다.

서장 (당황해 어쩔 줄 모르고) 이게 무슨 일이야?
형사과장 (강현 보고) 정리 안 할 거야?

강현, 한숨 쉬며 서랍을 열어 메가폰을 꺼낸다.
냅다 사이렌을 울리면, '멈칫' 멈추는 DN 그룹 일가. 강현을 보면.

강현 (사이렌 끄고) 폭행으로 고소하실 분 손 드세요!

시선 피하며 아무 말 안 하는 가족들. 맞은 데 문지르고 옷 털며 딴청이다.

강현 그럼 이쯤에서 정리합니다. 다들 물러서세요!

가족들 조금씩 떨어져 서고,
준영은 천태영에게 다가가 수갑을 채운다.

준영 마약소지죄로 체포합니다. 변명의 기회가 있고, 불리한 진술을 거부할 수 있으며, 체포적부심을 법원에 신청할 수 있습니다.

아들이 체포되는 걸 보는 이수민, 얼굴 굳는데.

서장 (최현주 가방 털어 주며) 가시죠.

서장과 최현주가 나서면, 따라가는 천태준.
천태성과 천태영을 끌고 나가는 준영과 경진.
나가는 아들들을 보다가 최현주를 노려보는 이수민.
그런 이수민을 보는 강현과 이수….

4. 강하경찰서 앞, 낮

서장이 최현주를 배웅하며 나온다. 뒤로는 천태준.
멀리서 건물 쪽으로 걸어오다가 그 장면을 보는 이 기자.
최현주가 비서실장이 열어 준 차에 오르고.
차 떠나고, 서장 옆에 서 있던 천태준도 이어 다가온 차량에 올라탄다.
'이건 무슨 상황이지?' 궁금해하는 얼굴의 이 기자.

5. 강력팀 사무실, 낮

회의 테이블에 앉아 있는 이수민. 맞은편에는 이수.

강현, 이수민의 옆에 앉는다.

강현 (차분하게 설명한다) 지금까지 수사한 바로는 아드님 둘 중 하나가 정이나 씨를 살해한 것으로 보입니다. 사건에 대해서 아시는 게 있으면 지금 말씀하세요.

수민 (차갑게 강현을 보는데)

강현 아까… 하셨던 말씀은 무슨 뜻이죠?

INSERT. *강력팀 사무실.*

수민 *니들이 꾸민 짓이지?*

수민 (뭔가 말을 할 듯 강현을 보다가) 너는… 옷 벗을 걱정이나 해. 감히 우리 집안을 건드려?

이수 (이수민을 보는데)

수민 너 이름 뭐야?!

강현 (차분히 보다가… 명함을 내민다) 이강현입니다.

수민 (차분한 반응에 어색하게 강현을 보는데)

강현 저는 대표님 집안을 건드리는 게 아니라, 적법한 절차에 따라 수사를 하고 있는 겁니다. 언제든지. 사건에 대해서 할 얘기가 있으면 전화하세요.

이수민, 머쓱해졌지만 이내 기분 나쁘다는 듯 일어나서 나간다.
나가는 이수민을 보는 강현. 그런 강현을 보는 이수.

6. 진술 녹화실, 낮

천태영이 앉아 있고, 맞은편에는 강현과 준영이 앉아 있다.

천태영 앞에는 양성 반응이 나온 마약 검사 키트.
그걸 내려다보는 초조한 얼굴의 천태영.
강현은 천태영 앞으로 물병을 하나 준다.
천태영, 왼손으로 물병 뚜껑을 연다. 보고 있는 강현… 왼손잡이다.

강현 (부드럽게) 편하게 얘기해요.

태영 (망설이다 입을 연다) 약을… 하러 갔어요. 다른 데서는 불안해서 할 수가 없어서….

천태영을 보는 강현과 준영….

7. 천태영의 자백

#선착장

능숙하게 요트를 몰고 나가는 천태영.

#강

주변에 아무것도 없는 강에 선 요트.

#요트 위

소파에 걸터앉아 양복 안쪽에서 비닐 봉투를 꺼내는 천태영. 종이 조각을 꺼내 혀 위에 넣는 천태영. (소파 옆 틈으로 가루가 조금 떨어진다. 강현이 발견한 가루다)
동공이 확장되는 천태영의 눈. 뒤로 스르르 눕는다.

태영 E 근데, 갑자기 여자가 나타났어요.

구석에서 일어서는 정이나. 겁에 질려 보는 천태영.
천태영의 눈에 정이나는 붉은 눈을 가진, 악마처럼 보인다.

태영 E 악마… 같았어요… 너무 무서워서… 밀어 버렸어요.

천태영, 뒷걸음질 치다가 목을 잡고 손을 내미는 정이나를 밀어 버린다.
배 밖으로 빠지는 정이나. 그걸 보는 천태영.
정신없이 배를 몰아 선착장으로 돌아오는 천태영.

8. 진술 녹화실, 낮

태영 (굳은 얼굴로) 그게 다예요.

준영 머리 좋네. 어차피 마약은 걸렸고, 심신미약으로 가겠다, 이 작전 같은데… 그럼 솔직하게 다 말해야지. 강에 던졌다, 그게 끝은 아니잖아?

태영 그게 다라니까!

강현 (정이나의 사진들 하나씩 보여 주며 - 요트 위의 시신 전체 샷 포함) 정이나 씨는 익사하지 않았어요. 누군가에게 머리를 가격당해서 죽었죠. 우린 그게 당신이라고 생각해요.

태영 아니야! 난 정말… 아니야…. (혼란스러운)

강현 (차분히 본다) 솔직하게 말해 봐요. 기억이… 안 나죠?

천태영, 말문이 막혀 식은땀까지 흘리는데.

준영 (서류 파일 열어 보여 준다) 이 남자는 기억나나?

파일 속 남성은 얼굴이 찢어지고 붓고, 팔도 멍투성이다.
다른 파일에는 전치 16주라는 진료 기록. 합의한 기록.

준영 한 달 전, 당신이 집 앞에서 폭행한 양진석.

태영 (긴장해서 침을 삼킨다)

준영 그때도 그랬어.

INSERT. *고급 단독 주택 앞.*
남자를 미친 듯 폭행하는 천태영. 눈이 풀려 있고.
남자가 쓰러지자 갑자기 아무 일도 없었다는 듯 집으로 들어간다.

준영 E 양진석을 폭행하고 나서….

CUT TO
다시 집에서 나온 천태영, 남자를 보고 놀라서 신고를 한다.

준영 E 두 시간 뒤, 경찰에 신고를 했지. 집 앞에 웬 남자가 쓰러져 있다고.

취조실, 긴장해 준영을 보는 천태영.

강현 그게 당신 패턴이지. 약에 취하면 폭력적으로 변하고, 약에서 깨어나면 기억을 못 하는 거. 그래서 아무도 없는 요트에서 마약을 한 거야.

태영 (굳어 보는데)

강현 무슨 일이 있었는지 내가 말해 볼까? 정이나 씨를 강에 던졌는데….

INSERT. *요트 위.*

강에 빠지는 정이나. 이내, 소파에 누워 버리는 천태영. 멍한 얼굴.
마약을 하나 더 먹는다. 약 기운에 빠져드는데…
요트 뒤편에서 정이나가 올라온다.

강현 E 다시 요트 위로 올라온 거야.

물을 흘리면서 올라오는 모습이 마치 악마처럼 보인다. 사색이 되어 테이블 옆 서랍을 뒤지는 천태영. 서랍 안에는 공구함이 들어 있고, 천태영은 손에 잡히는 망치를 들고 일어선다. 배 난간을 잡고 물을 토하는 정이나의 뒤로 다가가 왼손으로 망치를 휘두르는 천태영!

강현 그리고… 모든 걸 잊은 채 배를 떠난 거지.

INSERT. *요트 위.*
아무 일 없었다는 듯 배를 떠나는 천태영.
(시신은 천태영의 시야에 걸리지 않는다. 화면 안에 있지만 구조물에 가려진 것 혹은 약에 취해서 그냥 내리는 천태영. 정이나의 발이나 머리가 우리에게는 보이지만, 천태영에게는 안 보인다)

INSERT. *CCTV 화면, 새벽 3시 30분, 걸어 나오는 천태영의 모습.*

서로 대치하듯 보는 천태영과 강현, 준영에서.

9. 강력팀 사무실, 낮

화이트보드에 DN 그룹 계보가 붙어 있다. 최현주, 이수민, 천태준, 천태영,

천태성의 사진. 그걸 물끄러미 보고 있는 이수.

경진 (옆에서 DN 그룹 사진들 붙이면서) 왜요?

이수 좀 이상해서… 재벌들은 저런 식으로 움직이지 않거든.
(사진 가리키며) 천태성을 데려오니까 천태영, 이수민이 나타난 것까지는 그렇다고 쳐도, 천태준과 최현주는 왜 쫓아왔지…?
(생각에 잠기는데) 뭔가… 있어….

하는데, 뒤로 강현과 준영이 들어온다.

경진 (돌아보며) 어떻게 됐어요?

강현 약에 취해서 기억을 못 해.

준영 그래도 범인인 건 확실하지.

강현 (뭔가 생각하는, 찜찜하다)

10. 유치장, 낮

천태영, 일그러진 얼굴로 앉아 있다. 옆의 천태성, 그런 천태영을 보다가….

태성 정말… 형이 그런 거야?

천태영, 천태성을 보지 않고 깊게 가라앉는 얼굴…. (정말 기억이 없다)

11. 강력팀 사무실, 낮

생각에 빠진 강현과 준영. 그들을 보는 이수와 경진.

강현 돌아서 있는데, 뒤에서. (휘두르는 척하면)

INSERT. *요트 위.*
난간에 고개를 숙인 정이나의 뒤통수를 가격하는 천태영.
피가 요트 바깥쪽으로 튀지만, 일부는 배에 떨어진다.

강현 (아니라는 듯 고개를 젓고)

준영 아니면, 강에 빠진 후에, 천태영이 흉기를 들고 강에 뛰어들었다면.

INSERT. *강 위.*
강에 빠진 정이나, 망치를 들고 뛰어내리는 천태영.
물속에서 정이나를 잡고 망치를 휘두르는 천태영.

강현 (생각에 잠겼다가 이내 고개를 젓는다) 부자연스러워. 물속에서 얼마나 힘이 들어갈지도 모르겠고….

이수 (경진 보고, '알아듣니?')

경진 (고개 젓고)

이수 (답답하고) 우리도 좀 알자.

강현 천태영이 범인인 것 같긴 한데, 어디서 죽였는지 그걸 모르겠어.
요트 안에는 비산흔이 없었거든.

이수 (순수) 비산흔이 뭔데?

강현 ('내가 얘한테 뭘 기대했을까.')

준영 (무시하듯) 비산흔이 뭔지도 모르네.

이수 모른다. 모르는 건 부끄러운 게 아니야. 아는 척하는 게 부끄럽지.

준영 반말하지 말라고 했습니다.

경진 (조용히) 상처에서 튄 피를 말하는 거예요.

이수 뭐 대단한 것도 아니구먼. (준영 흘기고)

강현 (화이트보드의 사진들 보면서) 약에 취해서 살인을 하고… 시신을 내버려 두고 가면서 핏자국을 다 닦아 냈다는 건 앞뒤가 안 맞아.

준영, 경진 (옆에서 화이트보드 보며 생각에 잠긴다. 세 사람 한 줄로 섰고)

이수 (옆으로 끼어들면서) 그러니까 어디서 죽었냐… 목이 졸리고 강에 빠지고… (하다가, 문득 뭔가 깨달은) !! 다른 배야!

강현과 준영, 이수를 보는.

경진은 좀 가만히 있으라는 얼굴이고. 하지만 이수는 흥분 상태.

이수 다른 배에서 죽은 거야! 요트 바깥에 긁힌 자국이 있었어!!

준영 (인상 쓰고) 까부는 것도 적당히 합시다.

이수 (강현에게) 현장 갔을 때 내가 보트 타고 나갔잖아.

강현 그랬지. 꼴 보기 싫게.

이수 돌아올 때 분명히 봤어!

INSERT. *2부, 보트를 모는 이수의 시점.*

시신이 발견된 요트 바깥쪽의 긁힌 자국. (중간 높이에 굵게 파인)

이수 요트에 그런 자국이 생길 일은 없어. 다른 배에서 죽이고! 시신을 옮기기 위해서 배를 가까이 대다가 부딪친 거야.

INSERT. *이수의 상상.*

가까이 스치는 두 대의 요트 CU. 맞닿은 배가 스치며 상처가 생긴다.

강현, 이수를 보며 생각을 하는데.

준영 (강현에게) 말도 안 되는 소리야.

강현 만약 다른 배가 있었다면…? (생각하는데)

준영 새벽 1시에 우연히 지나가던 배가 정이나 씨를 구하고… 죽였다는 거야? (말이 안 된다는 얼굴)

강현 우연인지 아닌지는 모르지. 하지만 누군가가 정이나 씨를 구한 건 확실해.

INSERT. *부검실.*
정이나의 시신, 양쪽 팔에 긴 멍 자국.

강현 E 시신 양팔에 멍이 있었어. 요트로 끌어 올려질 때 생긴 거야.

INSERT. *강현의 상상.*
요트로 끌어 올려지는 기절한 정이나. 양쪽 팔이 요트 선체에 밀리면서 멍이 든다.

강현과 준영, 서로 보며. '이게 말이 되나.' 하고 있는데….

이수 확인해 보면 되지~ (나서는데)

강현 (이수 뒷덜미 잡고) 어딜 혼자 갈라고? 채증할 줄이나 알아? 같이 가.

이수 부탁이냐?

강현 명령이다.

12. 이수의 보트, 저녁

슬슬 해가 기우는 강가, 이수의 보트 위. 강현, 자리에 앉아서 살짝 짜증 난 얼굴로 앞을 보면, 이수가 경진에게 조종법을 설명하고 있다.

이수 이 버튼을 누르고 여길 부드럽게 내리면서 그렇지~~

강현 (한숨) 해 지겠다!

이수 가만 좀 있어 봐. 급해. (경진에게) 신경 쓰지 말고 집중해. 자… 출발~

운전하는 경진.

이수 잘하네~

둘을 보며 '놀고 있네.' 하는 표정의 강현.

CUT TO

경진에게 방향 지시하면서 가는 이수.

이수 왼쪽으로 살살~

정박된 요트 옆으로 가는 이수의 보트. 이때, 너무 가까이 붙어서 이수의 보트가 요트 옆면을 긁을 뻔한다. 보는 강현.

이수가 경진의 손 위로 핸들 잡고 조정한다.

요트 옆면에 긁힌 자국이 나타난다.

이수 (가리키고) 저기 봐, 있지?

강현 멈춰 봐.

이수는 보트를 세우고, 강현은 일어서서 사진을 찍는다. 이내 손을 뻗어 긁힌 부분을 만져 보는데, 페인트 가루가 떨어진다. 최근에 생긴 자국인 것.

이수는 잘난 척하려고 일어서고.

이수 (강현에게 다가서며) 내 말 맞지?

긴장 풀린 경진이 핸들을 놓으면서 살짝 틀어진다.
배 흔들리고, 휘청하는 강현, 뒤에서 허리를 잡아 버린 이수.

강현 (놀라 밀치며) 장난치지 마!!

이수 (갑자기 물벼락?) 내가 뭘?

경진 (나 때문인데, 눈치 보고)

이수 (경진 옆에 앉으며 강현 흘기는) 성격 되게 좋다, 응?

강현, 앉으며 어색하게 이수를 흘긴다.
이수도 강현을 흘긴다.

강현 안 가?

이수 갈 거야! (시동 걸면서 구시렁거린다) 빠지게 둘 걸 그랬어.

13. 강력팀 사무실, 밤

강현, 화이트보드에 요트 긁힌 부분의 확대 사진을 붙인다.
옆에서 보고 있는 준영.

강현 진이수 말대로 부딪친 흔적이 있었어. 최근에 생긴 거야.

준영 (사진을 보는데)

뒤로 경진이 들어온다.

강현 (경진 보고) 영장 신청해. 선착장에 등록된 배, 전부 확인하자.

경진 네. (컴퓨터로 작업을 시작하고)

준영 정말 다른 배가 있었을까?

강현 확인해 봐야지. 우린 지금 살해 현장이 어딘지도 모르잖아.

서로 보는 강현과 준영에서.

14. 이수의 빌라 전경, 밤

15. 빌라 안, 밤

이수, 소파에 앉아 자료를 보고 있다.
옆에서 프린트한 DN 그룹 자료 쌓아 주는 최 이사.
(세 아들들의 이력, 천방호 회장 관련 기사들, 주식 관련 자금의 흐름 등등)
이수, 자료를 읽으며 아일랜드 테이블로 가서 상부에 걸린 와인 잔 하나 꺼내면, 옆에서 와인을 따서 주는 최 이사. 이수가 잔에 따르는데.
그때, 현관문 열리는 소리 들리고.
두 사람이 보면, 희자가 들어온다. 화려한 옷차림에 힐을 벗지 않은, 현관 쪽에 남자 비서 하나. 선다.
와인 마시던 이수, 잔 '탁' 내려놓고. 희자, 이수 앞에 와서 선다.

희자 넌 인사도 안 하니?

이수 (살짝 비웃듯 입꼬리 올린다) 우리 그런 사이 아니잖아요.

분위기 파악한 최 이사가 희자에게 인사하고, 희자의 비서를 데리고 나간다.

이수 허락도 없이 남의 집에 구둣발로 들어오는 거, 깡패나 하는 짓인데….

희자 남의 집이 아니라 내 집이지.

이수 (보는데)

희자 회장님이 널 완전히 포기하신 모양이야. 하긴 그동안 얼마나 속을 썩였니? 선거 끝나면 해외 지사로 나가야 될 거야.

이수 축하드려요. (건배) 드디어 소원 성취하셨네.

희자 여긴 내 친구한테 빌려주기로 했어. 정리하고 나가라.

이수 아, 이제 착한 계모 연기는 할 필요가 없다? 알겠어요. 기꺼이 나가 드리죠.

희자 (다가오며 서늘하게) 승주는 너한테 속고 있지만 나한테는 안 통해… 네가 출신부터 천박하고 비열한 놈이라는 거… 나는 다 보이거든.

이수 (가만히 보다가) 또 얼굴에 손댔죠? 얼굴이 아니라 (머리 가리키며) 정신과를 가 보시라니까. 피해망상, 열등감, 그거 병이에요.

희자, 열 받아서 이수를 보다가 다가오더니.
랙에 걸린 와인 잔을 손으로 쭉 훑는다. 바닥에 떨어져 깨지는 와인 잔들.
보지도 않고 와인 마시는 이수. 익숙하다.
희자, 이수의 반응에 더 열 받고, 와인 병 옆에 놓인 고급 나침반을 잡는다.
이수 막으려 하지만 늦었고, 희자 스냅에 바닥에 떨어져 깨지는 나침반.
깨진 나침반을 보는 이수.

희자 집이 더럽다. 치우고 짐 빼.

희자, 또각또각 걸어 나간다.

CUT TO
깨진 와인 잔을 치우고 있는 도우미.

작은 박스에 나침반 깨진 유리를 모으고 있는 이수.
그런 이수를 보는 최 이사.
이수, 문득 뭔가 떠오르고.

INSERT. *강력팀 사무실.*

태준 *잘하는 짓들이다. 니들은 이제 회사에 발도 못 붙일 줄 알어.*

수민 *니들이 꾸민 짓이지?*

태성 *뭐라도 된 거 같냐?*

이수 아저씨, DN 그룹에 아는 사람 있죠? 좀 알아봐 주세요.
최 이사 뭐가 마음에 걸려요?
이수 (골똘히) 이게… 단순한 사건 같지가 않아요….

16. 강하경찰서, 아침

17. 강력팀 사무실, 아침

강현, 컴퓨터로 작업 중.
경진, 빈 이수의 책상 보다가.

경진 이수 형님 안 나오시나….
강현 (무심히) 드디어 재미가 없어진 모양이지… 범인 잡을 자신이 없던지… (하다가, 뭔가 보고 짜증, 한숨) 아, 이기석… 진짜.

경진이 슥 와서 보는데.

INSERT. *모니터, 이 기자의 기사.*
재벌 2세를 만나던 유명 모델 변사체로 발견.
'그녀가 원했던 건 재벌가 며느리 자리였을까.' 하는 식의 선정적인 기사.

강현과 경진, 기사를 보고 있는데 준영이 다가와서 파일 내민다.

준영 피해자 핸드폰 포렌식 결과 나왔어.
강현 (받고)

INSERT. *문서 파일.*
파일을 열면, 살해 당일부터 일주일 전까지 통화 기록. 상대 이름 나오는데. DN 미디어 회사 내선 번호들이 있고, 이틀에 걸쳐서 천태준의 번호가 몇 번이나 나온다. 카톡에도 만나는 것 같은 내용의 문자들 <저 도착했어요.> 같은 문자들이 있다.

강현 정이나 씨가 천태준을 만났네?
준영 응.
강현 왜 두 형제를 다 만났지…?

강현, 다른 서류 본다. 핸드폰에 남겨진 사진들(어머니 영정 사진 등)을 보는 강현. 뒤로 넘기면 메모장이다. 어머니 장례 절차에 필요했던 기록들이 몇 개 있고, 뒤에 어떤 건물의 주소가 적혀 있다.

강현 (준영에게) 천태준 만나러 가자. (경진에게) 경진이는 정이나 씨 어머니에 대해서 좀 알아봐 줘. 어머니 사망 열흘 뒤에 딸이 죽은 거야. 뭔가 연결이 될지 몰라. (메모장의 주소) 여기 주소도 체크하고.

경진 네! (받아 들면)

준영과 강현, 나서고.

18. DN 미디어 부회장실, 낮

천태준과 마주 앉은 강현과 준영.

태준 (느긋하게) 만났어요. 어제 그 얘길 하러 갔던 건데, 소란이 좀 있었죠.

강현 정이나 씨는 왜 만났어요?

태준 예쁜 모델이 밥 한번 먹자는데 만나지 않을 이유가 없죠.
같이 식사는 못 했었어요. 급한 일이 생겨서 제가 먼저 일어났죠.

강현 (보는데) 두 분이 무슨 얘기를 나누셨어요?

태준 별 얘기 아니었는데… 기억도 잘 안 나네요.

준영 ○월 ○○일 새벽 1시에 어디 계셨습니까?

태준 여기 있었죠. 회사 내부 CCTV에 찍혔을 겁니다.

강현 혹시 요트를 소유하고 계십니까?

태준 (여유) 네, 한 대 있어요. 요즘은 통 시간이 안 나서 타진 못 하지만….

강현 (빤히 본다. 마치 너를 의심한다는 듯이)

태준 (느긋한 척) 근데, 그 여자. 좀 이상하던데요? 알아보니까 회장실에도 찾아왔었다고 하더라고요.

천태준을 보는 강현과 준영에서.

19. DN 미디어 회장실, 낮

최현주와 마주 앉은 강현과 준영.

현주 (차가운, 천천히) 그 여자가 여기 찾아왔었다고 누가 그러던가요?

강현 (표정 살피며) 천태준 부회장님이 그러시던데요.

현주 (잠깐 생각하고) 맞아요. 내가 만났어요.

INSERT. *회장실.*

회장실로 들어온 정이나가 최현주를 보고 굳는다.

이나 *저… 회장님을 뵙고 싶습니다.*

강현 왜 찾아왔었죠?

현주 뻔한 거 아니겠어요?

강현 (보는데)

현주 젊은 몸뚱이 하나로 인생을 바꾸려는 여자가. 아직도 있는 거죠.

준영 회장님은… 어디 계십니까?

현주 출장 중이세요. 그동안 내가 대신 업무를 맡고 있어요.

강현, 최현주를 보는데.

노크 소리 들리고 비서실장(강하경찰서에 함께 왔던)이 들어와 인사한다.

현주 (실장 보고 강현 보는) 일어나시죠. 전 미팅이 있어서.

최현주와 실장이 먼저 사무실을 나서면, 강현이 그들을 본다.

(비서실장은 시계를 오른손에 차고 있다)

20. 도로, 이수의 차 안, 낮

운전하며 통화하는 이수.

이수 아저씨, 좀 알아보셨어요?

최이사E DN 그룹 아들들 사이에 문제가 생긴 건 확실합니다. 내부에 도는 소문이 하나 있는데….

이수 (표정 변하는)

21. 레스토랑 안, 낮

매니저가 강현과 준영을 안내한다. 안쪽에 프라이빗한 자리.

매니저 이 자리에요.

INSERT. *화면 과거로 바뀌고.*

천태준과 정이나가 마주 앉아 있고, 매니저가 와인을 따른다.

태준 *(훑어보며) 실물이 더 예쁘네… 촬영은 잘 했죠?*

이나 *(애써 미소) 네….*

태준 *덕분에 우리 회사 이미지가 섹시해지겠어요.*

이나 *실은… 드릴 말씀이 있어서….*

태준 *말씀은 나중에… (잔 들고) 먼저 한잔 해요.*

이나 *(어색하게 잔 부딪히는)*

매니저E *부회장님이 갑자기 일어나시고. 여자 분도 따라 나갔어요.*

천태준이 약간 정색하며 일어나 나가면, 따라 나가는 정이나.
매니저, 창밖으로 천태준의 차가 떠나는 걸 보고 잔을 치운다.
빈 테이블에 다시 정이나가 급히 다가온다.

매니저 E *소지품을 두고 나간 건가 했는데, 그냥 가더라고요.*

빈 테이블을 가만히 보던 정이나가 돌아서서 걸어간다.
카메라 멀어지면 그런 정이나를 보고 있는 강현.
정이나, 프레임 아웃 되고 생각에 빠지는 강현.

22. 종합 병원 전경, 낮

23. 종합 병원, 낮

#특실
이수, 침대에 누워 스프링 체크하고 있다.
옆에는 한심한 얼굴로 보는 병원장과 고위직 직원(50대 여자)이 있다.

이수 아우, 스프링이 좋네. 내가 딱 원하는 게 이건데, 매트리스 어디 거예요?
병원장 (어리둥절) 어디 거지?
여직원 (모른다는 얼굴)

이내, 팡 튀어 일어나 창문을 보는.

이수 전망은 좀 별루네요. 더 좋은 방은 없어요?
병원장 ('호텔 왔니?') 내시경만 하루 하시는 건데….

이수 (재벌 다운 미소) 저는 최고가 아니면 싫거든요.

병원장 (난처한데)

이수 저 방이 좋아 보이는데?

#복도

이수가 성큼 앞 병실로 향하면, 쫓아오는 병원장과 직원.

병원장 거긴 환자분이 계십니다.

하는데, 이수는 이미 병실 문을 열었고, 침대에 누군가 누워 있는데 얼굴은 안 보인다. (문 앞 보드에도 환자 이름은 없다)

이수, 기웃거리는데, 40대 남자 급히 나와서 이수를 막아선다.

이수 아, 실례~

문 닫히면, 병원장과 여직원 당황했고.

이수 대~단하신 분이 계신가 봐요?

이수, 이내 핸드폰 하며 엘리베이터로 향하고.

직원 그럼 예약은…?

이수 (엘리베이터 타며) 연락드릴게요~

엘리베이터 문 닫히고.

#엘리베이터

사진 문자 확인하는 이수.

INSERT. *핸드폰 화면, 최 이사가 보내 준 자료.*
DN 미디어 비서실, 병실에서 봤던 남자의 사진이 있다.

'빙고' 하는 이수의 얼굴.

24. 강력팀 사무실, 낮

화이트보드를 보고 서 있는 강현과 준영.
화이트보드에는 정이나의 행적 - 사망 10일 전 모친 사망, 6일 전 회장실 방문, 5일 전 CF 촬영, 2일 전 천태준 만남. 사망 당일 천태성 만남.

강현 회장과 두 아들에게 일부러 접근한 건 확실한데… 이유가 뭘까…?
준영 이유가 뭐든 천태영, 천태성을 다시 파야 돼. 사건 시각에 현장에 있었고, 피해자와 관련이 있는 건 그 둘이잖아.
강현 뭔가가 더 있어… 천태준, 최현주 두 사람도 뭔가 감추고 있는 거 같고….

하는데, 경진이 파일들을 들고 들어온다.

강현 정이나 씨 어머니 알아봤어?
경진 (파일 내밀고) 어머니가 DN 미디어에 근무한 적이 있어요.

강현, 파일을 보면, 정수진, DN 미디어 비서실 근무, 회장실이 있다.

강현 (놀라고) 어머니가 천 회장의 비서였어! (준영에게 파일 넘기며)

경진 (다른 파일 주며) 이건 메모지에 있던 주소지 업체 리스트예요.

INSERT. *업체 리스트.*

회계사, 변호사, 법무사 등등 업체 리스트들 사이에 유전자 감식 센터가 있다.

준영과 강현, 리스트를 보고 있는데.

그들을 보며 자신 있는 발걸음으로 들어오는 이수.

강현 (돌아보고) 이제 아주 출근을 제멋대로 하네?

이수 (히죽) 나 기다렸구나?

강현 ('괜히 말 시켰다.', 외면하자)

이수 엄청난 사실을 알아 왔어.

일동 (보는데)

이수 아무리 막장 가족이라도 왜! 경찰서에서 난동을 피울 정도로 날이 서 있었을까…? 이거 고급 정보라 아무나 못 알아내는 건데….

강현 잘난 척 좀 안 하고 말하면 큰일 나니?

이수 잘난 척 할라고 알아 온 건데?

강현 (빠직) 관둬, 안 들어. (외면하는데)

이수 천방호 회장, 말기암이야.

강현 (돌아보고)

이수 주가 떨어질까 봐 비밀로 하고 있는데, 천 회장 시한부래.
6개월 전부터 유산 상속과 차기 회장 자리를 두고 왕자의 난이 벌어졌어.
천태영이 때린 양진석은 천태준 쪽에서 붙인 조사원이고.

강현 그래서 요트에 숨어서 마약을 했구나….

이수 응, 서로 약점 잡으려고 도청하고 난리도 아니었대. 그 전쟁터에 정이나 씨가 말려든 거지.

준영 (삐딱하게 보며) 멋대로 수사하고 다니지 마세요.

이수 (얄밉게) 신경 끄세요~

이수와 준영, 서로 째리는데.
강현, '!' 뭔가 깨닫고 자료들을 다시 본다.

강현 정이나 씨가… 천 회장의 혼외 자식이야!

일행 (강현을 보고 놀라는)

INSERT. *정이나 모친의 자료, 강현의 손이 보드마카로 줄을 긋는다.*
'DN 미디어 회장실 비서직 근무' (퇴직 날짜)

강현 정이나 씨 어머니는 퇴직하고 6개월 만에 정이나 씨를 낳았어.
(정이나 모친 퇴사 날짜, 정이나 출생 날짜 컷컷)

이수 (강현 보는)

강현 정이나 씨가 원했던 건 유전자 검사에 쓸 샘플이었던 거야.
(건물 입주업체 리스트에 유전자 감식 센터에 줄 긋는)
죽어 가던 어머니가 뭔가를 알려 줬겠지.

INSERT. *어느 병실.*
죽어 가는 정이나 모친, 눈물 젖은 정이나가 입가에 귀를 대면…
놀라며 듣는 정이나.

준영 확인하고 싶어서 DN 미디어의 광고를 찍고 형제들에게 접근한 건가?

강현 (끄덕이고) 천태준이 사용한 컵을 가져오려다 실패하고

(레스토랑의 빈 테이블에 서 있는 정이나의 허탈한 얼굴)

천태성의 머리카락을 (증거 사진 중 빈 지퍼 백을 보고) 여기 담아 오려고 했던 거야.

이수 (씁쓸한) 아버지가 누군지 확인하려다 이복형제들에게 살해당한 거네.

강현 (태준의 요트 사진) 천태준에게 요트가 있는데… 알리바이가 있어.

이수 실행한 건 다른 사람이겠지.

강현 범인을 잡으려면 천태준 배를 조사해야 돼. (서류 싹 들고 나가면)

강현을 따라 나가는 이수, 이수를 보는 준영.

25. 형사과장실, 낮

형사과장 책상에 서류들 펼쳐져 있고, 강현, 정자세로 서 있는데.

형사과장 영장은 안 돼.

강현 과장님!

형사과장 DN 그룹 형제를 둘이나 잡아 놓고 이제 와서 첫째 아들 배를 수색해? 뭐 하는 짓이야?!! 기자들이 얼마나 말이 많은지 알아?

강현 범인이 누구든 천태준 쪽에서 사주한 겁니다. 유산 문제로 이복동생을 죽인 거예요!

형사과장 증거 보강해서 다시 와.

강현 사건 현장이 천태준 밴데 어디서 증거를 찾습니까?

형사과장 방법은 네가 찾아야지. 못 하겠으면 때려치우고.

강현 (분노 누르는데)

26. 형사과장실 앞, 낮

문에 귀를 대고 듣고 있는 이수.
문 벌컥 열리면, 이수 머리에 제대로 '쾅' 맞고.
'뭐야.', 보던 강현은 화난 채 걸어가는데… 이마 잡고 강현을 쫓아가 잡는 이수.

이수 내가 찾을게. 증거.
강현 (열 받은 얼굴에 뭔 소린가 싶은) 네가?
이수 내가 들어가서 찾는다고.
강현 헛소리하지 마. 그렇게 채집한 증거는 법정에서 못 써.
이수 (진지한) 범인 못 잡으면 재판에 넘기지도 못하잖아.
망설일 시간 없어. 벌써 해외로 뜰려고 준비 중 일 걸?
강현 (이수를 보는데)

27. 선착장과 강하경찰서 교차, 밤

#주차 관리실
이수의 스포츠카 지나간다. 주차 요원에게 윙크하는 이수.

#주차장
차 세운 이수, 뒷자리를 본다.

이수 뭘 찾으면 돼?
강현 (뒷자리에 누워 있다가 검은 담요 걷고 일어나며 가방에서 루미놀 병을 준다)
핏자국. 찍어서 보내.
이수 알았어. (인이어 끼고 루미놀 병 옷 안에 감추고 차에서 나간다)

차에서 나온 이수가 선착장 쪽으로 걸어가는데 뒷모습만으로도 신나 보인다.

강현 (이수를 숨어 보면서) 잘하는 짓인지 모르겠다….

(인이어 끼는)

#천태준의 요트

사진으로 봤던 천태준의 요트를 보는 이수, 옆면에 긁힌 자국이 있다.

'역시, 내 말이 또 맞았군.' 자신 있는 얼굴로 요트 안으로 들어가는 이수.

손전등으로 요트 안을 살핀다. 핏자국을 다 닦았는지 아무 흔적이 없다.

(이하 강현의 위치와 교차)

강현 뭐 좀 있어?

이수 아무것도 없어.

강현 루미놀 뿌려 봐.

이수, 좌석 주변에 루미놀을 뿌려 보는데, 아무 흔적 없다.

이수 다 닦은 거 같은데….

강현 피는 생각보다 멀리까지 날아가. 천장 쪽에 뿌려 봐.

이수, 위쪽으로 루미놀 뿌린다… 서서히 놀라는 이수의 얼굴.

강현 어때?

이수 (별처럼 흩뿌려진 반짝이는 핏자국을 보며) 엄청나.

강현 혈흔 채취해.

이수, 주머니에서 면봉으로 혈흔을 닦다가… 그 옆 숨은 어느 곳에서 반짝이는 지문을 발견한다. (피 묻은)

이수 더 좋은 걸 찾았어.

#이수의 차 안

이수로부터 사진이 전송된다. 지문이다. 바로 경진에게 보내는 강현.

문자 보낸다. <지문 검색해.>

#강력팀 사무실

경진, 문자를 받고 지문 검색을 시작한다. 옆에서 보는 준영.

#이수의 차 안

바깥을 살피는 강현. 관리실장이 천태준의 요트 쪽으로 걸어온다.

강현 관리실장이 그쪽으로 가고 있어. (대답 없고) 듣고 있어?

#천태준의 요트

관리실장이 플래시를 비추며 걸어오다가 놀라 멈춰 선다.

요트 안에 맥주를 들고 주저앉아 있는 이수. 냉장고 문 열려 있고, 이수는 술에 취한 척 연기를 한다.

이수 어? 같이 한잔하실?

관리실장 (배를 다시 한번 보고) 아니, 여기 실장님 요트 아니에요~

이수 에? 아닌데? 여기 맞는데?

관리실장 빨리 나오세요. 어서요… 맥주도 꺼내 먹었어요? ('아이구야…')

이수, 비틀거리며 나오면, 부축해 주는 관리실장.

#주차장

비틀거리며 차로 다가오는 이수. 관리실장에게 웃으며 손을 흔들고.
관리실장이 멀리서 보다가 도리도리 걸어가면,
멀쩡하게 와서 차로 들어오는 이수.

이수 작전 성공. (씩, 브이)

강현 ('나는 누구와 수사를 하고 있는가…' 현타 오는데 핸드폰 받고) 어.

준영 E 박종욱, 52세. 이 지문 어디서 난 거야? 너 어디서 뭐 하고 있어?

강현 그러게… 일단은 박종욱부터 찾아야 돼. 그놈이 범인이야.

#강력팀 사무실

박종욱 사진이 나온 모니터를 보는 준영.

준영 이 남자… 최현주 대표하고 같이 왔었어. 회장실에서도 봤던 남자야.
(강력팀 사무실의 비서실장 컷, 회장실 컷)

#이수의 차 안

강현 (생각하며) 사주한 게… 최현주였나…?

28. 사건의 재구성

#DN 미디어 회장실

최현주, 정이나와 마주 앉은.

현주 (싸늘한 분노) 회장님을 만나고 싶다고?

이나 (긴장하며) 여쭤볼 게 있어서요.

현주 나한테 말해요. 전달해 줄 테니까.

이나 (단단해지며) 직접… 만나 뵙고 말씀드리겠습니다.

현주 (차갑게 노려보는데)

이수 E 혼외 자식에 대한 분노, 흔한 얘기지. 어쩌면 정이나의 존재를 그 전부터 알았을지도 몰라.

#천태준의 요트

멀리서 천태영의 요트를 보던 박종욱. 강에 빠지는 정이나를 본다.

강현 E 천태영을 감시하던 박종욱이 정이나 씨를 발견하고….

#천태준의 요트

정이나는 홀딱 젖어 좌석에 앉아 있고, 떨어진 곳에서 전화를 하는 박종욱.

#DN 미디어 회장실

전화를 받는 최현주, 싸늘한 얼굴.

강현 E 최현주가 죽이라고 명령을 했다….

#천태준의 요트

이제야 한숨 돌리는 정이나의 뒤에서 망치를 휘두르는 박종욱.

29. 선착장과 강하경찰서 교차, 밤

#이수의 차 안

이수 (씁쓸한) 유산도 지키고 천태영도 밀어내는 완벽한 계획이네.

#강력팀 사무실

경진과 준영, 튀어 나간다. 준영, 나가면서 통화한다.

준영 박종욱, 최현주하고 같이 도주 중이야!! 출국 신청했어!

#선착장 주차장

급히 빠져나가는 이수의 차량.

#강하경찰서 주차장

승합차 몰고 나가는 준영.

#교통 상황실

경진, 화면을 보며 최현주의 차량을 확인하고 있다.

경진 지금 ○○에서 ○○ 방향으로 이동 중입니다!

30. 도로 교차, 밤

#이수의 차 안

이수 (속도 높이며) 김포로 가는 거야, 전용기가 있을 거야!

강현　　비즈니스 항공 센터로 와!

강현은 가방에서 총을 꺼내 주머니에 넣는다. (만약을 대비)

#도로1

달리고 있는 세단. 운전석의 박종욱과 뒷자리의 최현주.
차에서 나와 부감으로 세단을 비추다가 도로를 따라 날아가는 카메라.

#도로2

최현주 차량에서 먼 곳, 사이렌을 켜고 달리는 준영의 승합차.
다시 도로를 따라 카메라가 날아가고.

#도로3

더 먼 곳에서 달리고 있는 이수의 스포츠카.
빠른 속도지만 앞 도로가 막혀 있다.

#도로1

김포 쪽으로 들어가는 최현주의 세단.

#교통 상황실

눈으로 최현주의 차를 쫓는 경진.

경진　　○○동으로 들어섰습니다!

#도로2

승합차가 있는 도로 앞이 꽉 막혔다.

준영　　(강현과 통화하는) 앞이 막혔어. (보면, 사고가 난 듯한 상황)

#도로3
역시 앞으로 나갈 수 없는 이수의 차량.
강현, 답답하게 앞을 보는데, 이수가 차를 꺾어 버린다.

강현　　뭐 하는 거야?

하는데, 이수가 최 이사에게 전화를 한다. 스피커폰.

이수　　아저씨!! 저 H2 좀 쓸게요. 준비해 주세요. 지금 당장요!!

강현　　('뭐야.', 보는 얼굴에서)

달리는 이수의 차, 옆으로 <한수 화학> 표지판 스친다.

#도로1
달리는 최현주의 세단. 김포 비즈니스 항공 센터 표지판이 나타나기 시작한다.

31. 한수 화학 전경, 밤

빠른 속도로 정문을 통과하는 이수의 차.

32. 한수 화학 옥상, 밤

헬기 프로펠러 돌아가고 있고, 이수는 조종석에 강현은 옆자리에 앉아 있다.
이륙을 시작하는 헬기.

33. 항공, 밤

아래를 내려다보는 강현, 육지가 까마득하다. 서서히 굳는 얼굴.

강현 자격증 있어?

이수 (안 들린다. 헤드폰 쓰라고 하는)

강현 (헤드폰 쓰고 소리치는) 너 자격증 있냐고!!

이수 (소리가 너무 커서 움찔하다가) 어디 있더라? (조종간 놓고 주머니를 뒤지기 시작한다) 면허증이 어디 있을 텐데…. (과장되게 놀리듯)

강현 (하얗게 질리며) 그냥 잡아. 일단 잡으라고!!

이수 (피식)

강현 (아래를 보며) 새로운 사실을 알게 됐다….

이수 나 멋있다고?

강현 ('뭔 소리야.' 보고, 아래를 보며) 내가 고소공포증이 있네.

하는데, 갑자기 방향을 확 바꾸는 헬기. '히익~~' 하는 강현.

이수 (웃는) 걱정하지 마! 나, 비행 200시간 넘어.

웃는 이수와 잔뜩 긴장한 강현.
밤하늘을 날아가는 헬기에서.

34. 김포 비즈니스 항공 센터, 밤

#헬기 안

헬기 시점에서 보이는 항공 센터 전경.
자가용 비행기 한 대가 서서히 움직이며 창고에서 나오고 있고 멀리서 세단 한 대 달려온다. 그걸 내려다보는 이수와 강현.

강현 어디 내릴 거야? 내릴 수 있어?

이수 (긴장한 채, 서서히 착륙을 시도하는)

이수는 전용기 바로 앞으로 헬기를 몰고…
세단은 전속력으로 달려온다.
이수, 진지한 얼굴로 전용기 앞으로 내려서고… 전용기 멈춰 서는데…
세단은 마치 박을 듯 달려오고.
강현은 차라리 눈을 감는데, 바닥에 부딪히며 땅에 닿는 헬기.
세단은 달려오다가 '끽-' 서더니 방향을 바꾸려고 하고.
그걸 본 강현은 언제 무서워했냐는 듯 총을 들고 뛰어내린다.
그런 강현을 보는 이수.

#비행장

강현은 방향을 바꾸던 세단 앞으로 달려가 총을 겨눈다.

#세단 안

박종욱, 강현을 그냥 치어 버리려고 기어를 바꾸는데.

#비행장

강현, 차 전면 유리창에 총을 쏴 버린다. '탕 탕 탕-'
회전하며 멈추는 차. 강현은 총을 겨누면서 운전석으로 다가가고, 문을 연다.
박종욱을 끄집어내서 수갑을 채우는 강현. 그런 강현을 보는 이수.
이수는 뒷자리로 가서 문을 연다.
꼿꼿한 자세, 굳은 얼굴로 앉아 있는 최현주.

이수	내리세요.
현주	(노려보는데)
이수	(빙글) 제가, 돈도 빽도 안 통하는 데로 모실게요.

35. 강하경찰서, 밤

#진술 녹화실 앞

준영이 먼저 들어갔고, 강현이 안으로 들어가려는데.

이수	(강현 잡고 빙글) 범인은 내가 잡은 거다.
강현	왜?
이수	왜에? 헬기 못 띄웠으면 벌써 해외로 튀었지.
강현	마지막에 총으로 막고 체포한 건 나지. (들어가려는데)
이수	와, 치사하다 진짜. (따라 들어가려고 하는데)
강현	(밀고) 넌 밖에서 대기해. (들어가며 문 닫는다)
이수	아이…. (하는데)
경진	(참관실 쪽에서 손짓하는) 형님, 이쪽이요~~

#진술 녹화실 안

최현주와 마주 앉은 강현과 준영.

강현	정이나 씨를 죽인 이유가 뭐죠?
현주	과욕을 부렸으니까. (차분히) DN 그룹은 내가 키웠어. 천 회장 그 인간은 여자나 건드리고 사고나 쳤지. 그 여자 엄마한테 퇴직금 쥐여 주고 정리한 것도 나야. 근데 하필 지금, 이렇게 중요한 때에 나타났으니 죽을 이유로는 충분하지.

#참관실

최현주를 보고 있는 이수의 굳은 얼굴. 뭔가 인기척을 느끼고 문에 난 작은 창을 보면 복도에 천태준과 변호사들이 와 있다. 나가는 이수. 따라 나오는 경진.

#복도

이수 나오면, 천태준이 이수를 본다.

태준 (황망한 표정 연기) 어떻게 된 겁니까?

이수 방금 어머님께서 자백하셨습니다.

태준 (한숨을 쉬는데)

이수 저쪽에서 잠시 기다리시죠.

천태준, 돌아서서 가는데, 검은 창에 천태준의 미소가 비친다.
뭔가 이상하다는 이수의 얼굴. 이내 반대쪽으로 향하는데.

경진 어디 가요?

36. 도로, 이수의 차 안, 밤

달리는 스포츠카 안의 이수.

37. DN 광고 전경, 밤

빠른 속도로 달려와 차를 세우고 건물 안으로 뛰어 들어가는 이수.

38. DN 광고 대표실, 밤

#대표실앞

이수, 복도를 뛰어 문 앞으로 오는데, 문이 열리면서 이수민이 나온다.

이수 잠깐 얘기 좀 하시죠.

수민 (인상 쓰고 보는, 하지만 흥미는 있는)

#대표실안

이수민이 책상에 핸드백과 외투 등을 내려놓고 기대서서 이수를 본다.

수민 빨리 말해. 뭐야?

이수 최현주 대표가 자백했어요. 정이나 씨를 죽였다고.

수민 !!

이수 (빙글) 놀라시네. 아시는구나. 진범은 따로 있는 거.

수민 무슨 소릴 하는지 모르겠네.

이수 이상했거든요. 어차피 증거는 모두 박종욱을 가리키고 있고 죽이든 밀항을 시키든 그 사람만 사라지면 끝날 일인데, 같이 도망을 치다가 잡혔어요. 게다가 앉은 자리에서 바로 자백을 하네?

수민 (이수를 보는)

이수 변호사들 데려와서 버티면 무슨 수든 생길 텐데… 그걸 안 해요. 진범인 아들을 지키려는 거겠죠.

수민 … 그래서 뭐?

이수 이 판을 뒤집을 수 있는 증거가 대표님 손에 있을 거 같아서요.

수민 (인상 쓰고 보는데)

이수 천태준 도청한 거 있죠?

수민 (놀랐지만 태연한 척)

이수 전에 도청하다 걸린 적 있다면서요. 또 했죠? 그걸로 나중에 협박할 생각인가 본데, 살인죄로 집어넣는 게 더 깔끔하지 않겠어요?
공범인 최현주까지 보너스~

수민 (갈등하는데)

이수 지금 모성애 대결 중이에요. 저쪽에서는 아들 대신 살인죄를 뒤집어쓰는데, 불법감청죄 정도는 감수하셔야죠.

이수를 보는 이수민에서.

39. 강력팀 사무실, 밤

천태준과 마주 앉은 강현. 사건에 대해 설명하고 있다.
뒤로는 지켜보고 있는 준영과 경진.

태준 (명연기 펼치고) 정이나 씨가 제 이복동생이었다는 겁니까?

강현 어머님은 그 사실을 알고 계셨어요.

차분하게 가라앉은 분위기에 강현의 핸드폰이 진동하고, 보면 이수다.
끊는 강현.

강현 그동안 박종욱 씨에게 천태영 씨를 감시하고 마약 중독의 증거를 잡으라고 시켰고… 그러다 박종욱 씨가 물에 빠진 정이나 씨를 발견한 겁니다….

다시 울리는 핸드폰.

강현 (전화 끄며) 죄송합니다.

INSERT. *도로, 달리는 이수의 차 안.*

이수 아 왜 전화를 안 받아….

태준 정말 혼란스럽군요… 어쩌다 이런 일이 생겼는지…. (억지 눈물 짜내는데)

강현에게 문자 온다. <천태준 잡고 있어. 그놈이 범인이야!!>

강현, 놀라지만 표정 숨기고, 천태준을 본다.

태준 그럼 이제 저는 가 봐도 될까요?

강현 (의아한) 어머님하고 잠시 얘기할 시간을 드리려고 했는데요.

태준 (슬프게 고개 젓고) 아뇨, 지금은 못 만날 것 같습니다. 나중에 다시 오겠습니다. (일어서려고 하는데)

강현 (이상하게 보다가… 급히 서류 찾아 내밀며) 그럼 이것만 작성해 주시죠.

태준 (보는데)

강현 (자연스럽게) 그동안 천태준 씨의 진술을 정리한 겁니다. 확인하시고 사인하시면 됩니다. (미소)

천태준이 서류를 보기 시작하면, 준영을 잠시 보는 강현.

뭔가 있다는 걸 캐치하는 준영.

INSERT. *도로, 달리는 이수의 차.*

태준 (서류 확인하고 사인한다) 이제 됐나요?

강현 (더 잡을 이유가 없고) 네, 일어나시죠.

40. 강하경찰서 앞, 밤

계단 앞으로 천태준과 변호사들의 차량이 서 있고.
천태준, 변호사들 끌고 나오고, 강현과 준영, 경진도 따라 나온다. 서로 눈빛 주고받는 1팀, 긴장한 얼굴들.
천태준이 차 앞으로 걸어가고, 비서가 문을 열어 준다.

태준 (강현을 보며) 수고 많으셨습니다. (차에 타는데)

강현이 차 문을 잡고 있다. '뭐지?' 보는 천태준.
아쉬운 얼굴로 문을 놓는 강현. 천태준이 문을 닫고,
뒤의 변호사들도 차에 타는데…
'부앙~' 달려와서 박을 듯 천태준의 차 앞에 서는 이수의 차.

이수 (내리면서) 왜 이렇게 전화를 안 받냐?
강현 넌 왜 이렇게 늦어?
이수 늦기는. 딱 맞췄구먼.
강현 뭘 찾았는데?
태준 (둘이 뭐 하나 보는데)
이수 (두고 보라는 듯 피식 웃고, 천태준의 창을 똑똑) 천태준 씨, 잠깐 내리시죠?
태준 (긴장되지만 아무렇지 않은 척 내려선다)

앞뒤로 준영과 경진이 천태준을 막아서고. 천태준의 변호사들도 차에서 내리고…
천태준은 무슨 분위긴가 약간 긴장하는데.

태준 뭡니까?

이수 내가 천태준 씨 선물 하나 드릴려고. 잘 들어 보세요.

천태준, 안색 굳는데, 이수가 녹음기를 튼다. (혹은 핸드폰에서 저장된 파일)

태준(목소리) 그년 죽여서 태영이 요트에 올려놓으세요.

INSERT. *부회장실, 내선 통화하고 있는 천태준.*
어딘가 숨겨진 곳에서 반짝이는 도청 장치.

태준 이걸로 거지 같은 년도 처리하고 태영이도 완전히 제명시키는 거죠.

천태준, 사색이 되는데, 다음 파일을 플레이시키는 이수.

태준(목소리) 어머니, 한 번만 희생하세요. 그럼 회사는 온전히 제가 가질 수 있어요.

사색이 되어 굳은 천태준의 얼굴.
강현이 그의 손목에 수갑을 채운다.

강현 천태준 씨, 정이나 씨 살인 교사 혐의로….
태준 아니야! 감히 어디 손을 대!!!

천태준, 반항하며 강현을 치려고 한다.
강현, 뒤로 물러서며 피하면, 뒤에 있던 준영이 천태준의 뒷목을 냅다 갈겨버린다. 다리에 힘 풀리며 주저앉는 천태준.
그걸 내려다보는 강현, 이수, 준영, 경진에서.

CUT TO

천태준을 준영과 경진이 끌고 가고, 변호사들도 따른다.

강현, 그걸 보다가 돌아서면, 한껏 멋진 자세로 차에 기대어 선 이수.

이수 내가 이긴 거다?

강현 (짜증 나서 이수를 보는데)

이수 와 사람이 앞뒤가 똑같아야지. 화장실 들어갈 때 나올 때….

강현 알았어. 인정.

이수 (웃으며 손을 내민다) 진심을 좀 담아라.

강현 (악물고 악수한다. 이내 빼고) 됐지?

강현, 돌아서서 가면.

이수 (가는 강현 보면서) 삐졌나? (빙글) 삐졌네….

41. 삼겹살집, 밤

이미 익은 고기, 얼마간 술을 마신 상태.

취한 강현이 얼굴을 문대며 괴로워한다.

강현 아… 깔끔하게 보낼 수 있었는데…!!

준영 (강현이 안 보는 사이에 술잔에 물 따라 주고)

강현 범인 잡았다고 또 얼마나 잘난 척을 할까… 너무 싫다…. (마시고)

경진 (흘려들으며 고기만 먹고 있고)

준영 (강현에게 고기 얹어 주며) 이번에는 재벌 사건이니까 우리가 좀 밀린 거지…

앞으로 그 자식이 나설 일은 없을 거야.

강현 그 인간이? 걔는 요만한 꼬투리만 있어도 지가 셜록 홈즈야.
안 그래도 회사 생활 빡센데. 내가 낙하산까지 업고 다녀야 되냐고….
(울상인데)

경진 (고기 먹다 핸드폰 보고) 어?!

강현, 준영 (경진을 보는데)

경진 (눈치 없다, 핸드폰 문자 <다 같이 이리로 와, 내가 한잔 살게!> 보여 주며)
이수 형님이. 한우 코스 예약해 놨다는데요? (미소) 2차 가시죠?

강현, 준영 ('이 새끼를… 죽일까?')

강현 너… 내가 하는 얘기 안 들었니?

경진 들었어요. 근데 한우 코스라잖아요.

강현 너는! 먹을 것만 주면 다 오케이냐?! 어? 너 누구 편이야!!

경진 뭘 자꾸 편을 나눌라고 그래요. 이렇게 된 거 같이 가는 거지. 형님이 재주가 많다니까요~

강현 (경진을 정색하고 보는데)

준영 (두 사람 말리고) 둘 다 취했다. 그만 집에 가자.

경진 아니, 솔직히. 이수 형님 아니었으면 천태준 잡았어요?

강현 (뚜껑 열렸다. 싸늘) 진이수가 도와주지 않았으면. 우리가. 천태준을. 못 잡아?

경진 (술이 다 깬다)

강현 잠복하고. 증인 찾고, 증거 찾고. 해외로 뜨면 인터폴에 수배 때리고. 몇 달이 걸리든 난 잡았을 건데, 넌 아니야?

42. 고급 식당 전경, 밤

43. 식당 룸 안, 밤

철판 앞에 고기 놓여 있고 준비 다 된 상태에 혼자 있는 이수.

문자 온다. <경진, 저희 못 갈 것 같아요. ㅠㅠ>

이수, '쉽지 않네…' 자조적으로 웃다가… 최 이사에게 전화한다.

(이하 교차, 혼술 바에서 위스키 마시며 책 읽고 있던 최 이사)

최 이사 (핸드폰 확인하고 책 내려놓고 받는) 네.

이수 아저씨~ 어디 계세요?

최 이사 집 근처에서 책 보고 있습니다. 헬기는 잘 쓰셨어요?

이수 (헤헤) 그럼요, 그걸로 범인 잡았어요.

최 이사 (미소) 잘 하셨어요.

이수 아저씨, 저 이사 갈 거예요.

최 이사 ('희자 때문이구나.', 차분) 어디로요?

이수 있잖아요. 한수 그룹이랑 상관없는 내 집.

최 이사 (잠깐 굳었다가) 네, 제가 준비하죠.

(끊고 무거워지는)

이수 (혼자 외롭고 심심한데, 전화 울린다. 화색이 도는) 형?!!

44. 고급 BAR, 밤

승주, 위스키 한 잔 마시고 있는데.

이수 (반갑게 살짝 어깨를 안으며) 형!

승주, 웃으며 이수 보고, 위스키를 따라 준다.

이수 (신나서) 형, 내가 오늘 어땠는지 알아?

승주 (웃으며) 봤어. 뉴스에 나오더라. 헬기 타고 범인 체포한 재벌 3세.

이수 (웃고) 나보고 헬기 면허 왜 따냐 그랬지? 그게 다 오늘을 내다본 거라니까. 전용기 앞에 스무스 하게 딱 세웠어~!

승주 댓글에 톰 크루즈 같다 그러더라.

이수 (끄덕이며) 톰 크루즈… 내가 안 밀리지. (피식 웃고)

웃으며 건배하는 형제에서.

CUT TO

한참 마신 분위기.

이수 DN 미디어 자산 규모가 어떻게 되지?

승주 5조 좀 넘을걸?

이수 살인까지 해서 지켜야 하는 돈인가…

한수 그룹으로 생각하면, 내가 살아 있는 게 기적이네.

승주 (터무니없다는 듯) 무슨 소리야.

이수 나 처음에 왔을 때, 왜 잘 해 줬어? 미웠을 거 아냐.

승주 (보는) 미웠지….

INSERT. *과거, 명철의 집.*

식탁이 차려져 있고, 번듯하게 차려입고 잔뜩 긴장해 있는 어린 이수(7세)*, 먹지도 못 하고 있고. 맞은편에는 무표정한 승주*(14세) *밥을 먹는데.*

차려입은 희자, 식탁에 앉으려다가 이수 보고 집사에게 성질을 낸다.

희자 *내가 재 따로 차리라고 했지? 아이, 진짜 신경질 나게! 눈에 띄게 하지 말라고!* (분노 조절 장애) *아, 정말 나 미치게 할려 그래!!*

희자, 자신의 자리에 있던 그릇들 싹 떨어뜨리고 나가고.
파랗게 질린 이수. 그런 이수를 보는 승주.

승주 화내는 건 엄마로 충분해서… 그러다 너를 보니까….

INSERT. *과거, 명철의 집 마당.*
커다란 나무에 기대 쪼그려 앉은 어린 이수. 눈물 자국.
그때, 야구공이 바닥에 통통 튀기며 날아와 이수의 다리에 툭 부딪힌다.
고개 들면, 서 있는 승주.
이수, 긴장해 보는데, 야구 글러브를 던지는 승주. (같이 놀자는 뜻)

승주E 뭐랄까… 좀 안쓰러웠어. 네가 잘못한 건 없는데….

공을 주고받는 형제. 아직 친하진 않지만 이수의 표정이 조금 풀렸다.

이수 (피식) 고마워… 형 아니었으면 나, 잘못됐을 거야….
승주 엇나가지 않아 줘서 내가 고맙지….
이수 엇나가지… 않았다고는 하기 그렇지만, 뭐 이 정도면 선방?

웃으며 잔을 기울이는 두 형제에서.

45. 도로, 명철의 차 안, 밤

명철, 뉴스 보는 중이고, 옆자리에는 최측근 비서.
뉴스에 체포되는 천태준과 이수가 헬기로 전용기 앞을 막아서는 화면이 나온다. 헬기에 박힌 <한수 화학>.

명철 (알 수 없는 표정으로 보는데)

비서 젊은 층에서 반응이 좋습니다. 막내 아드님이 지지율에 도움이 될 것 같습니다.

명철 (가만히 보다가) 홍보에 이용하지 마. 믿을 수 없는 놈이다.

46. 강하경찰서 전경, 오전

47. 강력팀 사무실, 오전

1팀 아무도 없고 이수, 수사 보고서 읽어 보고 있다.

전화 오고, 이수가 받는다.

이수 (자연스럽게) 예, 강력 1팀입니다. (듣고) 정이나 씨 시신이요….

(뭔가 무거워지는 얼굴인데)

48. 종합 병원 전경, 낮

49. 종합 병원 특실, 낮

고급스럽게 꾸며진 특실 안, 휠체어에 앉은 천 회장, 앞에 강현이 들어온다.

천 회장, 코에는 산소 호흡기를 꽂고 흐릿한 눈으로 강현을 본다.

강현, 천 회장을 보며 마주 선다.

강현 강하서 강력팀 이강현입니다.

천 회장 (거칠게 호흡하며) 우리 집안을 망쳐 놓은 게 자넨가… 용건이 뭐야….

강현 따님의 시신이 아직 영안실에 있습니다. 이대로면 무연고자로 처리됩니다.

장례를 치르시죠. 얼굴이라도 한번 보셔야 되지 않습니까?

천 회장 (강현을 물끄러미 보다가) 나는 딸이 없네. 그만 가게.

돌아서는 천 회장의 휠체어를 밀고 가는 비서.

그들을 보는 강현.

50. 종합 병원 주차장, 낮

강현, 걸어가는데, 전화가 온다.

강현 응… 뭐? 누가…? (끊고, 시동을 걸고 출발하는)

51. 장례식장 염습실 앞, 낮

강현, 걸어오는데, 염습실 안이 보이는 유리창 앞에 이수가 서 있다. 강현 오는 걸 모르고 염습실 안을 보고 있는 이수. 조용히 가서 서는 강현. 염습실 안에는 관에 정이나가 누워 있다. 수의가 아닌 하얀 원피스를 입었고, 고급 관에 꽃으로 장식되어 있다. 보는 강현.

이수 (그제야 강현을 보면)

강현 어떻게 된 거야?

이수 (머쓱) 그냥… 시간이 많으니까… 돈은 더 많고. (피식)

강현 (바사삭) 잘난 척은 버릇이냐?

이수 특권이지. 잘난 게 팩트니까.

강현 (에휴) 잠깐 속았다. 금수저치곤 좀 다르다 했네.

이수 (피식) 다르지. 난 진짜 금수저는 아니거든.

강현, 무슨 뜻인가 이수를 보는데, 이수는 시선을 돌린다.

이수 만일 정이나 씨가 유산을 받았다면… 얼마나 될까… 100억? 200억? 그게 정이나 씨의 목숨값인가?

강현 목숨은 값어치를 매길 수 없지… 살인은 목숨만 빼앗는 게 아니거든. 그 사람의 미래, 가능성을 모두 죽이는 거야….

정이나를 보는 두 사람에서….

52. 이수의 빌라, 아침

#침실

개운한 느낌으로 벌떡 일어나는 이수. 기분 좋은 얼굴.

#거실

냉장고에서 주스를 꺼내 마시며, 현관으로 나가고.

#현관

쌓여 있는 우편물들과 신문을 들고 들어오는 이수.

#거실

테이블에 우편물들과 신문을 올려놓는 이수.
신문 펼치면.

INSERT. *SBC 헤드 라인.*
<미디어 재벌 가족 다섯 명이 체포된 전대미문의 사건>

아래로, 천태준의 사진(아래 살인 교사) 천태영(마약 소지) 천태성(폭행)
이수민(불법감청) 최현주(살인 공모)

이수 '씩' 기분 좋게 웃고 우편물을 살핀다.
그 가운데 큰 봉투가 있다. 뜯어보는 이수.
전시회 팸플릿과 VIP 초대권이 들어 있다.
<노영재 개인전, 죽음으로의 초대> 표지에 있는 그림에 시선이 박히는 이수.
그림은 추상적인 느낌으로 표현된 죽음의 이미지.
그림을 한참 보는 이수.

53. 미술관 앞, 낮

차를 타고 들어가는 이수.

54. 전시회장, 낮

내부는 어둡고, 천장에는 별빛처럼 조명이 달려 있다.
전시회장은 한눈에 다 보이는 게 아니고 내부에 벽으로 거대한 G모양으로 가림막이 처져 있어서 한 방향으로 걸어가면서 볼 수 있는 구조이다.
그림들은 죽은 태아의 그림부터, 다양한 나이 성별의 죽음을 주제로 하고 있다. 그 안에 초대된 소수의 VIP 손님들이 한 방향으로 관람을 하고 있다.
이수가 전시회장 안에 들어서고, 한 작품씩 감상하며 안으로 안으로 들어가는데, 갑자기 가장 안쪽에서 작은 비명이 들려오고, 사람 몇이 뛰어나온다.
이수, 가장 안쪽(소용돌이 모양으로 중심)으로 뛰어 들어가면,
거기, 노영재(50대 중반)가 배에 칼이 꽂힌 채 쓰러져 있다. 시신 위로 붉은 페인트를 엎었는지 페인트가 주변으로 흥건하게 퍼져 있다.

이수 (헉) 또 기절하면 어떡하지? (손으로 눈을 가린다)

이수, 손가락 살짝 벌려 시신을 보는데… 괜찮다. 손 치워도 아무렇지 않다.

이수 그땐 왜 그랬지? (하는데)

뒤이어 뛰어온 노영재의 조수, 권도준(30대 중반)이 놀라 멈춰 서고.
전체 조명이 들어오고, 살해된 노영재의 시신이 선명하게 드러난다.
사람들 모두 '경찰에 연락해라.' 핸드폰 꺼내는데, 이수가 나선다.

이수 모두 진정하세요!!! (신분증 꺼내며) 제가 경찰입니다!!

관람객들 모두 이수를 보는데, 자신만만한 얼굴의 이수.

이수 여기 책임자가 누구죠?
권 조교 (하얗게 질려서 벌벌 떨며) 제가 작가님 조수입니다.
이수 출입구 막으세요! 이 안에 범인이 있습니다. 이건 밀실 살인이에요!!

55. 강현의 방과 전시회장 교차 낮

INSERT. *모니터. 고양이들의 동영상이 이어지는 유튜브 화면.*

#강현의 방
모니터에서 멀어지면, 이불을 둘둘 말고 자고 있는 강현.
옆에는 소주병 하나, 커다란 컵에 얼음 녹은 물, 먹다 만 젤리들.
전화가 계속 울리자 받는 강현. 이수다.

강현 어… 뭐야… 오늘 비번인데… 뭐… 네가 뭐를 해?

#전시회장

잔뜩 신난 이수의 얼굴.

이수 현.장.보.존!! 당장 튀어 와!

#강현의 방

전화 뚝 끊어지고, '이게 무슨 개소리야.' 싶은 강현의 얼굴.

이수와 강현의 얼굴로 화면 분할되며.

3화 엔딩.

ep.04

용의자가 셋이야

1. 전시회장, 낮

전시회장 가장 안쪽, 배에 칼이 꽂힌 채 쓰러져 있는 노영재(50대 중반).
시신 위로 붉은 페인트를 엎었는지 페인트가 노영재 얼굴과 가슴 주변으로 흥건하게 퍼져 있다. (마치 예술 작품 같은 분위기)
노영재의 조수이자 조교, 권도준(30대 중반) 하얗게 질려 있고.
주변의 관람객들 모두 '경찰에 연락해라.' 핸드폰 꺼내는데, 이수가 나선다.

이수 모두 진정하세요!!! (신분증 꺼내며) 제가 경찰입니다!!

관람객들 모두 이수를 보는데, 자신만만한 얼굴의 이수.

이수 여기 책임자가 누구죠?
권 조교 (긴장해 굳어서) 제가 작가님 조수입니다.
이수 출입구 막으세요! 이 안에 범인이 있습니다. 이건 밀실 살인이에요!!

2. 강현의 방과 전시회장 교차 낮

INSERT. *모니터. 고양이들의 동영상이 이어지는 유튜브 화면.*

#강현의 방

모니터에서 멀어지면, 이불을 둘둘 말고 자고 있는 강현.

옆에는 소주병 하나, 커다란 컵에 얼음 녹은 물, 먹다 만 젤리들.

전화가 계속 울리자 받는 강현.

강현 어… 뭐야… 오늘 비번인데… 뭐… 네가 뭐를 해?

#전시회장

잔뜩 신난 이수의 얼굴.

이수 현.장.보.존!! 당장 튀어 와!

#강현의 방

전화 뚝 끊어지고, '이게 무슨 개소리야.' 싶은 강현의 얼굴.

3. 미술관, 낮

#문 앞

피곤한 얼굴로 전시회장 문 앞에 서 있는 강현.

안쪽에서 신이 난 얼굴의 이수가 뛰어와 잠긴 문을 열어 준다.

강현 (떫은 얼굴로) 하루라도 가만히 있지를 못 하지?

이수 (강현 끌고 들어가며 속삭이는) 살인 사건이라니까! 노영재 작가가 죽었어!

#전시회장 안

강현 그게 누군데?

이수 너는 상식이 없니….

강현 ('좋게 볼 때 그냥 말해라.')

이수 삶과 죽음 시리즈로 유명한 작가야. 이번엔 죽음 전신데, 저기 제일 안쪽에 딱 죽어 있는 거야! 나는 무슨 행위 예술인 줄 알았다니까.

걸어 들어가는 강현과 이수를 관람객들이 짜증 난 얼굴로 보고 있다. 각기 시계 들여다보며 얼굴로 불만 토로.

강현 (이수 보며) 사람들이 화가 나 보인다?

이수 그럴 리가. 수사에 적극 협조해 주고 계셔.

싸늘한 관람객들에게 미소를 흘리며 강현을 끌고 들어가는 이수.

#사건현장

가장 안쪽으로 들어오며 날카로워지는 강현, 구석에 선 권 조교를 힐끔 본다.
권 조교는 시신을 잘 보지 못하고 있다가 힐끔 강현을 보고 살짝 인사한다.
한눈에 봐도 자신감 없고 구부정한 몸에 잔뜩 긴장한 모습.
강현은 시신을 내려다본다. 배에 꽂힌 칼. 굳은 시신의 얼굴, 바닥으로 번진 페인트. 낮게 앉아 시신의 손을 보는 강현의 시선.
손은 이미 시반이 일어나 자줏빛이다. 살짝 손을 만져 보는 강현. 사후 강직이 꽤 진행된 상태다. 그런 강현을 보고 있는 이수.
그때, 준영과 경진이 들어온다. 삐딱하게 이수를 보는 준영. 눈빛으로 받아치는 이수, '나 시체 찾은 사람이야.'

경진 형님이 발견했어요?

이수 (뿌듯) 그걸 느꼈어. 사건이 나를 따라다니는, 어떤… 운명 같은 거?

강현 (일어서며) 경진아, 밖에 관람객들 연락처 받고 돌려보내.

경진 네! (나가고)

이수 왜? (소리 작게) 이 안에 범인이 있다니까?

강현 죽은 지 10시간도 더 지났어.

이수 (놀라고) 그걸 어떻게 알아?

강현 시반을 보면 알지. 사후 강직도 거의 다 진행됐어.

이수 (강현을 보는데)

준영 (이수 무시하고 강현에게) 알아듣겠냐?

이수, 짜증 나는데. 강현은 형사과장에게 전화하고.

강현 과장님, 네, 저희가 맡겠습니다, 네.

준영 (통화하며 알려 주는) 네, 한아름 미술관이요.

#입구

경진, 관람객의 정보 적고 하나씩 내보내고.

#사건 현장

KCSI팀 조사를 시작한다. 준영도 현장을 살펴보고 있고.

4. 미술관 작업실, 낮

곳곳에 그림들 세워져 있고, 커다란 책상 위에는 여러 미술 도구, 장비들이 있고 구석에는 페인트 통들이 쌓여 있다. 옛 초등학교 의자 같은 작은 의자에 권 조교가 불편하게 앉아 있고, 강현은 마주 서 있다. 이수가 물을 가져와 뚜껑을 따고 조교에게 준다.

이수 물 좀 드세요. (강현 보고) 많이 놀라셨어.

강현 (권 조교를 보다가 작은 의자 끌어와 마주 앉아 수첩을 연다)
성함이 어떻게 되시죠?

권 조교 (물 마시고) 권도준입니다. 교수님 학과 조교이고 조수예요.

강현 언제 교수님을 마지막으로 보셨어요?

권 조교 어젯밤에 한… 9시쯤요. 제가 먼저 퇴근했어요.

이수 (강현이 뭔가 말하려는데 먼저) 왜 먼저 퇴근했어요?

권 조교 전시회 전날 밤에는 교수님이 혼자 남아서 그림들을 보시거든요.

INSERT. *전시회장 안, 어젯밤.*
조교가 테이블과 차가운 샴페인을 준비한다…
노 작가 테이블에 앉아 샴페인을 '펑-' 따서 잔에 따라 마시며 만족스러운 듯 그림을 본다.
그 모습을 보며 문을 조용히 닫고 나가는 권 조교.

강현 (끄덕이고) 9시에 여기서 나가서 어디로 가셨죠?

권 조교 집으로 가서 일찍 잤어요.

강현 댁이 어디세요?

권 조교 ○○ 고시원입니다.

이수 고시생도 아닌데 왜 고시원에 살아요?

강현 ('쓸데없는 소리 하지 마라.' 흘기고) 오늘은 몇 시에 나오셨어요?

권 조교 8시쯤 도착했습니다.

강현 오픈 두 시간 전에 와서 전시회장 안쪽을 살펴보지 않았다는 건가요?

권 조교 아, 그게… 도착해서 테이블 정리하고.

(전시회장, 남은 샴페인과 테이블을 정리하고 전화하는 권 조교)

권 조교 E 교수님께 전화를 드리는데 연락을 안 받으셔서… 댁으로 찾아갔었습니다.

(고급 단독 주택 단지, 초인종을 누르는 초조한 얼굴의 권 조교)

권 조교 E 근데 집에도 안 계시더라고요. 그래서 급히 전시회장으로 돌아오다가 사고가 나서….

(도로, 권 조교의 소형차 앞 차를 박았고, 굽신대며 사과하는 권 조교)

권 조교 E 10시 조금 넘어서 도착했어요.

(이미 들어가고 있는 사람들, 뛰듯 걸어와서 아는 사람에게 인사하는 권 조교, 땀 흘리고 있고)

권 조교 그랬는데… 교수님이 돌아가셨을 줄은…. (울컥하고 손 떨고…)

이수 (너무 이해한다는 얼굴로 조교 등 다독이고)

강현 (그런 이수가 맘에 안 들고) 교수님께 원한을 가진 사람이 있을까요?

권 조교 아뇨. 교수님은 실력도 뛰어나시고 자상하셔서 학생들한테도 인기가 많아요.

강현 (권 조교를 잠시 보는데)

권 조교 (점점 창백해지고, 식은땀이 나고)

이수 안 되겠다. (세상 친절) 일단 댁에 가서 좀 쉬세요. 아니면 병원에 가실래요?

강현 (얼씨구 하는 얼굴로 보다가) 그래요, 일단 가시고 나중에 서에서 다시 얘기하죠.

권 조교 일어나는데 현기증이 나는지 비틀거리며 걸어가면서… 눈물이 터졌는지 손으로 눈가를 닦는다. 안쓰러운 듯 지켜보는 이수.

5. 작업실 - 메인 홀, 낮

작업실에서 걸어 나오는 이수와 강현. 멀어지는 권 조교를 보는 이수.

강현 (이수 보고) 왜, 집까지 데려다주고 침대에 눕히고 물수건도 올려 주지?

이수	(돌변, 진지) 범인은 권 조교야!
강현	갑자기? 걱정할 땐 언제고?
이수	아이, 작전이지. (강현 가리키고) 나쁜 형사, (자기 가리키며) 좋은 형사.
강현	(헐) 영화랑 다르다니까, 현실은?!
이수	(2부 38씬 강현 대사 인용하며) 똑같던데? 범인을 쫓고! (3부, 헬기로 쫓는 컷) 액션 작렬하고 (3부, 총 쏘고 차 세우는 강현) 체포하고 슬로우 (3부, 최현주 데리고 나오는 이수 슬로우 컷)
강현	('얘를 어떡하면 좋을까.' 하는데)

권 조교 울면서 걸어가고 마주 걸어오는 미술관장(여, 세련된 옷차림, 40대 후반). 권 조교를 보지만 말을 못 걸 상황이고 지나쳐 걷다가 이수 본다.

관장	(반갑게 다가오며) 진 실장님~ 오랜만이에요.
강현	(삐딱) 모르는 사람이 없냐.
이수	(피식) 셀럽이라고 했잖아. (손 내밀어 악수하며) 관장님, 여전히 멋지시네요.
관장	아우 말도 이쁘게 해.
강현	(둘이 뭐하냐는 얼굴로 보는데)
이수	저희 팀장님이세요.
강현	(명함 꺼내 건네며) 강하서 강력팀 이강현입니다.
관장	(받고) 어떻게 이런 일이 생겼는지 모르겠어요. 미술관에서 살인 사건이라니! (두 손 모으는데, 뭔가 기분 좋아 보이는)
이수	(속마음 알겠고, 싱긋) 전시회는 대박 나겠네요.
관장	(훗) 그건 부인할 수 없는 사실이죠. (싱긋) 예매 창에 불났어요.
강현	(헐, 두 사람 보는데)
관장	그래도 좀 아깝긴 하죠. 노 작가님 이제 세계적으로 명성을 얻기 시작했는데….
강현	혹시 노 작가님을 죽이고 싶어 할 만한 사람이 있을까요?

관장 모르긴 몰라도 꽤 될걸요? 워낙 성질 더럽기로 유명했으니까요. 원래 예술가란 인간들이 다 쫌 그렇지만.

이수 권 조교님은 자상하시고 좋다고 하던데요?

관장 걔가 무슨 말을 하겠어요. 자기 목숨 줄 쥐고 있는 사람인데. 10년을 옆에서 보필했는데, 죽어 버렸으니 걔도 이제 끈 떨어진 연이에요. 보니까 엄청 충격 받았던데?

강현 최근에 노 작가님 신변에 이상한 일은 없었나요? 평소와는 다른?

관장 (생각하다가) 어머! 맞아. 그런 일이 있었네!!

강현, 이수 (보면)

관장 일주일 전에, 어떤 사람이 갑자기 노 작가 작업실에 쳐들어와서 그림에 빨간 페인트를 뿌렸어요!

이수 빨간 페인트…? (하며, 강현을 마주 보는)

관장 왜요?

강현 시신에도 빨간 페인트가 뿌려져 있었어요.

관장 어머, 끔찍해라.

강현 그 사람이 누군지 아세요?

관장 출장 갔을 때라 자세히는 몰라요. 근데 노 작가님이 그냥 선처해 줬다고 하더라고요. 메인으로 쓸 그림이었는데!

강현, 경진과 통화한다.

강현 경진아, 노 작가 작업실에서 신고 들어간 사건 있는지 알아봐. 어젯밤 CCTV 확보하고. (하는데)

관장 아, CCTV는 없을 거예요. 어제 교체 공사를 했거든요.

이수 (관장을 의아하게 보는데)

강현 도로 CCTV 찾아봐. 미술관은 공사 중이었대.

이수, 벽에 걸린 그림을 보는데, 관장이 귀띔한다.

관장 그림 몇 점 사 놔요. 두 배로 뛸 거야.

'아하', 관장을 보는 이수의 얼굴에서.

6. 도로, 강현의 차 안, 낮

내부는 사건 파일들과 여러 쓰레기들로 엉망이다.
조수석에는 이수. 불편하고 더럽고 찝찝한 얼굴. 콘솔 박스를 살짝 만졌는데, 끈적한 게 묻고.

이수 물티슈 없어?
강현 없을걸? (보고) 아 내가 어제 거기 커피를 엎어 가지고.
이수 근데 안 닦았어?
강현 닦았지.
이수 (한숨) 그냥 휴지는?
강현 (옆을 뒤져 보다 마사지 전단지 구겨서 주고)
이수 아이….

하는데, 발치에 뭔가 불길한 검은 비닐봉지를 밟는 이수. 물컹한 느낌.

이수 (헉) 이게 뭐야?
강현 (보고) 그게 뭐지? 순댄가?
이수 순대에~?!!
강현 아, 아니다. 방울토마토다.

이수　　완전 썩은 거 같은데?

강현　　그러게. 아부지가 싸 준 거 같은데… 그게 언제지?

이수　　(기가 차고) 아니, 완전… 엉망이야! 누가 자기 차를 이렇게 더럽게 쓰냐?

강현　　나쁜 놈 잡느라 바빠서 그런다! 치워 줄 거 아니면 조용히 해라.

이수　　아, 내 차 타자니까… (한숨, 바지에 손 닦고) 어디 가는 건데?

강현　　(급진지) 수사 과정 중에 제일 어려운 일을 하러 가는 거야.

이수　　그게 뭔데?

강현　　(차분히 이수 보고) 피해자 가족에게 사망 사실을 알리는 거.

이수, 강현을 보고 입을 다문다.

7. 고급 주택 단지, 낮

차 세우고 노 작가의 집 앞으로 가는 강현과 이수.

8. 노 작가의 집 앞, 낮

초인종 여러 번 누르는데, 답이 없다. 없나 싶은 찰나.

화영　　누구세요?

강현　　경찰입니다.

잠시 뒤에 문이 열린다.

9. 노 작가의 집, 낮

#마당

깔끔하게 정리된 넓은 정원, 고풍스러운 집 분위기.
걸어 들어가는 이수와 강현.

#거실

안으로 들어가면 거실에는 아무도 없고, 두 사람 둘러보는데,
부엌 쪽에서 실크 잠옷 (바지) 입은 50대 여자(주화영, 기 세 보이는 스타일, 숙취로 고생 중), 이마에 얼음팩 대고 나온다.

화영 아, 머리야… 경찰이라고요? (소파에 앉고)

강현 네, 강하서 강력팀 이강현입니다.

화영 어… 앉아요. (이수와 강현이 마주 앉으면) 무슨 일인데요?

강현 ('네가 말해 봐.', 이수를 본다)

이수 (강현을 보다가 준비하고) 놀라지 말고 들으세요… 애석하게도… 남편 분께서 지난밤에… 돌아가셨습니다. 삼가 조의를 표합니다….

강현 (너무 정색하는 이수를 멀뚱히 보는)

화영 (황당) 그 사람이 죽었다고요? 오늘 전시회 오픈 아닌가?

이수 작가님의 팬으로서 참으로 한국 예술계에도 큰 손실이….

화영 (끊고) 어떻게 죽었는데요?

강현 (주화영 표정 보면서) 살해되셨습니다.

화영 아휴, 그 인간 곱게 못 죽을 줄 알았어.

이수 (황당한데)

강현 (날카로운) 왜 그렇게 생각하시죠?

화영 무책임하고, 이기적이고 못 돼 먹은 인간이니까요. 이혼 안 하고 버티길 잘했네.

이수, 강현 (보는데)

화영　그러면 뭐 부검도 하고 그래요?

강현　네. 부검할 겁니다.

화영　그럼 내가 지금 할 건 없겠네. 어제 술을 너무 먹어서 좀 자야겠으니까 그만 가세요.

이수　(주화영의 태도에 충격 받는데)

강현　어젯밤 9시 이후에 어디 계셨어요?

화영　(피식) 난 그 인간 안 죽였어요. 그것도 감정이 남아 있을 때나 하는 짓이지. 난 포기한 지 오래거든요.

강현　어디 계셨어요?

화영　(잠시 보다가) 남자 친구랑 있었어요. 새벽 2시까지. 연락처 줄 테니까 확인해요.

주화영, 핸드폰을 뒤져 내밀고. 그런 주화영을 보는 강현과 이수.

#마당

걸어 나오는 이수와 강현.

이수　남편이 죽었는데… 와이프 반응이 원래 저래?

강현　피해자가 좋은 남편은 아니었다는 거지. 원래 사람이 죽으면 바닥이 보이는 법이거든.

10. 도로, 강현의 차 안, 낮

강현과 이수, 타고 있고.

이수　(골똘히 생각하다) 이거 아주… 어려운 사건이 되겠어….

강현　(보면)

이수　벌써 용의자가 셋이야. 오랫동안 밑에 있었던 조수, 남편의 죽음에 눈물 한 방울 안 흘리는 아내, 그리고….

강현　('그리고 누구?')

이수　전시회의 성공을 바라는 관장.

강현　(헐)

이수　아! 한 명 더 있네? 페인트 공격을 감행한 미스터리맨~ 아주 흥미진진해. (빙글) 너무 재밌다.

강현　('이런…') 재미있어…?

이수　어, 이렇게 집중한 거 오랜만이야.

강현　('아이씨…' 한숨 쉬며 운전하는데)

이수　어, 나 저 앞에 내려 줘.

강현　(보면)

이수　집에 일이 좀 있어서 그래.

강현　무슨 일?

이수　(히죽) 궁금해?

강현　아니.

이수　아니 뭐~ 수사에 내가 꼭 필요하다 그러면 같이 있어 주고….

강현　(끽, 차 세우고)

이수　(내리는데)

강현　진이수!!

이수　(보면)

강현　쓸데없는 짓 하지 마. 수사에 관련된 건 뭐든 보고 먼저 해. 맘대로 움직이지 말고!

이수　(대충) 네네… 알겠습니다. (내린다)

한숨 쉬며 운전해 가는 강현.

11. 강현의 집 거실, 오후

머리에 롤 말은 미숙, 커피 마시며 거실 창으로 맞은편 집을 보고 있다.
열린 대문으로 보이는 풍경, 최 이사의 지시로 이삿짐 차량에서 짐을 내리고 있는 인부들.

미숙 저기 누가 이사 오나 봐?

형준 (뒤로 먹 담긴 그릇 들고 지나가며 무심히 본다)

미숙 저 집에 사람 사는 거 보겠네….

하며 뒤돌다가, 형준이 그림 그릴 준비하는 걸 보고.

미숙 준비 안 해? 같이 가기로 했잖아.

형준 에이, 내가 언제….

미숙 (다정하게 팔짱 끼고) 같이 갑시다. 얼마 만에 가족 모임인데~~ 오빠들도 당신 보고 싶대.

형준 … 갔다 와. 난 집에 있을게.

미숙 (속상하고 째리고) 젊을 때는 집에 붙어 있지도 않던 사람이. 어? 당신, 그 하끼… 하꾸… 하라주꾼가 그거야.

형준 (미소 지으며 미숙의 볼을 살짝 꼬집는다) 히키코모리.

미숙 하여튼 잘났어.

흘기며 방으로 들어가는 미숙을 귀엽게 보는 형준.
이내 시선 돌려 맞은편 집을 가만히 본다.

12. 강하경찰서 전경, 오후

13. 강력팀 사무실, 오후

화이트보드에 권도준(32세, 조교) 주화영(53세, 아내) 사진 붙어 있고, 현장 사진(페인트 덮인 시신의 얼굴, 살인 도구 칼, 지문 없음) 등등 붙어 있고, 전시회장 평면도, 오픈 당일 관람객 리스트 등이 붙어 있다.
물끄러미 보드를 보고 있는 강현, 뒤로 준영이 들어온다.

강현 (돌아보고) 주화영 씨 남자 친구 확인해 봤어?
준영 응, 어젯밤에 바에 같이 있었대. 룸 안쪽에 있어서 CCTV 확인은 어려워.

준영이 화이트보드에 남자 사진을 붙인다. 머그샷이다.

준영 배진규, 34세. 사기 전과 7범.
강현 으흠~
준영 유명한 작가, 바람난 아내, 사기 전과 남자 친구. 그림 나오지?
강현 (끄덕이고) … 그러네. 좀 뻔하긴 해도….

하는데, 경진이 들어온다.

강현 작업실 사건 알아봤어?
경진 누가 그림을 훼손하긴 했는데, 경찰이 도착했을 때 범인은 없었고, 노 작가님이 그냥 넘어가기로 해서 사건 처리도 안 했대요.
강현 그래? 권 조교한테 물어봤어?
경진 지금 연락이 안 돼요.
강현 (생각하다) CCTV는?
경진 받아 왔습니다. (컴퓨터에 USB 연결하고 튼다)

모여서 모니터를 보는 세 사람.

INSERT. 모니터 화면.

미술관 앞 도로, 9시 10분 권 조교가 걸어 나가는 모습이 보인다.

빠르게 속도 올리면, 10시 20분, 어떤 여자(마른 체형에 화려한 스카프를 하고 고개를 숙이고 있어 얼굴이 보이지 않는다. 색깔 장갑 끼고, 단화 신고 있다)가 택시에서 내려 미술관으로 향한다.

10시 45분, 여자가 다급히 나와 택시에 올라 사라진다.

강현 응? (보면서) 범인이…?

준영 여자네?

강현 택시 회사에 연락해서 협조 요청하고, 노 작가 생명보험, 주화영 자산이 얼만지, 자금 이동 내역 파악하고 배진규 경제 상황에 대해서도 알아봐야겠어.

준영 (경진 보며) 통신사에도 협조 요청해 놔.

경진이 수첩에 적는데, 핸드폰이 계속 울리고 경진은 핸드폰을 들었다 놨다 정신이 없다.

강현 (귀엽다는 듯 경진 보며) 왜 똥 마려운 강아지가 됐지…?

경진 아, 오늘 비번이라… 여친이 와 있거든요.

강현 (피식) 가 봐. 협조 요청은 내가 할게.

경진 (예의상 거절 같은 거 모른다) 감사합니다! (가방 메고 달아나며) 수고하세요!!

준영 (경진이 보다가 강현 보며) 버릇 나빠진다.

강현 사랑한다잖니….

하는데, 창밖에서 '꺅-' 좋아하는 비명 들리고.

강현이 창밖을 보면, 경진과 여자 친구 얼싸안고 뛰듯 걸어간다.

강현 (흐뭇하게 보며) 저렇게 좋을까… (하다, 준영을 본다)

준영 왜?

강현 너 연애하는 걸 못 본 거 같아서.

준영 나도 너 연애하는 거 못 봤는데?

강현 간간이 했어. 오래 안 가서 그렇지.

준영 나도 그래….

강현 (피식) 애인 없는 선배들은 협조 공문이나 쓰자.

준영 (피식 웃는데)

강현 (이내) 부검 언제지?

준영 내일 오전. 내가 갔다 올게.

강현 오케이. 난 아침에 조교한테 가 봐야겠다.

준영 진이수는 어디 있어?

강현 몰라, 집에 일이 있대. 오래 걸리는 일이면 좋겠다.

피식, 이내 전화통 붙잡고 일 시작하는 두 사람에서.

14. 이수의 집(강현의 집 맞은편 집), 해 질 녘

#집 앞

이삿짐센터 직원들, 빈 박스를 싣고 자리를 떠난다.

마지막으로 정리된 집을 체크하고 나오는 최 이사, 잠시 집을 바라보고 섰다.

이수를 기다릴까 하다가… 그냥 가는 최 이사.

이어 해가 지기 시작할 때, 이수의 스포츠카 와서 집 앞에 선다.

열린 대문으로 들어가는 이수.

#마당

작은 마당 안, 죽어가는 듯 마른 나무들을 보는 이수.

한쪽에, 1층 베란다 난간 밑 공간에 낡은 물건들 있다. 그 가운데는 남자아이의 물건들, 콩콩이나 팽이, 축구공 같은 물건들이 보인다. 살짝 미소를 짓는 이수. 집 안으로 들어가면.

15. 이수의 집 거실, 해 질 녘

작은 거실에는 어울리지 않는 이수의 커다란 가전, 모던한 가구들.

(이수의 엄마가 죽은 뒤 살림살이는 처분했다)

삐걱거리는 나무 계단. 2층의 작은 방 넓은 테라스 등 집을 둘러보던 이수가 다시 1층으로 내려와 화장실 문 앞에 선다. 왠지 살짝 긴장한 듯 보이는 이수. 천천히 문을 열면, 샤워기가 있고 변기가 있는 작은 화장실, (오래되지 않은 느낌, 20년 전 리모델링 이후 사용감 없는) 뭔가 이질감을 느끼는 이수….

현관 쪽에서 예쁘게 차려입은 미숙이 쑥 고개를 내밀고.

미숙 똑똑~~

이수 (돌아보면)

미숙 (활짝) 이사 오셨구나?

이수 아, 네….

미숙 잠깐 실례할게요~ (성큼 들어오고)

이수 ('이 아줌만 뭐지?' 하는데)

미숙 이 집이 어떻게 생겼나 궁금했는데 우리랑 구조가 비슷하네…. (둘러보는데)

이수 저 누구신지….

미숙 어, 내 정신 봐. (작은 핸드백 뒤져서 고무줄에 묶인 뭉치 명함 꺼낸다. 하나 꺼내 주며) 나 여기 통장이에요. 고미숙.

이수 (명함 보고) 아, 통장…이 아직도 있나요?

미숙 그럼요, 나 없으면 동네가 안 돌아가지. (명함 뒤져서) 그리고 여기는 장 사장님. 뭐 수리할 거 있으면 여기 연락해요. 나한테 명함 받았다고 하면은 바가지는 안 써.

미숙, 둘러보다가 벽에 낙서를 본다. 곰팡이가 슨 벽을 따라 비가 오는 것처럼 물방울이 그려져 있다.

미숙 누가 낙서를 해 놨네. (명함 뒤지며) 도배하실 거죠? 아님 페인트칠?

이수 (그림을 보다가) 여긴 그냥 두려고요….

미숙 (보면)

이수 제가 그린 거예요. 저 여기 살았었거든요.

미숙 그렇구나… 여기 나 이사 오고 쭉 비어 있었는데….

이수 (끄덕이고) 돌아왔어요….

미숙 (무슨 사연인지는 모르지만) 잘 왔어요. 이 동네 좋아. 뭐 필요한 거 있으면은 저기 앞집이 우리 집이거든? 파란 지붕. 언제든지 밤 10시 전에만. 난 10시에 자거든. 와서 다 물어보고 해요. 아유 정리할 거 많다. 그럼 수고해요~

제 할 말만 하고 가는 미숙을 보는 이수. 처음 만났는데 뭔가 따뜻하다.
이수, 벽에 그려진 물방울을 살짝 만진다. 순간, 화면 바뀌며.

INSERT. *과거, 이수, 일곱 살.*
옛 거실, 낡은 소파가 있다. 비가 새는지 곳곳에 양동이, 바가지 놓여 있고, 빗방울 툭툭 떨어지며 소리 낸다. 아무것도 놓여 있지 않은 곳에서 비가 새고

그걸 보는 어린 이수.

이수 (걱정스런) 엄마, 여기도 비 새.

그런 이수를 뒤에서 감싸는 이수 모(김선영, 30세).

선영 (미소) 빗방울들이 우리 집에 놀러 오고 싶나 봐.

이수 (웃고, 손바닥 펼쳐 빗물 튀기게 하며) 어서 와.

벽에 빗방울을 크레파스로 그리는 이수에서.

16. 명철의 집 전경, 밤

차를 세우고, 집 안으로 들어가기 전에 무거운 시선으로 보는 승주.

17. 명철의 집 거실, 밤

거실로 들어서는 승주, 굳은 얼굴.

소파에서 와인을 마시던 희자, 승주를 보고 화색이 돈다.

희자 (다가가 안고) 우리 아들, 왔어? 엄마 우울해서 한잔하고 있었어. 같이 마실래?

승주 (물러서며 답답한 얼굴로) 엄마, 이수 쫓아냈어요?

희자 (안색 바뀌고) 너한테 일러바치디?

승주 빌라 갔다가 들었어요. 이수 좀 그냥 내버려 두라고 했잖아요!

희자 내가 왜? 내가 왜 그래야 되는데? (점차 히스테리 부리며) 내가 그 여자 때문에 얼마나 고통스러웠는지 너는 다 봤잖아. 다 알잖아! (마치 애인한테 앙탈을 부리듯 승주를 붙잡고 가슴을 때리는) 네가 엄마한테 이러면 안 되지. 나한텐 너밖에 없는데…!

포기하듯 서서 맞다가 울음 터진 엄마의 어깨를 안아 주는 승주.

18. 한수 그룹 회의실, 밤

여러 직원과 함께 공약 관련 회의를 하는 명철.
명철은 예리하게 보고 있고, 팀장급의 직원 긴장한 채 발표한다.
(보조금, 학자금 대출 지원 계획)

명철 (차분, 냉정) 청년들이 원하는 건 보조금이 아니라 질 좋은 일자리야. 고리타분한 소리 하면서 자네가 차지하고 있는 그 자리.

직원 (쳐다보는 직원들의 시선, 주눅 든) 다시… 하겠습니다.

명철 (빤히 보다가) 이틀 뒤, 이 시간에 다시 회의 하지.

직원들 우르르 나가고, 명철은 스크린에 떠 있는 공약들을 바라보고 섰다.
인기척이 들리고, 돌아보면 최 이사가 와 있다.
서로 인사하는 최 이사와 명철.

명철 (살짝 고개 숙이며) 이사님.

최 이사 (숙이며) 회장님.

최 이사가 명철에게 다가오면.

명철 청년들의 취업난을 해결하려면 어떻게 해야 될까요?

최이사 (다가와 공약들을 보는) … 회장님은 대한민국을 대표하는 기업의 회장이십니다. 정치인이 아닌 기업인의 입장에서 어떻게 청년 채용을 늘릴지 고민하시면 국민들이 더 공감할 겁니다.

명철 (보는데)

최이사 한수 그룹을 움직이시죠. 계열사만 해도 40개, 우리와 MOU를 체결한 국내 협력사만 103곳인 거대 기업입니다. 한수 그룹 전사와 협력사들부터 선제적으로 청년 일자리를 늘리는 게 실질적인 대책이 될 겁니다.

명철 (부드럽게 끄덕이고) 맞는 말씀입니다.
근데… 무슨 일로 오셨어요?

최이사 막내 아드님이 이사를 가셨습니다.

명철 ('희자가 뭔 짓을 했구먼.') 어디로요?

최이사 ○○동입니다.

명철 (멈칫하는) 그 집이….

최이사 아드님 명의로 남아 있었습니다.

명철 (굳어 인상을 쓰며 뭔가 생각한다. 위험하다는 생각)

19. 한수 그룹 회장실, 밤

생각에 잠겨 있는 명철. 서랍에서 오래된 명함을 찾아 핸드폰으로 문자를 넣는다. (명함의 직함이나 이름은 보이지 않는다)

문자, <이수가 그 집으로 다시 돌아갔습니다.> 보내고…
뒤이어 다시 문자를 보낸다.
<기억이 돌아올 가능성이 있을까요?>
대답을 기다리며 깊은 한숨을 쉬는 명철. 보통 때와는 다르게 긴장한 모습이 역력하다. 문자 수신음이 들리면, 확인하는 명철.

<그 집에서 살게 하면 안 됩니다. 기억이 돌아올 가능성… 있습니다.>
무거워지는 명철의 얼굴에서….

20. 이수의 꿈, 갤러리, 낮

온통 하얀색의 거대한 홀 안. 그림이 없는 빈 벽을 따라
갤러리 안으로 들어가는 이수의 구두 소리가 울린다.
보면, 커다란 공간에 그림 하나가 걸려 있다. 기다란 그림 안에는 <존 에버렛 밀레이의 오필리아>처럼 여자가 물에 잠겨 있다. 눈을 감은 여자의 얼굴은 흐릿하고, 죽은 여자를 부감으로 본 각도다. 다가가며 그 그림을 홀린 듯 보는 이수. 서서히 화면이 기울고 이수의 얼굴 위로 그림이 오는 순간, 여자의 얼굴에 초점이 맞는 듯 하다가 물이 쏟아져 내린다. 물을 흠뻑 맞는 이수!

21. 이수의 집 침실, 아침

놀라 깨어나는 이수, 일어나 앉아 숨을 고른다.
꿈이 무슨 의미인지 생각하는 이수.

22. 이수의 집 앞, 아침

출근하러 나오는 강현, 문득 맞은편에 세워진 스포츠카를 본다.

강현 요즘은 다들 이런 차를 모나… (하다가, 번호 보고) 어디서 많이 본 번혼데… (설마 하는데)

문 열리고 이수가 나온다.

이수 보고 놀라는 강현, 강현 보고 놀라는 이수.

강현 네가 왜 여깄어?!

이수 너는 왜 여깄는데?

강현 나 이 동네 10년 살았거든?

이수 나는 태어나서부터 살았다.

강현 ('뭔 소리야.') 재벌이 여기 왜 살아?

이수 자기 동네 디스 하냐?

강현 아니, 그게 아니라. 이상하잖아.

이수 내가 그런, 반전이 있는 캐릭터야, 서프라이즈 하고.

'무슨 말을 하냐.' 자기 차로 가는 강현 보다가.

이수 어, 파란 지붕! 너 통장님 딸이야?

강현 (돌아보고) 벌써 우리 엄마 만났냐?

이수 와, 통장님은 참 따뜻하고 좋으시던데, 엄마 안 닮았구나?

강현 (째리는데)

이수 어차피 같이 갈 거 내 차 타고 가지?

강현 내가 왜?

이수 내 차가 더 깨끗하니까? 더 빠르니까? (폼 잡으며) 멋있으니까?

강현 (헐) 됐거든.

강현, 차에 올라 시동 거는데, 푸르르 풀썩 꺼져 버린다.
'아이씨-' 하는 강현의 얼굴 보고 피식 웃는 이수.

23. 도로, 이수의 차 안, 낮

달리는 스포츠카 안, 이수와 강현.

이수, 먼지 하나 발견하고 살짝 닦고. 강현, '뭐하냐.' 보고.

이수 (강현 보고) 얘가 좀 예민하거든.

강현 비싸서 그럴 거야. 내 차는 무던한데.

이수 그 무던한 애가 주인 잘못 만나서 지금 혼수상태잖아.

강현 (흘기고)

이수 차는 이렇게 소중하게 아끼는 거야. 그럼 어떻게 돼?

가속하며 '부웅-' 엔진 소리 내는 이수.

이수 (강현 보며) 이렇게 멋진 소리를 내. 느낌 오지?

강현 ?

이수 가슴이 웅장해지고… 뭔가 차오르는….

강현 (끊고) 속도 줄여. (속도 제한 표지판 가리키며) 여기 60이야.

이수 낭만이 없어.

강현 낭만은 얼어 죽을. 경찰이 법을 지켜야지.

이수 아. 나 경찰이지.

이수, 속도 줄여 소리 죽인다. 달리는 이수의 차.

24. 거리, 낮

작업실, 창고들이 즐비한 느낌의 거리. 작은 공예방 같은 것들도 있는.

좁은 골목에 차를 세우고 내리는 이수와 강현.

25. 노 작가 작업실, 낮

커다란 창고 같은 공간, 문을 열고 들어가면 멍하니 앉아 있던 권 조교가 고개를 든다. 이수와 강현 들어오고, 엉거주춤 보는 권 조교. 퉁퉁 부은 얼굴.

강현 여기 계셨네요? 어제 연락이 안 되던데.

권 조교 고시원 가서 바로 잤어요. 새벽에 여기로 왔어요.

이수 뭐 좀 먹었어요?

권 조교 아… 아뇨….

강현 (그만하라는 듯 이수를 한 번 보고) 관장님께 들었는데, 일주일 전에 여기서 사건이 있었다면서요?

권 조교 아… 네. 어떤 여자 분이 갑자기 들어와서….

강현 여자라고요?

권 조교 네….

권 조교, 한쪽 구석에 세워진 천을 걷어 내면, 두 점의 그림이 나온다. 추상화에는 빨간 페인트를 뿌린 흔적이 있다. 놀라 보는 이수와 강현.

권 조교 (일어나 카메라를 찾는다) … 여기 다 찍혔어요….

권 조교, 카메라를 모니터에 연결하고 플레이한다.

권 조교 그날은 전시회에 걸 그림을 결정하느라 녹화를 했거든요.

INSERT. *모니터 화면.*
화면 안에는 그림들이 줄지어 서 있고, 권 조교, 노 작가, 주화영이 그림을 보며 서서 얘기 중이다. 권 조교는 옆에서 작은 노트에 노 작가의 말을 적고 있다.

화영 이거 좋네. 색감은 화려하면서 주제는 처절한 게.

노 작가 저 그림을 메인으로 가지.

화영 권 조교야, 네가 보기엔 어때?

노 작가 얘가 뭘 안다고. (권 조교 보며) 손기술만 좋지, 머리는 영. 작가 되려면 멀었어. 오늘 뽑은 리스트 담당자한테 전달이나 잘해.

권 조교 네….

그때, 어떤 여자가 들어와 다짜고짜 그림에 페인트를 뿌리며 소란을 피운다. (여자는 CCTV에서 나온 화려한 스카프를 하고 있다)

경순 (그림에 페인트를 뿌리며) 이 살인자야!!

노 작가, 화영 (놀라고) 어어!

경순 이건 세상에 나오면 안돼. 누구 맘대로 전시를 해!

노 작가 (오경순 잡으며) 이 여자가 미쳤나! 권 조교 뭐해! 빨리 잡아!!

노 작가, 여자를 붙잡고 실랑이하는데, 권 조교가 급히 여자에게 달려가는지 카메라 쓰러지고, 그대로 영상 멈춘다.

강현 저 스카프….

이수 ('스카프가 왜?' 보는데)

강현 저분이 누군지 아세요?

권 조교 (착잡한 얼굴로) 네, 알아요….

권 조교를 보는 이수와 강현의 얼굴에서.

26. 국과수 부검실, 낮

준영, 부검실에 서서 윤 박사를 기다린다. 부검대 위에는 노 작가의 시신, 천에 덮여 있다. 뒤에서 구두 소리 들리고 돌아보면.

윤 박사 (피가 튄 고글과 가운 입은) 일찍 왔네요. (미소)

준영 (인사하며 보면)

윤 박사 다른 부검 하다 와서. (파일 들어 보며) 노영재, 54세. 사인은 예기에 의한 장기 손상, 과다 출혈. 사망 시각은 밤 10시에서 11시, 혈중 알콜 농도는 0.06% 자창 부위는 세 군데. 돌아서 봐요.

준영 (돌아서면)

윤 박사 (주머니에서 볼펜을 꺼내 등을 가볍게 두 번 찌른다) 여기, 그리고 여기. 이제 날 봐요.

준영 (돌아보면)

윤 박사 (진지한 얼굴로 볼펜으로 배 중앙을 푹 찌르는) 이게 치명상.

준영 (자신을 보는 윤 박사 얼굴이 너무 가까워서 약간 어색한데)

윤 박사 이해됐죠?

준영 (살짝 물러서며) 그럼 처음엔 등 뒤에서 찔렀다는 건가요?

윤 박사 (끄덕이고) 근데 상처가 너무 얕아요. 죽이려고 찌른 게 아닌 것처럼.

준영 자살자들의 주저흔처럼요?

윤 박사 응, 굉장히 망설인 것 같아요. 그러다가 피해자가 돌아서서 뭔가 반응을 하니까? (찌르는 척) '푹-' 온 힘을 다해서.

준영 어떤 반응이요?

윤 박사 (작은 비닐봉지 들어 보인다. 화려한 색감의 실이다) 손톱 밑에서 이게 나왔어요.

준영 (보는데)

윤 박사 (준영의 옷깃을 확 틀어쥔다) 이렇게, 어딘가를 잡았겠죠.

(준영이 약간 긴장해 보는데 놓으며) 끝. 이게 다예요.

준영 … 여자도 가능할까요?

윤 박사 (생각하다가 끄덕이며) 가능해요.

비닐봉지 안의 실을 보는 준영에서….

27. 찜질방 전경, 낮

28. 찜질방 내부, 낮

#카운터

카운터의 사장에게 신분증 보여 주는 강현.

강현 경찰입니다. 여기 오경순 씨 계시죠?

사장 네, 찜질방 청소하고 있을 텐데….

#찜질방

들어서는 이수와 강현, 둘은 돌아다니며 강현은 청소하는 사람을 찾고, 이수는 신기한 듯 주변을 둘러본다.

이수 찜질방이 이렇게 생겼구나….

강현 찜질방 처음이야?

이수 집에 사우나가 있으니까. (두리번) 여기 계란이 그렇게 맛있다던데….

이수의 눈에 맥반석 계란 세 개에 2천 원, 박힌다.

이수	이천 원 있어? 지갑 안 갖고 왔어….

강현, 흘기고 커다란 밀대로 청소하는 오경순을 찾아낸다.
다가가는 강현, 아쉬운 얼굴로 뒤따르는 이수.
강현, 묵묵히 걸레를 미는 경순에게 말을 건다.

강현	오경순 씨?

돌아보는 오경순, 피곤과 고통에 찌든 얼굴에서.

#건물 일각
화장실이나 건물 바깥쪽,
오경순이 부은 얼굴로 걸레를 거칠게 턴다. 보는 이수와 강현.

경순	무슨 일인데요?
강현	노영재 작가님이 살해됐습니다.
경순	(멈칫, 멈추더니 피식 웃는다)
강현	(보는데)
경순	안 믿었는데, 신이 있긴 한가 보네. 그놈 천벌 받았네.
강현, 이수	(보는데)
경순	(둘을 보며) 그놈이 내 딸을 죽였어요.

29. 오경순의 집 전경, 낮

20평대 복도식 아파트 전경.

30. 오경순의 집, 낮

거실에는 가구가 거의 없고 수많은 그림이 늘어서 있다. 노 작가의 죽음 시리즈와 똑같은 풍의 그림들이다. 어떤 그림은 붉게 칠해 버렸고, 어떤 건 찢어졌다.

그림을 보고 놀라는 이수와 강현. 보란 듯 선 오경순.

이수 그림이….

경순 똑같죠? 그놈이 내 딸의 그림을 훔쳤어요.

이수, 강현 (그림을 보는데)

경순 우리 예선이 지도 교수였어요.

INSERT. *미대 강의실.*

그림을 그리는 예선이 뒤에서 그림을 지그시 보는 노 작가.

예선이 노 작가에게 웃으며 인사하는데, 수고한다고 어깨를 다독이는 노 작가.

하지만 그림을 탐욕스럽게 보고 있는 노 작가의 얼굴.

경순 E 졸업 전시 도와준다고 하면서 딸애 그림을 표절한 거예요.

강현 어떻게 하셨어요?

경순 (자조 섞인) 할 수 있는 건 다 했죠. 고발하고 고소하고 방송사에 알리고….

INSERT. *방송국 회의실.*

예선 *교수님이 제 작품을 칭찬해서 정말 기뻤는데… 근데 제 걸 뒤에서 똑같이 베끼고 있었어요.*

PD *(핸드폰 하며 대충) 그런 일 많죠.*

경순 E　　아무도… 우리 애 말을 안 믿었어요….

이수　　(안타깝게 보고)

경순　　처음에는 유학을 보내 주겠다 덮어 달라 사정하던 그놈이 나중엔 우리를 고소했어요. 자기 작품을 표절한 거라고….

INSERT. *집 앞.*

고소장 우편을 보고 경악하는 예선의 얼굴.

이수　　그럼 따님은….

경순　　(한숨 쉬며 찢어진 그림을 본다)

일 년 전에….

INSERT. *오경순의 집 거실.*

그림에 페인트 뿌리는 예선.

경순　　*(놀라 말리며) 예선아, 그만해.*

예선　　*(나이프로 캔버스를 북북 찢는다)*

경순　　*(예선의 팔을 잡는다) 그만 하라니까. 다쳐.*

예선　　*이것들 집에 둬서 뭐 해. 다 없애 버려야지. 세상이 다 노영재 그림으로 아는데, 이런 거 둬서 뭐 하냐고!! (울음 터지는)*

경순　　*(예선을 껴안고 같이 운다)*

경순　　죽었어요… (멍한 얼굴로) 딸아이 묻고… 정신없이 살았어요…

(시선 들며) 근데 그걸 본 거예요.

INSERT. *현관문 앞.*

오경순, 지친 몸으로 들어오며 신문을 집어 드는데, 펼쳐진 면에 광고 실렸다. 노영재 작가 3년 만의 전시 <죽음으로의 초대>, 그림은 딸이 찢었던 그림과 똑같다.

경순 E 눈이 뒤집히더라고요.

INSERT. *노 작가 작업실.*

작은 페인트 통 들고 노 작가 작업실로 쳐들어가는 오경순, 그대로 그림에 페인트를 뿌리는 오경순!

강현 (착잡한 얼굴로 오경순을 보는) 이틀 전, 밤 10시에 어디 계셨어요?

경순 (차분) 찜질방에요. 12시까지 일했어요.

이수와 강현이 일어서 나오는데, 열린 작은방에 걸린 스카프가 보인다. 화려한 무늬의 스카프.

강현 저 스카프….

경순 (살짝 슬픈 미소) 예전에 우리 딸이 생일 선물로 준 거예요. 몇 달 아르바이트해서 모은 돈으로… 예쁘죠?

강현 (그런 오경순을 가만히 보는)

31. 오경순의 집 앞, 낮

말없이 복도를 걷는 이수와 강현.

이수 이해는 되는데… 어머님이 범인이 아니었으면 좋겠다….

강현 (보는)

32. 강하경찰서 전경, 낮

33. 강력팀 사무실, 낮

화이트보드 - 도로 CCTV 사진 있고, 흉기 사진 (지문 ×, 장갑 흔적)
페인트 뿌려진 그림 사진, 주화영, 배진규의 사진과 신상 적혀 있다.
CCTV 사진의 여자를 보는 이수, 화려한 스카프를 알아보고 설마 하는 얼굴.
옆으로 다가와 오경순의 사진, 옆으로 죽은 딸의 사진 (SNS에서 뽑은, 자신의 그림 앞에서 활짝 웃는, 밑으로 이름 이예선) 붙이는 강현.
뒤로 경진이 다가오고.

경진 누구예요?

강현 가장 강력한 동기를 가진 용의자. 주화영 쪽은 파 봤어?

경진 (파일 보면서) 생명 보험은 총 세 개고 총액은 20억이에요.

강현 금액이 꽤 되네.

경진 주화영 씨 부동산 재벌 집 딸이라던데요.

강현 부동산은 현금화가 어려우니까 남자 친구 때문에 급전이 필요했을 수 있지. 부부 사이도 안 좋았던 것 같고.

준영이 들어오고, 자연스럽게 회의 테이블에 둘러서는 강현, 경진, 이수.

준영 (부검 결과 내밀고 - 인체 그림이 그려진) 부검 결과 나왔어.

강현 (받아 보면)

이수 (옆에서 같이 보는)

준영 자창은 세 군데, 등에 두 개, 배에 하나. 등의 상처는 깊지 않아. 주저흔처럼.

이수 주저흔?

준영 (무시하고) 사망 시각은 밤 10시에서 11시.

이수 (중얼중얼) 주저했다는 거겠지. 잘난 척은.

강현 피해자가 등을 돌리고 있었는데도 망설였다… 왜 망설였지…?

강력팀 (모두 그 부분을 생각하는데)

강현 (이내 화이트보드의 오경순을 가리키며) 그림에 페인트를 뿌린 건 오경순 씨야. 자신의 딸의 그림을 노 작가가 표절했고, 그것 때문에 딸이 자살했다고 생각하고 있어. (사진의 스카프 가리키고) 저 스카프도 가지고 있고.

준영 돈이 목적이라면, 주화영. (주화영 사진 컷) 복수가 목적이라면 오경순. (오경순 사진 컷)

강현 (끄덕이고) 오경순 씨는 사건 당일 야간 근무를 했다고 하니까 경진이가 CCTV 확인해.

경진 네!

강현 꼼꼼히 확인해. 찜질방에서 미술관은 20분 거리, 옷을 갈아입고 몰래 나갔다 올 수 있어.

준영 나는 배진규를 파 볼게.

강현 택시 회사는 내가 가 볼게.

경진이 나가고, 준영도 나갈 준비. 강현마저 가방 들고 나가려 하면.

이수 나는? 나는 뭐 해?

강현 너? 너는… (서랍에서 책들을 꺼내 이수 책상에 놓는다) 공부해.

이수 (보면, 부검, 수사에 관한 경찰 전문 서적)

강현 밀실 살인이니 뭐니 코난 같은 소리 하지 말고. 아님 가서 집 정리하던지.

이수 (쩝)

강현, 나가고. 이수, 강현을 보는데.

준영 (강현과 나가며) 집 정리?

강현 그런 게 있다….

CUT TO

조용한 사무실 안, 책을 대충 훑어보다가 탁 덮는 이수.

화이트보드에 붙은 노 작가의 그림을 보다가.

이수 (전화를 거는) 관장님, 네, 저예요~

34. 몽타주, 낮-저녁

#호텔 앞

호텔에서 나오는 배진규와 젊은 여성.

멀리 떨어진 차 안에서 보고 있는 준영.

고급 승용차 나오고 두 사람 타면 따라붙는 준영의 차.

#명품 샵

옷 고르며 입어 보는 여자와 '예쁘다, 사라' 하는 배진규.

밖에서 보고 있는 준영. 별다른 감흥 없는 얼굴.

#오피스텔 앞

여자, 배진규에게 가볍게 뽀뽀하고 쇼핑백 들고 내린다.

멀리서 보고 있는 준영.

배진규의 차가 떠나면 여자를 따라가는 준영.

#오피스텔 일각

준영 저기, 잠시만요!

여자 (돌아서며) 저요?

준영 (신분증 들어 보이고) 경찰입니다.

여자 (경계하는데)

준영 배진규 씨 아시죠?

CUT TO

여자 우리 오빠 사업하는데요?

준영 어떤 사업이요?

여자 잘 몰라요. 아직 구상 중인데 투자자를 잡았다고 했어요.

준영 (그럴 줄 알았다는 얼굴에서)

35. 택시 회사 전경, 밤

36. 택시 회사 일각, 밤

자판기 앞 간이 테이블.

다가오는 택시 기사(40대)에게 인사하는 강현, 두 사람 마주 앉고.

강현이 CCTV 사진(택시에서 내리는 여자)을 보여 주면.

기사 아, 이 손님, 기억나네요.

강현 (오경순의 사진을 보여 준다) 혹시 이 사람이었나요?

기사 (갸우뚱 보다가) 아닌… 거 같은데….

강현 얼굴을 보셨어요?

기사 아뇨, 얼굴을 가리고 계속 고개를 숙이고 있어서….

강현 카드로 결제했나요?

기사 아뇨, 현금으로 주고 잔돈도 안 받고 내렸어요.

강현 (아쉬운 얼굴)

37. 강력팀 사무실, 밤

CCTV 보는 경진. 눈이 아픈지 안약 넣으며 열심이다.

INSERT. *모니터.*

아홉 개로 나뉜 화면에서 이동하는 오경순을 쫓는 카메라.

치우고 닦고 잠시 앉아 있다 급히 이동해 바닥을 닦는 오경순….

38. 노 작가 작업실, 밤

권 조교, 붓들을 씻어 정리하고 있다. (짐 싸는 분위기)

그때, 문이 열리고 이수가 들어온다.

이수 또 왔어요~

권 조교 (어리둥절 보는데)

이수 관장님한테 전화 못 받았어요?

(페인트 뿌려진 그림 가리키고) 저 그림 두 점 제가 샀어요.

권 조교 (관장에게 전화 온다.) 잠시만요…

(받고) 네, 지금 오셨어요. 네 알겠습니다. (끊고)

이수 (그림 감상하며 섰는데)

권 조교 이 그림은 망가졌…잖아요….

이수 (미소) 망가진 게 아니고, 스토리가 생겼죠. 그림 팔리자마자 파쇄해 버리는 작가도 있잖아요?

권 조교 (살짝 미소) 그러네요. 제가 포장해 드릴게요.

권 조교는 포장을 시작하고, 이수는 작업실 안을 둘러본다. 붓 닦는 천 위에 놓인 붓들, 커다란 물통들, 곳곳의 물감들.
그러다 권 조교의 그림을 본다. 노 작가와 전혀 다른 풍의 그림. (비 오는 날의 창문 같은 그림이다. 작가의 독특한 서명 구석에 조그맣게 보인다)

이수 이것도 노 작가님 그림인가요?

권 조교 아뇨, 제가 그린 거예요. 작가님이 작업실을 같이 쓰게 해 주셨거든요.

이수 그림이 좋네요… 나도 비 오는 날 좋아하는데….

권 조교 (같이 그림을 보는데)

이수 (문득) 혹시 그런 그림 알아요?

INSERT. *이수가 꿈에서 본 그림 컷.*

이수 E 물속에 여자가 누워 있는데 마치… 죽은 것 같은 그런 그림….

권 조교, 이수를 보다가 핸드폰으로 뭔가 찾는다.

권 조교 (핸드폰 보여 주는) 이 그림 아닌가요?
(<존 에버렛 밀레이의 오필리아> 보여 준다)

이수 아, (이 그림 안다) 오필리아… 이게 아니고 위에서 본 그림이에요.
(꿈에서 본 그림 얼굴이 확대되지만 포커스가 맞지 않는 컷)

여자의 얼굴은 흐릿하고….

권 조교 (갸우뚱) 모르겠네요… (포장 끝났고) 다 됐습니다.

이수 (그림 받아 들고) 그럼 이제 여긴…?

권 조교 정리해야죠. 제 물건도 치우려고요…. (갈 곳이 없는)

이수 (끄덕이며 권 조교를 보는)

39. 강력팀 사무실, 밤

INSERT. *모니터.*

시간별로 찜질방 안에 있는 오경순의 사진 모음.

강현, 준영, 경진, 모두 모니터를 보고 있다.

경진 오경순 씨는 찜질방을 벗어난 적이 없어요.

강현 (같이 모니터 보다가 끄덕이고) 택시 기사도 아니라고 했어.

준영 그럼 주화영, 배진규 쪽으로 기우네.

강현 (준영을 보면)

준영 배진규, 최근 현금을 많이 쓰고 다녔고, 투자자를 잡았다고 사업 시작한다고 했대.

강현 (끄덕이며 생각에 빠지는)

(오경순이 페인트를 뿌리는 순간, 그걸 보고 있는 주화영 얼굴 컷)

오경순 씨가 남편을 증오한다는 걸 알고….

준영 전시관 CCTV 교체 공사하는 것도 알았을 테고.

강현 (끄덕이고) (CCTV 범인 사진 컷)

오경순 씨로 위장해서 남편을 죽인 거야.

준영 공범인 배진규가 알리바이를 대 준 거고. 지금 데려올까?

강현 (생각에 잠겨 고개 젓는다.) 아니, 아직까지는 긴장하고 있을 거야.
고비를 넘겼다고 생각했을 때… 내일 아침 일찍 부르자, 둘 다 동시에.

준영 (끄덕이고)

강현 (스카프 사진 보면서) 저 스카프. 단종 된 거라고 했어.
(경진에게) 어디서 구할 수 있는지 알아봐.

경진 네.

CCTV 사진 속, 스카프를 한 여인의 모습에서.

40. 몽타주, 밤

#노 작가의 집

와인을 마시고 있는 주화영과 배진규.
하지만 아무 말도 하지 않고 뭔가 긴장해 있는 듯 서로 눈을 맞추는.

#오경순의 집

죽은 딸의 그림을 만지는 오경순. 어두운 얼굴에서.

#노 작가의 작업실

짐을 싸다가 자신의 그림을 내려다보는 권 조교.

41. 이수의 집 전경, 밤

42. 이수의 집 거실, 밤

사 온 그림을 풀어 벽에 기대 놓고… 어디 걸까 생각하는 이수.

대충 벽 앞에 놓인 소파에 올라가서 그림을 대 보는데…
괜찮은 거 같고. 소파 위에 그림 기대 놓고 다시 내려와서 드릴을 가지러 가는데… 소파 뒤에서 나타나는 쥐 한 마리.
드릴 가지고 돌아오다가 쥐를 발견한 이수, 소리 빽 지르며 소파 위로 튕기듯 올라가고, 그 바람에 그림은 소파와 벽 사이로 떨어지고.
이수, 하얗게 질려 쥐를 보는데, 쥐는 도망칠 생각이 없고. 대치 상황.

이수 아저씨!! (부르지만 없다는 것을 깨닫고)

이수, 천천히 주머니에서 핸드폰을 꺼내 연다. 연락처에서 아저씨를 찾다가… 아니지, 이강현을 찾는 이수… 사색이 된 얼굴에서 땀까지 흐르고.

43. 골목과 이수의 집 교차, 밤

#골목
골목을 걸어오는 강현, 전화 오고 받고.

강현 어, 왜….

#이수의 집

이수 (잔뜩 쫄아서 목소리 죽여) 이 팀장, 어디야?
강현 (이하 교차) 알아서 뭐 하게? 넌 어딘데?
이수 집인데… 나 좀… 나 좀 도와줘.
강현 (심상치 않다) 무슨 일이야?
이수 (순간, 쥐가 이수 쪽으로 움직이고) 으아아아 살려 줘!

바짝 긴장하며 이수의 집 쪽으로 뛰어가는 강현!!

44. 이수의 집 마당, 밤

긴장한 얼굴의 강현, 가방에서 손전등과 삼단봉 꺼내고 집 안팎을 비춰 본다.

조용하다. 천천히 걸음을 옮기는 강현. 현관문 앞에서 소리를 듣다가….

45. 이수의 집 안, 밤

벌컥, 현관문을 여는 강현.

보면, 이수가 소파 위에 위태롭게 서서 강현을 본다.

강현 (사방 경계하며) 뭐야? 무슨 일이야?!

이수 (떨며) 주… 쥐….

강현 (입력 안 되고) 뭐?

이수 (울상) 쥐가 나왔다고….

강현 아이씨…. (다시 문 닫고 가려고 하는데)

이수 가지 마!

강현 (돌아보면)

이수 제발… 부탁할게.

강현 (미치겠다 너땜에)

CUT TO

강현, 곳곳을 살펴보고 있고, 이수, 소파에 쪼그려 앉았고.

강현 없어. 갔나 봐.

이수 정말? 나 내려가도 돼?

강현 (째리고) 상어 떼랑 파도 타시는 분이 왜 이러실까?

이수 (슬그머니 내려오며) 상어랑 쥐랑 비교가 되냐? 쥐가 훨씬 무섭지. (생각해 보니 조금 멋쩍고) 아니, 21세기에 쥐가 웬 말이야?!

강현 인류가 멸망해도 쥐는 살아남을걸?

이수 (심장 잡고) 아흐, 진짜 너무 놀랐어. 집에 우황청심환 없냐?

강현 (보다가) 어, 너 뒤에!

이수 으헉- (펄쩍 뛰어오르면)

강현 (웃음 터져 소리 내 웃는)

이수 (흘기고 선)

CUT TO

이수, 캠핑용품 바닥에 놓고 그걸 기가 차서 보고 있는 강현.

강현 텐트를 치고 자겠다고?

이수 어, 이거 금방 쳐. 언제 다시 나올지 모르잖아.

강현 무엇을 상상하든 다 뛰어넘는구나. 그냥 호텔 가~!

이수 다리가 떨려서 운전을 못 하겠어. 데려다줄래?

강현 그러지 말고 뒷목 한 번 칠 테니까 기절해라.

이수 흠… 아플 거 같아. 빨리 할 테니까 쥐 오나 보고 있어.

강현은 소파에 털썩 앉고 이수는 텐트를 친다. (자동, 고급 1인용 단순한 것)

강현 (집안을 둘러보다가) 너… 진짜 여기 살았었어?

이수 (등지고 텐트 치며) 응, 엄마랑 둘이.

강현 (무슨 소린가 보는데)

이수 일곱 살 때, 갑자기 엄마가 돌아가셨고…
그때 알았어. 내가 한수 그룹 회장의 아들이란 거.

강현 (약간 놀라며 기억 떠올리는)

INSERT. *3부, 염습실 앞.*

이수 *난 진짜 금수저는 아니거든.*

강현 (차분히) 엄마는 어떻게 돌아가셨어?

이수 (잠시 멈추고) 교통사고. 기억도 잘 안나….

INSERT. *이수의 기억 빠른 컷.*

- 유치원 앞, 엄마를 기다리는 어린 이수. 조금 떨어진 곳에서 차량 부딪히는 소리! 급히 나가 보는 선생들 컷. 어린 이수를 감싸 안는 여선생 컷

- 장례식장. 꽃 장식 속에 엄마의 사진을 보는 어린 이수 컷. (무슨 일이 벌어지고 있는 건지 모르겠는 멍한 얼굴)

- 장례식장, 오가는 양복 입은 남자들. 그리고 들어오는 명철. 명철을 올려다보는 어린 이수 컷.

이수 (다시 텐트 치면서)
근데 이 집에 돌아오니까… 좋았던 기억들이 다시 생각나.

강현, 이수를 보는데, 이수, 텐트 다 치고 돌아본다.

강현 (이수를 보며 할 말을 찾다가) … 간다. 자라.

이수 어, 고마워.

강현, 현관 쪽으로 가다가 돌아보면, 이수는 텐트 안에 들어가서 지퍼를 올리다가 강현을 보고 오케이 사인을 보낸다. 피식, 다시 돌아서는 강현.

46. 강현의 집 앞, 아침

강현, 자신의 차 배터리를 갈고 있다.
다 끝내고 손 툭툭 털고, 차에 타려다가 이수의 집 쪽을 잠시 보는 강현.
'괜찮나.' 생각하는데, 문자 온다.
<이 팀장, 오늘 해충 업체에서 와서 좀 늦게 출근할게.>
강현, 차 몰고 떠나면, 해충 박멸 업체 트럭 와서 이수의 집 앞에 선다.

47. 강하경찰서 전경, 낮

48. 진술 녹화실 1, 2 교차, 낮

#진술 녹화실1
준영이 배진규와 마주 앉았고.

#진술 녹화실2
강현은 주화영과 마주 앉아 있다.

#진술 녹화실1

준영 사업하려고 준비하고 있다면서요?
진규 (거들먹) 대단한 건 아니고… 제주에 펜션 하나 인수하려고 합니다.
준영 돈이 많이 들 텐데? 한 20억 하나요?

진규 잘 아시네?

준영 투자자는 주화영 씨고?

진규 그건 형사님이 상관할 바가 아니고.

#진술 녹화실 2

강현 최근에 배진규 씨가 사업 자금을 융통해 달라고 했죠?

화영 (피식) 했죠. 20억.

강현 노 작가님 생명 보험 총액하고 딱 맞네요.

화영 그런가? 계산을 안 해 봐서 모르겠는데….

강현 부동산은 많아도 현금 20억을 갑자기 만들기는 힘든데… 젊은 남자 친구를 붙잡을 돈이 생겼네요.

화영 (우습지도 않다) 나 걔랑 헤어질 거예요.

강현 (보는)

화영 내가 차도 사 주고 옷도 사 주고 했는데, 20억을 줄 정도로 좋아하진 않거든. 잠깐 즐긴 거지, 이제 슬슬 지겹기도 하고. 내가 보험금 때문에 그 인간을 죽였다고 생각하는 모양인데 잘못 짚으셨다고.

강현 (보는데)

화영 나보다는 권 조교를 파 보는 게 낫지 않겠어요?

강현 (떠보는) 왜죠?

화영 살인을 할 정도의 애증은 권 조교한테 있으니까.

강현 노 작가님이 죽으면 가장 큰 피해를 보는 게 권도준 씨 아닌가요? 교수직이든 데뷔전이든 노 작가님의 도움이 필요할 텐데?

화영 그 도움을 안 주고 10년 동안 노예처럼 부려 먹기만 했다니까. 오죽하면 그 인간 몰래 유학 가려고 준비를 했겠어~

강현 유학을 가려고 했다고요?

화영 아티스트 재단에서 후원을 받기로 했다던데요?

주화영을 보는 강현에서.

49. 진술 녹화실 앞 복도, 낮

걸어 나가는 주화영과 배진규를 뒤에서 보고 있는 강현과 준영.

준영 못 믿겠어… 권 조교에게 시선을 돌려놓고 도주할 생각이야.

강현 (생각에 잠겨) 그래도 확인은 해 봐야지.

준영 그래, 난 저 두 사람 감시하고 있을게.

강현 (끄덕이고)

밖으로 나가는 두 사람에서.

50. 이수의 집 거실, 낮

해충 업체 직원, 이수에게 사인 받고 나간다.
이수는 집을 정리하고 소파 뒤에서 그림을 꺼내는데, 쓰러지면서 어딘가에 긁혔는지 그림 한쪽이 벗겨져 있다. 그런데, 벗겨진 곳에 전혀 다른 색깔이 드러난다. 손으로 문질러 보면 더 드러나는 그림. (그림 아래 다른 그림이 있는 것)
'이게 뭐지?' 하는 이수. 핸드폰 꺼내 들고 최 이사에게 전화한다.

51. 한수 제약 회사 대표실, 낮

제약 회사의 대표 앉아 있고, 마주 앉은 최 이사.

(뭔가 문제가 생겨서 최 이사에게 조언을 듣는 상황이다)

최 이사 (문제의 서류 보면서) 외국 기업이랑 얽힌 문제라 간단하진 않겠어…

(생각하고) 내가 이 변호사한테 연락할 테니까. 같이 만나 보자.

대표 (무겁게) 네….

최 이사 (보고) 힘들어?

대표 (너스레) 죽겠습니다. 저한텐 과분한 자리라… 다시 돌아오시면 안 됩니까? 선배님이 오너 일가 수발들 분은 아니신데….

최 이사 (부드러운 미소) 그게 내 마지막 업무야. (전화 오고, <진이수 경감님>)

(받고) 네.

이수 E 아저씨, 부탁 하나 할게요.

최 이사 (듣고) 네. 알겠습니다.

(끊고, 대표 보며) 전자 연구실 팀장이 지금 누구지?

52. 한수 전자 전경, 낮

들어가는 이수의 차. 이수는 통화하며 운전 중이다.

최 이사 E 연구실에 얘기해 놨습니다.

입구의 경비가 인사하면, 인사하며 들어가는 이수.

53. 한수 전자 연구실, 낮

이수와 직원, 대형 엑스레이 기기에 그림을 올려놓는다. 기기를 조작하면 연결된 모니터에 그림 아래에 작가의 서명이 크게 그려져 있다.

직원 서명을 먼저 쓰고 위에 덧칠을 해서 새 그림을 그린 거 같은데요?

이수 (그림을 보며) 왜 그랬을까요…?

다시 그림을 비추면, 위의 그림의 서명과 아래 그려진 서명이 다르다.

(밑의 것은 권도준의 사인이다)

54. 아티스트 재단 전경, 낮

55. 아티스트 재단 안, 낮

강현, 휴게 공간에 앉아 담당자를 기다리고 있고.

직원이 걸어오면 인사하는 강현.

56. 레스토랑 앞, 낮

다정하게 식사하는 주화영과 배진규의 모습.

길 건너 차 안에 앉아 그들을 보고 있는 준영.

57. 강력팀 사무실, 낮

스카프 중고 거래를 찾고 있는 경진. 없다.

그러다 판매 완료된 항목을 찾는 경진. 한 건이 나온다. 사건 이틀 전이다.

판매자에게 전화를 하는 경진.

58. 노 작가 작업실 앞, 낮

권 조교, 소형차에 자신의 물품들을 싣고 있다. 다가오는 시선.

이수 E 정리 끝났나 봐요?

권 조교 (놀라 돌아보면 그림을 들고 선 이수) 아, 네….

이수 어디로 가요? 멀리 가나?

권 조교 (무슨 뜻인가 보다가) 무슨 일로…?

이수 (그림 들어 보이며) 이거 비싸게 샀는데 문제가 좀 있네요….

권 조교 (긴장해 이수를 보는)

59. 노 작가 작업실, 낮

이수, 테이블에 그림을 올려두고, 포장을 푼다.

권 조교, 살짝 긴장하며 와서 선다. 권 조교를 보는 이수.

이수 밀레의 만종이라는 유명한 그림 있잖아요. 부부가 들판에서 기도하는…

(밀레의 만종 컷)

거기 감자가 담긴 바구니가 있는데….

(만종 - 바구니로 확대)

이수 E 원래 그 바구니는 작은 관이었대요.

(관에서 멀어지며 전체 그림 컷) 평화롭게 보였던 풍경이 사실은 아이의 죽음을 슬퍼하는 부부의 모습이었던 거죠.

이수 엑스레이로 찍어 보면 확인할 수 있어요.

권 조교 (굳어 이수를 보는데)

60. 아티스트 재단 안, 낮

직원 권도준 씨가 선발되긴 했었는데… 취소됐어요.

강현 왜요?

직원 지도 교수님이 전화를 하셨어요. 권도준 씨가 낸 포트폴리오가 표절한 거라고….

강현 (놀라는) 그게 언제였어요?

직원 (생각하는) 일주일 전이에요.

61. 강력팀 사무실, 낮

경진, 통화하고 있다.

경진 네, 그 스카프를 사 간 사람이 여자분이었나요?

상대 E 아뇨, 남자였는데요?

경진 (화이트보드로 가면서) 영상 통화로 잠깐 돌려도 될까요?

상대 E 네.

경진 (영상 통화로 배진규의 사진을 보여 준다) 이 사람인가요?

상대 E 아뇨.

경진 (핸드폰 내리는데, 배진규 옆에 붙어 있던 권 조교의 사진이 스친다)

상대 E 어? 그 옆에….

경진 (권 조교를 보여 주면)

상대 E 이 사람이에요!

62. 아티스트 재단 주차장, 낮

생각에 잠겨 차에 오르는 강현, 경진에게서 전화 온다.

경진 팀장님. 스카프를 산 건 권도준이에요!

강현 권도준 위치 확인해서 알려 줘. 준영이도 오라고 하고!

급히 출발하는 강현.

63. 노 작가 작업실, 낮

그림을 보고 있는 권 조교.

이수 어제 그림을 걸다가 떨어뜨렸는데. 벗겨진 부분에 전혀 다른 색이 보였어요. 그래서 한번 엑스레이를 찍어 봤죠.

권 조교 (얼어붙는데)

이수 그랬더니 이게 나오더라고요, (벗겨진 부분 확대, 그 위로 엑스레이 사진) 노 작가님과는 전혀 다른 서명이….

권 조교, 하얗게 굳는데, 이수는 벽에 세워진 권 조교의 그림을 보고 다가가 집어 든다. 노 작가 그림 밑의 서명과 같다.

이수 노 작가님 그림 밑에 왜 권도준 씨의 서명이 있을까요…?

하면서 뒤도는데, 권 조교가 둔기를 휘둘러 이수의 머리를 쳐 버린다.
맞고 쓰러지는 이수!
쓰러져 이마에서 피를 흘리는 이수와 달려오는 강현, 분할 화면에서.

4화 엔딩.

ep.05

이건 살인 사건입니다

1. 노 작가 작업실, 낮

흠집이 난 그림을 보고 있는 권 조교.

이수 (권 조교의 그림을 보며)

노 작가님 그림 밑에 왜 권도준 씨의 서명이 있을까요…?

하면서 뒤도는데, 권 조교가 둔기(도자기 붓꽂이 같은)를 휘둘러 이수의 머리를 쳐 버린다. 맞고 쓰러지는 이수!

2. 도로, 강현의 차 안, 낮

강현, 앞에 차들이 많자, 경광등 올리고 달린다.

3. 노 작가 작업실, 낮

이수, 일어난다. 머리에 흐르는 피를 닦고 권 조교를 보는 이수.

권 조교는 하얗게 질려서 도자기 병을 들고 있다.

이수 그거 내려놔요. (차분히 보다가) 하얗게 질렸네. 맞은 건 난데.

권 조교 (어쩔 줄 모르는데)

이수 고집 피우지 말고 내려놔요. 때리기 싫으니까.
내가 킥복싱에 꽂힌 적이 있어서 제대로 배웠다고.

권 조교, 갈등하다가 이수를 향해 도자기 병을 던지는데, 이수가 발차기로 날려 버린다. 벽에 부딪혀 깨지는 병, 도자기 조각이 권 조교 발아래로 튕겨 떨어진다. 놀란 권 조교를 끌어다 의자에 '탁' 앉히는 이수.

이수 (손수건 꺼내 머리 지혈하며) 자. 이제 말해 봐요. 왜 그랬어요?

권 조교 (이수 보다가 마음잡고 한숨) 십 년이에요.

4. 권 조교의 진술

#노 작가 작업실

노 작가 술 마시며 권 조교를 보고, 권 조교는 그림 그리고 있다.

권 조교 E 십 년을… 교수님 밑에서 대신 그림을 그렸어요….

#노작가 작업실

혼자 있는 권 조교. 빈 캔버스에 커다랗게 서명을 하고…
서명이 된 그림 위에 물감이 덧칠되고, 그림을 그리는 권 조교의 굳은 얼굴.

권 조교 E 이건 내 그림이다, 몰래 서명을 그려 놓으면서요….

#전시회장

평론가들에게 그림에 대해 설명하는 노 작가, 멀리서 보는 권 조교.

권조교E 내 그림으로 그 사람이 유명해지는 걸 지켜보고….

#백화점 주차장

주화영의 쇼핑백을 들고 차에 싣는 권 조교. 주화영 태우고 운전하는….

권조교E 사모님 심부름을 하고…. 후배 그림까지 빼앗고….

#예선의 장례식장

한 구석에서 눈물을 흘리는 권 조교.

권조교E 예선이가 자살을 해도 모른 척하면서… 버텼는데….

#전시회장 일각 (며칠 전)

권 조교, 들어서는데, 노 작가, 등 돌리고 통화하고 있고.

노 작가 그래요? 권 조교가 유학생으로 선정됐어요…?

권조교 (뒤에서 놀라고 기쁜데)

노 작가 근데 이걸 어떻게 말해야 되나….

권조교 (무슨 소린가 보는데)

노 작가 권 조교가 낸 포트폴리오 표절한 겁니다… 아무래도 교육자로서 양심에 찔려서 얘길 안 할 수가 없네요….

경악한 얼굴로 교수를 보는 권 조교 모습에서.

#전시회장 (사건 당일)

노 작가, 테이블에 앉아 샴페인을 '펑-' 따서 잔에 따라 마시며 만족스러운 듯 그림을 본다.

노 작가 (권 조교를 보며) 넌 참 재능이 많아… 수고했어.

조용히 문 닫고 나가는 권 조교, 돌아보는 눈빛이 (4부와 달리) 서늘하다.

5. 노 작가 작업실, 낮

권 조교 언젠가는 멋진 작품으로 성공하겠다고… 그렇게 버텼는데… 이렇게 끝나다니…. (울컥하는데)

이수 (가만히 보다가) 실망이네.

권 조교 (의아해 보는데)

이수 난 예술가들이 부러웠는데… 꿈을 위해서 힘들어도 열심히 노력하는… 그런 이미지였거든? 근데 당신은… 성공하려고 노 작가한테 빌붙었다가 생각대로 안 되니까 죽였다, 이거네.

권 조교 (황당하고) 뭐라고?

이수 (그림 가리키고) 저게 왜 당신 그림이야? 노영재 이름으로 발표되니까 인정받는 건데? 그 이름 뒤에 숨어 살면서 몰래 사인을 해? 너무 비겁하지 않나?

권 조교 (분노하고) 네가 뭘 알아? 넌 모든 걸 가졌고, 뭐든지 할 수 있겠지! 하지만 나는!

이수 (끊고) 사연 팔이는 거기까지 하지?

권 조교 !!

이수 하루 이틀도 아니고 십 년이라며? 십 년을 그렇게 살았으면 당신도 문제 있는 거야.

권 조교 (표정 바뀌는데)

이수 일어나요. 내가 지금 수갑은 없는데, 도망칠 생각은 하지 말고.

권 조교 일으키고, 이수가 돌아서는데…
권 조교, 바닥에 떨어진 도자기 조각을 들어 배를 찔러 버린다! 놀라 보는 이수, 권 조교의 셔츠가 피에 젖고. 이수는 도자기 조각을 빼앗아 던져 버리고 비틀대는 권 조교를 붙잡는다. 이수는 고통스러운 권 조교의 얼굴을 보는데…
문이 벌컥 열리며 강현이 들어온다.

강현 권도준! (하다, 이수를 보고) 진이수? 네가 왜…?

하다가, 피를 보고 급히 뛰어와 권도준을 잡으며 이수를 보는 강현.

강현 어떻게 된 거야?!

이수 (황망하다) 자해를… 했어….

강현 눕혀.

강현과 이수 고통스러워하는 권 조교를 눕히고. 강현은 배를 지혈한다.
그때, 준영이 들어오면.

강현 준영아!! 구급차 불러!!. 권도준 자해했어!

핸드폰 들고 나가는 준영. 난감한 얼굴의 이수에서.

6. 노 작가 작업실 앞, 낮

구급차 와 있고, 준영의 차, 강현의 차가 있는 노 작가 작업실 앞.
구급 대원, 구급차에 앉은 권 조교의 상태를 확인하고 응급처치를 하고, 강현은 준영과 대화를 나누고 있다.

준영 (이수 노려보며) 저 새끼, 이대로 두면 안 되겠다. (나서는데)

강현 (막으며) 내가 얘기할게….

조금 떨어져 서서 그들을 보는 이수. 살짝 눈치 본다.
구급차 출발하고. 준영의 차도 구급차를 따라간다.
강현이 이수에게 다가오기 시작하면 괜히 딴청 하는 이수.

강현 (차분히 보다가) 여기 왜 온 거야?

이수 (주눅 들어서 설명) 내가 노 작가 그림을 샀는데, 거기 이상한 게 있어서.

강현 그래서?

이수 엑스레이를 찍어 봤더니, 서명이 있더라고. 그게 여기서 본 거 같아서….

강현 그래서?

이수 그래서… 뭔가 있나 하고 알아보러 왔다고….

강현 권도준은 어쩌다가 자해를 한 거야?

이수 그냥… 자기 연민 늘어놓길래 뭐라고 좀 했지…
(머리 보여 주며) 나도 여기 맞았어. 권도준이 먼저 쳤다고.

강현 (차분히 본다) 아무리 철이 없고, 제멋대로라고 해도… 이 정도일 줄은 몰랐다.

이수 갑자기 그럴 줄 몰랐지. 범인 잡았잖아. 생명에 지장도 없다 그러고.

강현 (차갑게) 넌 아직도 이게 재밌니? 사람이 다쳤는데도?

이수 내가 일부러 그런 것도 아니잖아. 자해할 줄 알았냐?

강현 거기까지 책임을 지는 게 경찰이야.

이수 그럼 뭐가 됐든 내가 책임지면 되는 거 아냐.

강현 (냉정) 경찰 조직은 나가 아니라 우리야! 그걸 모르는 게 네 문제고!

이수 (굳어 보는데)

강현 나는 너를 거부할 권리도 힘도 없어. 어떻게든 널 끌고 가야 되는데… 폭탄을 머리에 이고 있는 기분이야. 선거가 끝나면 네가 사라질 거라는 게 유일한 희망이라고!

이수, 충격 받는데, 돌아서 가는 강현.
두 사람의 모습이 카메라에 찍힌다. 찰칵.
보면, 현장에 도착해 있던 이 기자다. 사진을 돌려보는 이 기자.

INSERT. *이 기자의 카메라.*
앞으로 돌아가는 사진들. 강현과 마주 선 이수.
그리고 권 조교를 지혈하며 데리고 나오는 이수와 강현의 사진까지.

7. 도로, 이수의 차 안, 밤

달리는 차 안의 이수. 무거워진 얼굴.

8. 이수의 집, 밤

#집 앞

차를 세우고 들어가는 이수.

#거실

들어와서 옷을 벗다가 셔츠에 묻은 피를 잠시 보는 이수. 복잡한 얼굴.

9. 강하경찰서 전경, 밤

10. 서장실, 밤

#서장실 앞

서장 E　일 이따위로 할 거야?!!

#서장실 안

강현, 악물고 시선 내리고 서 있다.

강현 앞에서 씩씩대는 서장. 뒤로 소파에 앉아 있는 형사과장.

서장　이강현이! 내가 너한테 많은 걸 바랬냐? 조용히 좀 살자고. 진이수 하나 관리도 못 해? 금수저 다치면 어쩔 거야? 범인한테 찔려서 죽기라도 했으면 어떡할 거냐고!!

강현　… 죄송합니다.

서장　(짜증 나서 노려보는데)

비서　(노크하고 들어와서) 서장님. 지금 출발하셔야 되는데….

서장　(씩씩대며 외투 집어 들고 강현 보다가) 누가 이딴 걸 팀장에 앉혔어…

(나가면)

강현　(굳어 한숨 쉬는데)

형사과장 E　너 그냥 다른 서로 옮겨라. 여러 사람 피곤하게 하지 말고.

강현　(차분하게 돌아보고) 제가 여길 왜 나갑니까?

형사과장　(빤히 보고) 내가 너… 왜 싫어하는지 알지?

강현　(굳어 보는데)

형사과장　환경이라는 거 무시 못 하거든. 사기꾼 집안에서 사기꾼 나오는 거고.

강현　(굳어, 단단히) 아버진 함정에 빠진 겁니다. 과장님이 오해하고 계신 거예요.

형사과장 (정색하고 본다)

강현 우리 아버지, 어떤 분인지 아시잖아요? 과장님 사수였잖아요?

형사과장 사람을 안다는 게 착각이라는 거… 이 일을 하다 보면 알게 되지.
너야말로 아버지라고 감싸지 말고 사건을 제대로 보는 게 어때?

굳어 서로 보는 형사과장과 강현에서.

11. 강현의 집 앞, 밤

퇴근하고 집으로 들어가는 강현. 고민 많은 얼굴.

12. 강현의 방, 밤

옷장 문 열고 가방 집어넣던 강현, 옷장 바닥에 놓인 검은 옷상자 (아버지의 제복이 들어 있다) 위에 잠시 손을 올려 둔다. 옅은 한숨.
이내 겉옷을 벗어 걸고 옷장 문 닫으면 암전.

13. 이수의 집 침실, 아침

잠을 설친 이수, 침대에 앉아 있는데, 최 이사가 들어온다.

이수 (보는)

최 이사 얼굴이 안 좋네요. 못 잤어요?

이수 좀… 생각이 많아서요….

최 이사 (다가와서 머리를 살핀다) 검사 받으러 가는 게 좋겠어요.

이수 괜찮아요. 별 거 아니에요.

최 이사 (조금 단호하게) 옷 입으세요. 가요.

이수 (최 이사 보다가, 말 듣는다)

14. 종합 병원 전경, 낮

15. 권도준 병실, 낮

권도준, 수술 후 깨어난 상황, 침대 난간에 수갑 채워져 있고.
강현과 준영이 진술을 받으려고 와 있다.

권 조교 (체념한 듯 차분) 그날 나왔다가 뒷문으로 다시 들어갔어요. 뒤쪽에는 외부 CCTV가 없거든요… 그리고… 교수님을 찔렀어요.

INSERT. *전시회장 안.*
그림을 보고 있는 노 작가, 몰래 다가가 뒤에서 등을 찌르는 권 조교! (장갑 낀) 노 작가가 헉하며 놀라면 다시 한번 찌르는데, 깊지 않고.
노기 어린 노 작가가 돌아서며 "너 이 자식!" 소리치며 잡으려 하면 칼을 떨어뜨리고 도망치는 권 조교. 등의 상처를 잡으며 휘청 중심을 잃는 노 작가에서.

권 조교 너무 무서워서… 그대로 도망쳤어요.

강현 (?) 그게 다예요?

권 조교 네….

준영 (강현과 서로 보다가) 페인트는?

권 조교 그건 저 아니에요….

권 조교 E (아침, 잔뜩 긴장한 얼굴로 전시회장 안으로 들어가는 권 조교.) 교수님한테 싹싹 빌든, 그림 내가 다 그린 거라고 자폭을 하든 하려고 갔는데, 교수님이 죽어 있었어요… (시신을 보고 경악하는 권 조교, 다시 도망치고) 도망칠까, 돌아갈까 정신없이 다니다가 사고까지 내고… (접촉 사고가 난 도로, 넋이 나간 권 조교에서) 페인트가 생각났어요. 난 깊이 안 찔렀으니까… 혹시 예선이 어머니가 복수를 한 게 아닐까 생각해서….

준영 덮어씌울 수 있다고 생각하고 돌아온 거다?

권 조교 (주눅 들어서 끄덕이는데)

강현 우리 생각은 다른데.

권 조교 ?

강현 우린 당신이 처음부터 오경순으로 위장해서 죽일 계획을 세웠다고 생각해요.

권 조교 (펄쩍 뛴다) 아니에요. 저는 그냥 충동적으로 그런 거예요.

강현 그럼 스카프는? 스카프는 왜 샀어요?

권 조교 (전혀 모른다) 스카프요?

강현 (CCTV 택시 사진 보여 주고) 이 스카프, 오경순으로 위장하기 위해서 샀잖아!

준영 ○○동에서 ○월 ○○일, 당신이 구입한 거 확인됐어.

권 조교 (생각하다가) 아… 그거 사모님 심부름이었어요. 물건만 받아 오면 된다고 해서 갖다 드렸는데… 그게 스카프였어요?

강현 당신이 죽인 게 아니면… 자해는 왜 했어요?

권 조교 (울컥) 어쨌든 찔렀으니까… 내 인생은 끝났잖아요. (얼굴 가리고 울고)

권 조교를 보는 강현과 준영에서.

16. 강력팀 사무실, 낮

회의 테이블, 앉거나 선 강현, 준영, 경진.
강현, 외부 CCTV 사진 보고 있다.

INSERT. CCTV 사진.

택시에서 내리는 여자 - 장갑, 단화.

강현 이 여자, 키가 어느 정도 되지?

경진 (자료 찾고) 대략적으로 환산해서 165 정도예요.

준영 권도준은 170 정도 될 거야.

강현 (한숨) 이 여자는 권도준일 수가 없는 거네.

경진 그럼 진짜 범인은 주화영이었던 거예요?

강현 (끄덕이고) 주화영은 CCTV 교체 공사 날을 디데이로 잡고 계획을 짰을 거야.

준영 권도준을 시켜서 스카프를 사고. 오경순으로 위장, 보란 듯이 택시를 탔고.

강현 권도준이 먼저 찌를 줄은 몰랐겠지만….

INSERT. 전시회장 안.

등에 피를 흘리며 주저앉은 노 작가. 걸어오는 소리 들리고.

노 작가 신음하며 일어서는데… 주화영이 나타난다.

노 작가 *여보… 119 좀 불러 줘… (신음하고) 권 조교가 나를 찔렀어….*

주화영, 아무 말도 안 하고 칼을 집어 들어 (장갑) 다가가더니 겨우 일어선 노 작가의 배를 '푹-' 찌른다. 놀라 주화영을 보는 노 작가의 얼굴.

노 작가, 스카프를 움켜쥐고 무너지듯 주저앉는데, '슥-' 스카프를 빼내고 돌아서 가 버리는 주화영. 노 작가의 손톱에 남는 스카프의 실.

강현 문제는 증거가 없다는 거야.

준영 유일한 증인은 또 다른 살인 용의자고.

경진 그럼 이제 어떡해요?

강현 주화영을 다시 파 봐야지.

생각에 잠기는 세 사람에서.

17. VIP 개인 병원, 낮

검사를 받는 이수의 컷컷. 엑스레이를 찍고, MRI를 찍고.
옷 갈아입으며 나오는 이수, 진료실에서 나온 최 이사가 옆으로 온다.

최 이사 (미소) 큰 이상은 없답니다.
이수 그렇다니까요. 괜히….
최 이사 회장님이 걱정하셨어요.
이수 (굳은) 시장이 되게 하고 싶은가 봐요… 좋은 아버지 코스프레까지 하고.
최 이사 (보는데) 회장님은….
이수 (듣기 싫고) 저 먼저 갈게요. 살인 사건 수사 중이라 바쁘거든요.
최 이사 (보다가) 경찰 일은 어때요?
이수 (미소) 엄청 재밌어요! 가요. (돌아서서 가는데)
최 이사 (보다가) 혹시 어지럽거나, 머리 아프면 연락하세요.
이수 (손 흔들며) 네, 알겠어요~

최 이사, 명철에게 전화한다.

최 이사 네, 검사해 봤는데 아무 이상 없습니다. 걱정 마세요.

INSERT. *회장실.*
명철 앞에는 머리에 피 흘리며 권 조교 데리고 나오는 이수의 기사.

명철 네, 수고하셨어요. (전화 끊는)

18. 개인 병원 입구, 저녁

발렛 기사 기다리면서 문자를 보내는 이수.

차 나오면, 타고 출발한다.

19. 강력팀 사무실, 저녁

주화영의 관련 자료 보다가 핸드폰 문자 확인하는 경진.

<와서 뇌물 먹을래?> 문자와 식당 위치 사진.

20. 한우 오마카세 집 전경, 밤

식당 위치 사진에서 실제 식당으로 바뀌고.

21. 한우 오마카세 룸, 밤

고급 룸, 앞에 셰프가 요리를 하나씩 만들어 내주는 식.

요리 하나 나올 때마다 셰프가 설명하고, 경진은 감탄하며 먹는다.

경진 이렇게 맛있는 뇌물은 처음이네요. 흐흐.

이수 많이 먹어. (흐뭇하게 보다가) 근데 말이야… 네 생각에는….

경진 네.

이수 내가 뭘… 잘못한 거냐?

경진 형님이요?

이수 어, 이 팀장이 나한테 엄청 화를 내던데?

경진 (끄덕이며 생각) 형님이 잘못한 거… 첫날부터 얘기해요?

이수 아니~ 어제 말이야.

경진 어제는 일단 말도 안 하고 혼자 움직인 것부터가 문제예요.

이수 난 그냥 뭐 좀 물어보러 간 건데?

경진 그래도 수사에 관련된 정보는 계속 공유해야 돼요. 수사 방향은 팀장님이 잡는 거니까 보고하고 갔어야죠.

이수 (생각하는)

INSERT. *4부, 강현의 차 안.*

강현 *수사에 관련된 건 뭐든 보고 먼저 해. 맘대로 움직이지 말고.*

경진 게다가 용의자가 다쳤잖아요. 팀장님 징계 먹을지도 몰라요. 어제도 엄청 깨졌대요.

이수 권도준이 자해한 건데 이 팀장이 왜 징계를 먹어?

경진 원래 조직이란 게 그래요. 우리 팀장님은 위에서 찍힌 것도 있고.

이수 이 팀장이 왜 찍혀? 최연소 경감이라며? 잘 나가는 거 아니었어?

경진 뭐 경력이야 화려하죠. 3년 동안 악성 수배자 34명 잡았다니까요.
근데 뭐 쫌 사연이 있어서.

이수 사연이 뭔데?

경진 (난처한 얼굴로 고기 먹으며) 그건… 제가 말하긴 그렇고…
직접 물어보세요. 나중에 친해지면.

이수 (경진 보다가, 매니저에게) 와인, 준비해 주세요.

매니저가 와서 와인을 보여 준다.

이수 내가 작년에 와이너리를 하나 샀거든. 거기서 나온 건데 맛있어.

경진 (뭔가 비싸 보이고 부담스러운데) 얼마짜린데요?

매니저 120만 원입니다.

경진 (경악하는 가운데)

이수 따 주세요.

경진 (오픈하는 거 보면서) 아… 곤란한데… (하면서, 자기 잔을 슥 내미는)

이수 (귀엽다는 듯 웃는)

CUT TO

이수 ('말해라.' 보고 있는)

경진 팀장님 아버님이 강력계만 30년, 갈고리라고 완전 전설적인 인물이었대요.

이수 근데?

경진 근데… 정년퇴직 몇 달 앞두고… 뇌물을 크게 먹다가 걸렸어요.

이수 !!

경진 얼마래드라. 하여튼 5만 원 권으로 박스 하나. 그걸로 파면당하셨어요.

이수 그래서? 아버지는 아버지고 딸은 딸이지.

경진 에이 그렇게 안 된다니까요. 거기다가 우리 서장님이 그 사건 수사했던 청문감사관이었대요.

이수 (보는데)

경진 위에서 꼬투리 잡고, 뒤에서 쑥덕거리고 어린 나이에 팀장까지 달아서 말들이 많아요. 그래도 팀장님, 버티고 있는 거예요.

이수 (무거워지는)

경진 (골치 아픈) 근데 또 문제가 생겼어요.

이수 ?

경진 진범이 주화영인 것 같아요.

이수 !!

22. 고급 BAR, 밤

친구들과 술을 마시며 시끄럽게 떠들고 있는 배진규.

바텐더 앞자리에 앉아 등 뒤로 대화를 듣고 있는 준영.

23. 노 작가의 집 앞, 밤

잠복을 하고 있는 강현, 도우미가 집 앞에 쓰레기를 버리고 가면, 도둑고양이처럼 다가가 쓰레기봉투를 집어 들고 와서 차 뒷자리에 숨어 열어 본다. 장갑 끼고 뒤져 보는 강현. 가로등 빛에 온갖 영수증, 물건들 살펴보는데, 별거 없고… 다시 쓸어 담는 강현, 피곤하다.

24. 종합 병원 전경, 밤

25. 종합 병원, 밤

#6인실

권 조교, 생각에 잠겨 있는데, 간호사 둘 들어와서.

간호사 권도준님. 특실로 옮기실 게요.

권도준 에??

#특실

넓고 고급스러운 특실 안, 권 조교 어리둥절 본다. 사방에 꽃바구니, 과일바

구니 줄 섰고, 그중 하나의 메모를 꺼내 보는데, <쾌유를 빕니다, 한수 그룹>
권 조교, '쳇' 하는데 뒤로 문 열리고 이수가 들어온다.
권 조교, 힐끔 보고는 아픈 척하면서 침대에 앉는다.

이수 (괜히 멋쩍어서) 병실이 아주 깔끔하고 좋네… 여기 웬만한 재력으로는 못 들어오는 방인데….

권 조교 (이수를 삐딱하게 보는데)

이수 수술비, 입원비 다 내가 낼 거니까 부담은 갖지 말고….

권 조교 사과하러 온 거예요?

이수 사과는… 안 할 거예요. 육체적, 정신적 피해 보상, 나한테 청구해요. 달라는 대로 줄 테니까. 그걸로 유학을 가든지….

권 조교 (피식, 콧방귀) 교도소 갈 판인데 유학은 무슨….

이수 치명상을 입힌 건 아니니까 반성문 잘 쓰면 판사님이 선처해 주실 지도 모르죠. (빙글)

권 조교 … 사모님이 범인인가요?

이수 그런 거 같긴 한데… 증거가 없어요….

권 조교 (생각에 잠기다가) 혹시… 교수님 옷에서 열쇠 나왔어요?

이수 (?) 열쇠요?

26. 강현의 집 근처 편의점, 밤

강현, 소주 한 병과 젤리들을 바구니에 담고 있다.
종류별로 젤리들 담는데, 핸드폰 울린다. 이수다.
끊어 버리는 강현.
계산하는데 다시 울리는 핸드폰.

강현 (한숨 쉬며) 피곤하다 증말.

강현, 가방에 핸드폰 던져 넣어 버린다.

27. 강현의 집, 밤 - 아침

#계단

피곤한 얼굴로 올라가는 강현.

#강현의 방

소주 언더락에 젤리를 먹는 강현. TV에는 고양이 동영상.

가방 속에서 울리는 핸드폰.

이수의 문자, <팀장님, 새로운 사실을 알아냈습니다!>

CUT TO

아침 햇살이 얼굴에 쏟아지고 피곤한 얼굴로 일어나는 강현.

화장실로 씻으러 가고.

28. 강현의 집 안, 아침

강현, 계단을 내려오는데, 아침밥 차리고 있는 미숙.

미숙 (현관으로 향하는 강현에게) 밥 안 먹고 가?

강현 어, 생각 없어.

미숙 ('왜 또 저런 대~' 보다가, 김치통 들고 나온다) 이거 앞집 총각 좀 갖다 주고 가.

강현 어? 왜?

미숙 왜는 왜. 이웃사촌이 먹을 거 하나 없이 있으니까 그렇지.

강현 아후… 몰라. 싫어.

미숙 그냥 '네' 하는 법이 없지. 갖다 주고 가.

강현 (한숨) 엄마, 앞집 총각이 누군지 몰라? 엄마가 걱정 하나도 안 해도 되는 사람이야.

미숙 누군데? 유명한 사람이야?

강현 난 엄마가 드라마 말고 뉴스도 좀 보고 그랬으면 싶다.

미숙 뉴스 뭐 맨날 칙칙한 얘기잖아. 드라마가 훨씬 재밌지. 누군데? 배우야?

강현 간다. (강현 나가면)

미숙 야~ 아유 저 기집애.

29. 강현의 집 앞, 아침

강현, 집에서 나와 차에 오르는데.

옆문이 열리면서 이수가 옆자리에 탄다.

강현 (시큰둥) 뭐야?

이수 (빙글 웃는데)

강현 드럽고 느리고 촌스런 차에 왜 타냐고?

이수 아우 마음에 두셨구나. 오늘은 특히 냄새가 지독하네요. ('잉-' 창문 내리고)

강현 (멀뚱히 보는데)

이수 (커피 들며) 모닝커피 한잔 드시죠.

강현 오늘은 또 무슨 콘셉트야?

이수 어제 연락이 안 되던데 씹으신 건 아니죠?

강현 왜 존댓말을 하고 난리야, 소름끼치게?

이수 주화영 잡을 정보를 알아냈다고.

강현 (이수 빤히 보다가) 뭔데?

이수 어제 권도준을 만났거든?

강현 (싸늘하게 보는데)

이수 (손사래 치고) 사건 때문에 간 게 아니고. 그냥 잘 있나 보러 간 거야.

강현 … 근데?

이수 E (병실 안에서 권 조교와 이야기하는 이수)
노 작가가 항상 허리에 차고 다니던 열쇠가 하나 있대. 개인 금고 열쇠.
(전시회장, 노 작가 허리춤에 연결된 작은 열쇠 하나)
그걸 주화영이 훔쳐 달라고 했던 적이 있다는 거야.
(옆에서 노 작가의 열쇠를 보고 있는 주화영)

강현 (생각하며) 사건 현장에 그런 열쇠는 없었어.

이수 주화영이 가져간 거야.
그걸로 주화영 잡을 수 있어.

강현 ('얘를 믿어야 되나 말아야 되나.' 이수를 물끄러미 보는데)

이수 이제부터 이 팀장한테 꼭 상의하고 움직일게. (손들고) 맹세!

강현, 이수를 보다가 커피 들어 마시고. 차를 몰고 출발한다.
한시름 놓은 이수의 얼굴.

30. 노 작가의 집, 낮

#거실
주화영 앞에 앉은 강현.

강현 유학이 취소되고 권 조교는 오경순 씨로 위장해서 노 작가님을 죽일 계획을 세운 거예요. 오경순 씨와 같은 스카프를 권 조교가 샀다는 증거도 찾았습니다.

화영 (걱정스런 연기) 권 조교가 자해를 했다면서요?

강현 네, 체포 당시 자해를 했는데… 오늘 아침 사망했습니다.

화영 불쌍한 사람….

강현이 인사를 하고 나가면, '씩-' 웃는 주화영.

#드레스 룸

주화영, 숨겨 놓았던 스카프(피 묻은)를 쓰레기통에 던진다.

통화하며 옷을 갈아입는 주화영.

화영 다 끝났어. 권 조교 그 병신이 죽었대. 은행으로 와.

화려하게 차려입고 나가는 주화영에서.

31. 은행 전경, 낮

32. 은행장실, 낮

은행장(50대)과 가까이 앉아 있는 이수.

은행장 제가 뭘 도와드리면 될까요?

이수 (빙글)

33. 개인 금고실, 낮

문 열리면, 개인 금고가 늘어선 곳, 안내하는 은행장.

들어가는 주화영과 배진규.
주화영이 핸드백에서 열쇠를 꺼내면 뒤따라온 직원(이수)이 고개 숙이고 장갑 낀 손으로 받는다. 주화영은 금고만 보고 있고… 이수가 대신 열어 준다.
주화영이 금고를 열어 확인을 하는데.
금고 안에는 이혼 서류, 주화영 불륜 사진들, 그리고 금괴와 다이아몬드가 가득 들어 있다.

이수 (쑥 고개 들이밀며) 우와.

화영 (이수 보고 흠칫 놀란다. 무슨 상황인지 모르겠다)

이수 노 작가님이 이혼 준비하면서 재산을 빼돌리고 있었구나.

화영 (얼어붙고)

진규 뭐야? (돌아보는데)

이수가 강현에게 열쇠를 탁 던진다. 장갑 낀 손으로 받는 강현, 열쇠를 작은 접시에 올리고 시약을 뿌린다. 올라오는 혈액 흔적. (지문)

강현 (핸드폰에 저장된 주화영의 지문과 비교한다)
여기 피 묻은 당신 지문이 선명하게 찍혀 있네요.

INSERT. *전시회장 안.*
쓰러진 노 작가의 허리춤에서 열쇠를 빼내려고 하는 주화영.
장갑 때문에 손이 미끄러지자 장갑을 벗고, 열쇠를 빼낸다.
CU, 열쇠에 튄 피, 그 위로 찍히는 지문.

CUT TO
죽은 노 작가 위로 빨간 페인트를 붓는 주화영에서.

현재, 경악해 강현을 보는 주화영.

강현 자백, 하실래요?

주화영, 경악하고, 배진규, 도망치려고 하는데, 입구를 딱 막아서는 준영과 경진.

진규 난 아무 상관 없어. 저 여자 혼자 다 한 거야!

화영 입 닥쳐, 이 멍청아!!

'자백을 하고 앉았네.' 서로 보는 이수와 강현에서.

34. 은행 앞, 낮

강현과 준영, 경진, 서로 너 때문에 이렇게 됐다며 싸우는 주화영과 배진규를 승합차에 태우느라 애를 먹고 있다.
멀리 떨어져 서서 보던 이수, 핸드폰으로 전화를 한다.

이수 관장님, 제가 제안 드릴 게 하나 있어요.

35. 미술관 전경, 낮 (며칠 뒤)

전시회 현수막 <죽음으로의 초대>가 내려가고,
다른 현수막이 걸리고 있다.

36. 전시회장, 낮

전시회 설명이 벽에 적혀 있다. <오리지널에 대하여>
한쪽에는 죽은 후배 작가의 사진 (화이트보드에 붙어 있던 그림 그리는 사진)
<이예선(2000. 2. 11 - 2022. 2. 10)>
표절로 상처 입고 자살한 이예선의 삶에 대한 이야기가 적혀 있고,
노 작가가 표절한 그림과 이예선이 그린 그림들의 설명이 적혀 있다.
"오리지널을 지킬 수 있는 힘은 예술을 즐기는 우리에게 있다."
그 앞에 선 낡은 구두, 안쪽으로 들어가기 시작하면 보이는 오경순의 뒷모습.

딸이 찢어 버린 그림 앞에 선 오경순, 딸의 선물이었던 스카프를 하고 그림을 보는 오경순의 눈에서 쉼 없이 눈물이 흐른다.

이수, 멀리서 그런 경순을 보다가 돌아서는데,
이수를 발견하고 뛰어오는 오경순.

경순 형사님!!

이수가 돌아서면, 이수의 손을 꼭 잡는다.

경순 (이수를 한참 보다가) 고맙습니다….
이수 (쑥스러워 하고) 아니에요….
경순 세상이 다 싫었는데… 매일이 고통이었는데… 이제 숨 쉬고 살겠어요…
우리 딸도 하늘에서 기뻐할 거예요. 정말 고마워요….

오경순이 꼭 잡은 손을 보는 이수에서.

37. 도로, 이수의 차 안, 밤

운전하는 이수. 뿌듯하고 기분 좋은 얼굴이다.

38. 이수의 집 앞, 밤

이수, 차를 세우고 내리는데, 승주가 집 앞에 서 있다.

이수 (승주 보고 얼굴 환해지며) 형!

승주 (흘기며) 넌 말도 없이 이사를 하냐.

이수 그렇게 됐어. 들어와. (대문 열면서)

39. 이수의 집, 밤

#현관

승주에게 문 열어 주는 이수.

이수 누추하지만 들어오세요.

승주 (들어가면서) 많이 누추하네…. (둘러보는)

이수 형이 첫 번째… (강현 생각하고) 아니, 두 번째 손님이구나. (소파 가리키고) 앉아.

집안을 보는 승주, 마치 신기한 듯 보고 있지만 언뜻 서늘한 시선. (화장실 쪽)

CUT TO

#거실

두 사람 마주 앉아서 차를 마시고 있고.

승주 (피식) 반항이냐, 또?

이수 에이. 내가 몇 살인데?

승주 내 말이. 그만하고 내 옆으로 와. 집 구해 놨어.

이수 (미소) 난 여기가 좋아.

승주 (보는데) 너하고 안 어울려. 좁고 불편하고.

이수 진이수 형사한테는 잘 어울리지.

승주 (보는데)

이수 오늘 어떤 사람이 형사님, 하고 나를 불렀거든? … 듣기 좋더라.

승주 ('또 시작이군.') 또 꽂힌 거야?

이수 (피식) 어, 제대로 꽂혔지.

걱정하듯 이수를 보는 승주와 괜찮다는 얼굴의 이수에서.

40. 도로, 강현의 차 안, 밤

운전하던 강현, 신호에 멈춰 서는데 전시회장이 보인다. 바뀐 현수막에 박힌
<故이예선: 처음이자 마지막 전시>
잠시 현수막을 보다 살짝 미소 짓고 출발하는 강현.

41. 한수 그룹 회장실, 밤

소파에 앉아 뉴스를 보고 있는 명철.
벽에는 선거 포스터 시안이 줄줄이 세워져 있다.

INSERT. *TV 화면, 여론조사 결과.*
진명철의 사진과 상대 후보 왕종태(60대 후반)의 사진 나와 있고.

아나운서 E 서울시장 선거를 40일 앞두고 있는데요, 여론 조사에서 진명철 한수 그룹 회장과 3선 의원 왕종태 후보의 지지율이 오차 범위 안으로 들어왔습니다.

(지지율 변화 그래프, 현재 두 사람의 지지율 표)

지난 10년간 한수 그룹을 세계적인 기업으로 키워 온 진명철 후보의 경영 노하우에 대한 기대감이 통한 것으로 보입니다.

명철, 뉴스를 보다가 서류를 검토하기 시작하는데….

아나운서 E 다음 뉴스입니다. 진명철 회장의 아들인 진이수 경감이

(명철 다시 화면을 본다)

표절 사건으로 자살한 화가의 전시를 열어 주어 화제입니다.

(화면에 전시회장의 많은 관람객들 보이고)

그 장면을 보던 명철이 의외라는 듯 표정이 약간 변한다.

42. SBC 보도국, 밤

이 기자의 자리, 모니터 - 노블레스 오블리주, 이수의 전시회 기사.

이 기자, 자신의 기사를 보고 있는데.

부장 E 한수 그룹에서 돈이라도 먹었냐?

이 기자 (돌아보며 피식) 한 20억 주면 넘어갈 텐데, 제안이 안 들어오네.

부장 그럼 뭐야? 왜 자꾸 진이수를 띄워 줘?

이 기자 언젠가 한방 터트리려고요. 추락시킬 거면 아예 머리가 박살나게 해 줘야죠.

부장 (보다가) 나와. 소개해 줄 사람 있어.

부장 나서고, 돌아보는 이 기자에서.

43. 고급 일식집, 밤

이 기자가 미닫이문 열면, 왕종태 의원이 앉아 있다. 음식 차려져 있고.
잠시 보는데, 부장이 이 기자 들어가라고 살짝 밀고. 인사하고.
왕종태 앞으로 이 기자와 부장이 앉는다.

CUT TO
왕종태, 이 기자에게 술을 따라 준다. 두 손으로 받으면 마시라는 듯 보는 왕종태. 이 기자 고개 돌려 마시면.

종태 세상 이치라는 게 심플한 거예요. 자기 자리를 잘 지키는 사람들이 시스템을 유지하는 거거든요?
부장 말씀 낮추세요.
종태 (허허실실) 제일 무서운 게 기자님들인데 그럼 안 되지.
이 기자 (낮추시라고 할 생각 없고)
종태 그런데 꼭 선을 넘는 인간들이 있어요. 진명철처럼.
돈밖에 모르는 비즈니스맨이 왜 정치를 하려고 해, 안 그래요?
그렇게 발 들여 놨다가 좋은 꼴 본 적이 없는데….
이 기자 저한테… 원하시는 게 뭡니까?
종태 진명철이 아킬레스건은 아들이에요. 진이수. 아들을 좀 파 보시라고.
일단 혼외자식이라는 것부터. 그리고 (파일 내밀고) 걔 엄마가 어떻게 죽었는지.
이 기자 (파일 열어 보고, 놀라는. 내용은 안 보인다)
종태 지금 깔 필요는 없고. 폭탄은 선거 3일 전쯤에 터뜨리는 게 좋겠지. 신문이 다 진이수로 도배가 되고 사람들이 뭔가 있다 싶을 때… 그때 투표하게 만드는 겁니다.

이 기자, 비열하게 웃는 왕종태를 가만히 본다. 서서히 암전.

44. 이수의 집 거실, 아침

마당을 보며 건강 주스 마시고 있는 이수, 기분 상쾌하기 그지없다.
문득 마당에 잎이 변한 소나무가 눈에 들어오고… 밖으로 나가는 이수.

45. 강현의 집 마당과 이수의 집 마당, 아침

형준, 비닐하우스 안의 식물들 살펴보고 잎도 다듬고, 물도 주는데,
맞은편 이수의 집 대문이 열리고. (이수가 빛이 안 들어 그러나 보는 모양)
안으로 이수가 작은 소나무를 살펴보고 있는 게 보인다. 이수는 나뭇잎을 살펴보고 고민에 빠져 있다. 가만히 이수를 보던 형준, 한마디 한다.

형준 그거 엽진병인데….

이수 (잘 안 들리고) 네?

형준 (크게) 엽진병이라고!

이수 아, 죽은 거 아니에요?

이내, 형준은 할 말 다 했다는 듯 제 일을 하는데.

이수 그럼 이거 어떻게 해야 돼요?

가만히 이수를 보던 형준이 호스의 물을 잠그고. 주섬주섬 약품과 분무기 챙

겨 천천히 대문 밖으로 나와서… 골목을 건너… 이수의 집 마당으로 들어온다. 뭔가 묵직한 움직임이다.
이수, 조금 물러서고, 형준은 묵묵히 나무에 약을 친다.

이수 (어색해서 자기소개) 저… 이강현 팀장하고 같이 일하는….

형준 알아.

이수 아, 그러시구나….

형준 (나무에 집중하고)

이수 (침묵이 어색해서) 혹시 죽은 건가 걱정했어요. 이 나무 제가 심은 거거든요.

형준 (돌아보며) 자네가… 여기 살았었다고?

이수 네, 일곱 살 때… 이사 갔다가 다시 왔어요.

형준, 놀란 얼굴로 이수를 바라보는데.
그 뒤로 보이는 현관문 아래 계단으로 이동하는 카메라….

INSERT. *형준의 회상.*
사방이 어두워지면서… 7살 이수가 나타난다. (25년 전)
경찰청 담요를 덮고 물에 젖은 채 하얗게 질려 앉아 있는 어린 이수.
그 앞으로 다가서는 그림자… 40대의 형준이다. 시선 맞추고 앉아 이수를 보는 형준.

형준 *(차가운 이수의 얼굴을 만지며) 얘, 아저씨 봐 봐. 괜찮아?*

형준을 보던 이수가 '픽' 앞으로 쓰러지고, 형준이 이수를 안아 드는 장면에서.

현재, 형준, 이수를 잠시 보다가.

형준 (분무기 주면서) 다음 주에 다시 한번 뿌려야 되는데….

이수 (받고) 네.

형준 손에 묻지 않게 조심하고….

형준, 돌아서서 간다.

이수 감사합니다. (집으로 들어가는)

이수를 돌아보는 형준에서.

46. 강현의 집, 아침

#화장실

거칠게 세수하는 강현. 시계 보고. 늦었다.

강현 (머리 냄새 맡아보더니) 패스! (대충 에센스 뿌리고)

#거실

서둘러 준비하고 내려오는 강현.

미숙 뭐 좀 먹고 가~

#부엌

테이블 위에 커피와 크라상. 과일.

강현 (커피 한 모금 마시려는데 뜨겁고) 앗 뜨거.

미숙 아침부터 찬 거 먹으면 배 아퍼.

강현 (아휴, 흘기고 크라상 한입 물고 가는데)

미숙 김치 갖다 주고 가!

#현관

현관문 앞에 놓인 김치 통. '아이고' 싶은 강현 얼굴.

47. 이수의 집 현관, 아침

멋지게 차려입은 이수, 문 열면, 김치 통 들고 서 있는 강현.

우걱우걱 크라상 씹으면서 서 있고.

이수 굿모닝?

강현 (김치 통 주며) 이거.

이수 이게 뭔데?

강현 엄마가 주래. 참고로 엄청 짜다. 조금씩 먹어. (돌아서는데)

이수 (김치 통 보며 서 있고)

강현 지금 출발 안 하면 지각이다.

이수 (김치 통 들고 들어가면서) 기다려, 같이 가!

강현 같이 가긴 뭘 같이 가. (가 버리는)

INSERT. *이수의 부엌.*

냉장고에 김치 통 넣고 뛰어나가는 이수.

48. 도로, 강현의 차 안, 아침

같이 가고 있는 강현과 이수. 강현의 차 나름 깨끗하다.

이수 차를 좀 치웠네. 잘했어.

강현 (흘기고) 까부냐?

이수 칭찬을 해도… 아, 나 아침에 이 팀장 아버지 만났는데.

강현 우리 아버지?

이수 어, 와서 마당에 나무 봐주고 가셨어.

강현 아빠가 너네 집에 들어갔다고?

이수 어… 왜?

강현 아냐… 잘… 안 나오시거든.

이수 (사연 모르는 척. 딴 얘기하자, 내 자랑) 전시회 열린 거 봤어?

강현 (모른 척) 무슨 전시?

이수 아니. 이예선 전시 몰라?

강현 이예선이 누군데?

이수 (답답하고) 뉴스 안 봐? 어제 뉴스도 났는데?

강현 내가 뉴스 볼 시간이 어딨니?

이수 (에휴, 실망)

강현 (고개 돌리고 피식 웃는다)

49. 강하경찰서 전경, 낮

50. 강력팀 사무실, 낮

준영, 통화하며 받아 적고 있는데, 강현과 이수가 같이 들어온다.
힐끔 보는 준영, 반갑게 인사하는 경진.
이수는 자리에 앉고 강현도 가방 내려놓는데.

준영 (전화 끊고) 은부동에 변사자 신고 들어왔어.

강현 응, 가 보자. (일어나면서 이수 보면)

이수, 강현과 준영 뒤로 자연스럽게 합류해 따라온다.

준영 (강현과 나란히 걸어가면서 이수 흘기고) 쟨 어쩔 건데?

강현 두고 보자. 잘하겠대….

가면서 준영이 이수를 삐딱하게 보면, 이수도 눈빛으로 받아친다.

이수 (경진에게) 박 형사는 눈빛이 왜 저러냐?

경진 형님이 싫다는 거죠.

이수 나도 쟤 싫어.

51. 피해자의 주택 전경, 낮

KCSI팀 차, 서 있고. 집 안으로 KCSI팀 들어가고.
뒤로 승합차 서고, 1팀 내린다.

강현 진이수 이쪽, 경진이는 저쪽 골목 첫 번째 집에서 저 끝 집까지. 이웃들 탐문하고 와. 피해자에 대한 정보, 혹시 수상한 걸 본 적 있는지 알아봐.

이수 저 집을 다?

강현 (빙글) 응. 출발.

마지못해 출발하는 이수. 다른 쪽 라인으로 가는 경진. 보는 강현.
현장으로 들어가는 강현을 따라 카메라가 대문을 지나가면 영성가족교회 명패가 붙어 있다. 명패를 보고 지나가는 강현.

52. 피해자의 주택, 낮

#거실

70대 노인 혼자 사는 집, 뭔가 두서없고 정리 안 된 분위기.

소파 앞에 노인 쓰러져 있다. 인상 쓴 얼굴. 웅크린 몸.

바닥에는 떨어져 깨진 컵.

노인의 모습을 살펴보는 강현. 입을 살짝 벌려 보면 입 안에 씹던 떡이 남아 있고, 테이블 아래에는 엎어진 접시 아래로 꿀떡이 보인다.

#현관문, 창문

자물쇠를 살펴보는 준영. 이상 없다.

#부엌

싱크대에 쌓인 그릇들 살피는 강현.

#현관문 근처

서랍장 (사진 액자가 있는) 위에 놓인 지갑을 살짝 열어 보는 준영, 한눈에 보기에도 많은 5만 원권 지폐들.

53. 몽타주, 낮

#집1

이수, 초인종 누르고.

이수	안녕하세요?
집주인 E	(버럭) 안 사요!!
이수	(당황, 다시 초인종 누르면서) 경찰입니다!

#집 2

대문 열리고 들어가면, 마당에 모여서 삽을 들고 서 있는 문신 근육남들.

마당에 땅 파헤쳐져 있고.

이수, 멈칫 서고, 분위기 이상하고. 서로 대치 상황.

이수	경찰입니다…. (살짝 주먹 쥐고)
근육남들	(위압적인 얼굴들로 보는)
이수	뭐 하시는 겁니까?
근육남 1	(뒤로 물러서면 보이는 묘목들)
이수	(긴장 풀리고) 나무… 나무 심으시는구나.
근육남들	(보면)
이수	저 앞집에 사는 노인 분, 잘 아세요?
근육남	잘 모르는데요.

#집 3

열린 대문 들어가면서.

이수	계세요? 경찰입니다!

마당에서 사납게 짖어 대는 사냥개. 이수, 놀라 펄쩍 뛰다가 대문에 팔꿈치 박는다. 아파하며 뒷걸음질로 나오는 이수.

54. 피해자의 주택, 낮

#거실

내부를 둘러보던 강현의 눈에 마당 한쪽에 앉은 손녀와 순경 보인다.

#현관, 거실

강현이 나가고, 윤 박사 들어오며 스친다.

강현 (윤 박사 보며) 오셨어요?

거실 안쪽에서 돌아보며 인사하는 준영.
윤 박사, 세련된 정장 입었고, 힐을 벗고 비닐을 신는다.
시신 옆에 무릎 꿇고 앉으면서 준영에게 눈인사하는 윤 박사.
이내 진지하게 시신을 살피는 윤 박사를 잠시 보는 준영.

#마당

강현, 손녀 옆에 앉아 있다.

손녀 (충격이 조금 가라앉은) 제가 시간 날 때마다 한 번씩 들리거든요. 원래 어제 오려고 했는데 일이 생겨서 못 왔어요… 오늘 아침에 전화를 했는데 연락이 안 돼서 와 봤더니…. (울컥)

강현 지병이 있으셨나요?

손녀 고혈압이 좀 있고, 다리가 아프신데 그거 말고는 건강하셨어요.

강현 평소에 어떻게 생활하셨어요?

손녀 교회만 다니시고 거의 외출을 안 하셨어요. 장은 제가 봐 드리고, 올 때마다 요리도 해 드리고….

강현 (끄덕이며 보는데)

손녀 제가 어제 왔으면… 돌아가시지 않았을까요?

강현 (고개 젓는다) 그런 생각하지 마세요. 지금까지 상황으로는 사고 같아요… 사고는 아무 이유 없이 갑자기 일어나는 거예요. 누구 잘못도 아니에요.

손녀 (슬픈 얼굴로 강현을 보는)

#거실

윤 박사, 일어나며 장갑 벗는다. 보는 준영.

준영 어때요?

윤 박사 떡이 식도를 막은 거 같아요. (내려다보며) 독거노인이 외롭게 가셨네.

준영 (시신 보는데)

윤 박사 박 형사 혼자 살죠? 어디 살아요?

준영 ○○역 근처요.

윤 박사 나도 그 근처 사는데.

준영 ('무슨 뜻이지.' 하는데, 강현 들어온다.)

윤 박사 (강현 보고) 특이사항은 없는 거 같은데?

강현 네. 침입한 흔적도 없고.

준영 현관에 현금도 남아 있어.

강현 (끄덕이고) 사고사 같네요.

55. 피해자의 주택 앞, 낮

강현, 나오는데, 경진과 이수가 다가온다. 이수, 피곤한 얼굴.

강현 좀 알아봤어?

경진 별 거 없는데요. 피해자가 이웃들하고 교류가 없었나 봐요.

이수 알아낸 거라고는 (가리키고) 저 집에 무서운 아줌마가 살고, (다른 집 가리키고) 저 집엔 무서운 개가 있다는 거뿐이야.

강현 알았어. (가면)

이수 똥개 훈련처럼 느껴지는 건 기분 탓인가?

경진 (피식) 그럼요. 탐문은 기초예요.

56. 강하경찰서 전경, 노을

노을이 지고 밤이 온다.

57. 강력팀 사무실, 밤

1팀들, 각자 서류 정리하고 팩스 받아 확인하는데.
피곤한 이수, 생각하는 척하는 자세로 졸기 시작한다.

CUT TO
아무도 없고, 이수만 앉아 있다.

이수 (하품, 기지개 켜며 찌뿌둥) 아우, 피곤해… 다 어디 갔어?
(시계 보고) 집에 가야겠다. (일어서는데)

긴장된 얼굴의 손녀가 들어온다. 주변 둘러보다 이수와 눈 마주치고.

손녀 저, 강력 1팀이 여기에요?

이수 네, 그런데요?

손녀 팀장님 어디 계세요?

이수 글쎄요, 무슨 일이신데요?

손녀 (이수 보고, 중역 책상 보고 의심하듯) 아저씨도 형사예요?

이수 너무 멋있어서 오해했구나. (신분증 내밀고 미소) 형사 맞아요~.

손녀 (이수의 손을 잡고) 형사님, 도와주세요!!

이수 (놀란 얼굴에서)

CUT TO

강현, 준영, 경진, 이야기하며 들어오는데.

이수 (진지하게 손을 들며) 팀장님!

셋이 보는데.

이수 이거 살인 사건입니다!

강현 (다가오며) 무슨 소리야?

준영 또 나대기 시작하는 거지. 사람 고쳐 쓰는 거 아니거든.

이수 나대는 게 아니라. 첩보가 들어왔어요~

준영 007입니까? 첩보가 들어오게?

이수 (준영 무시하고) 피해자 손녀가 왔다 갔는데, 할아버지는 떡은 입에도 안 댄대. 소화가 잘 안 돼서. 절대 먹었을 리가 없다는 거야.

강현 (이수를 보는데)

준영 (저걸 믿냐고 강현을 보는데)

이수 (사진을 한 장 꺼낸다) 그리고 이게 없어졌대.

강력팀 모두 사진을 본다. 거실에 앉은 할아버지를 찍은 사진.
그 뒤로 장식용 테이블 보인다. 손녀의 사진 액자들 몇 세워져 있고, 그 사이에 네모난 조각 위에 용 모양의 손잡이가 달린 검은 물체가 찍혀 있다.
(고종 황제의 대한국새를 검게 칠해 놓은 것이다)

경진 이게 뭔데요?
강력팀 (다 같이 이수를 보는데)
이수 놀라지 마. 이게… 국새래!
경진 (놀라서) 정말요?

강현과 준영은 기가 차서 서로 웃는다.

준영 국새가 왜 가정집에 있습니까?
강현 그래, 검은색이잖아. 문진 같은 거겠지.
이수 아니라니까! 손녀한테만 몰래 말했대. 저게 진짜 국새라고….
강현 (사진을 자세히 보다가) 에이… 말도 안 돼.
이수 그럼 이게 왜 없어졌어?
강현 깨져서 버렸거나, 누굴 줬을 수도 있고. 손녀는 집에 가끔 왔으니까 몰랐을 수 있지.
이수 누가 들어와서 할아버지를 죽이고 가져갔을 수도 있지.
강현 (보는데)
준영 (단호하게) 강도 사건 아닙니다! 강제 침입 흔적 없고, 현관에 지갑도 그대로예요!
이수 (준영에게 들이대며) 내 말이 맞으면 어떡할 겁니까?
준영 틀리면 어쩔 겁니까? 한 대 맞을 겁니까?
이수 오, 콜!! 내 말이 맞으면, 박 형사가 맞고!
경고하는데 (주먹 쥐고) 나는 턱 칠 겁니다, 세게!!
강현 (두 사람 보다가) 둘 다 그만하고 퇴근해.

강현 돌아서면, 서로 대치하듯 보다가 괜히 어깨 부딪히며 다른 방향으로 가는 준영과 이수.

경진 (두 사람 번갈아 보다가) 아… 누구 응원하지?

58. 강하경찰서 주차장, 밤

핸드폰으로 국새 검색하며 차로 가는 이수.
그러다 뭔가 떠올랐는지 전화를 건다.

이수 아저씨, 저번에 청자 감정해 줬던 분, 그분이 누구세요?

통화하고 차에 올라 운전해 가는 이수.

59. 인사동 뒷골목, 밤

골목을 따라 걸어가는 이수. 주변에는 낮은 건물들, 골동품점, 작은 술집, 고깃집 즐비하고, 붉은 벽돌의 작은 건물 앞에서 이수 멈춘다.
이수, 건물 안으로 들어가 좁은 계단을 오른다.

60. 고 선생 가게, 밤

문 앞, <골동품 감정 전문 고 선생> 작게 쓰여 있다.
문을 열고 들어가면, 사방에 청자, 백자, 두루마리, 골동품들 쌓여 있고,
소파 테이블 뒤로 칸막이로 막힌 곳에서 스탠드 불빛이 나오고 있다.
다가가면, 돋보기로 청자 향로를 보고 있던 60대 남자가 고개를 든다.

이수 (인사하고) 저… 최정훈 이사님 소개받고 왔는데요.

고 선생 아… 얘기 들었어요. (조심히 향로를 내려놓는데)

이수 그건 뭐예요?

고 선생 고려청자 기린향로라고 하는데… (미소) 가짜예요. 물건 갖고 왔어요?

이수 네?

고 선생 감정할 거 있는 거 아니에요?

이수 아 그게 아니고요….

고 선생 (보는데)

CUT TO

이수와 고 선생, 소파 테이블에 앉았다. 주변에 쌓인 물건들 때문에 좁다.

고 선생 돋보기를 쓰고 (손녀가 준) 사진을 돋보기로 한참 본다.

긴장된 얼굴로 보고 있는 이수.

고 선생 이게 국새일 가능성이….

이수 (보는데)

고 선생 있지. 조선 시대부터 만들어진 국새, 어보가 412점인데 73점이 사라졌거든. 일본, 미국으로 빠져나간 것도 많지만 장물로 비밀리에 팔리지 말란 법은 없으니까.

특히 이렇게 검게 칠해 놓는 거, 장물아비들이 하던 짓이라고 들었어. 국새는 너무 특별해서 금색이면 누구나 알아보니까.

이수 만일 이게 진짜라면….

고 선생 진짜라면… 고종 황제께서 만드신 대한국새로 보이네.

이수 진짜 국새를 보신 적 있으세요?

고 선생 아니. 20년 전인가 최상수 회장이 한 점 갖고 있다는 소문만 돌았지.

이수 최상수 회장이요?

고 선생 예전에 일본에서 크게 무역 회사를 했던 분인데 돌아가신 지 오래야.

진지하게 사진 속 국새를 보는 이수에서.

61. 도로, 부검실 교차, 밤

#강현의 차 안

운전해 가던 강현, 문득 뭔가 마음에 걸리는지 윤 박사에게 전화한다.

#부검실

부검 중인 윤 박사, 심장을 꺼내 혈관을 잘라 보는데, 전화 온다.
장갑 벗고 스피커폰으로 통화 연결하는 윤 박사.

강현(이하 교차) 퇴근하셨어요?

윤 박사 아니, 아직. (심장 파헤치며) 무슨 일이야?

강현 혹시 오늘 은부동 피해자 뭐 이상한 점 없었어요?

윤 박사 (멈추고 생각) 없었는데, 왜?

강현 아니, 확실히 하고 싶어서요.

윤 박사 노인들은 식도 근육이 약해지니까 떡을 먹다 사망하는 경우가… (뭔가 떠오르고) 어, 잠깐만. (피 묻은 장갑을 벗고, 컴퓨터에서 파일을 찾는다… 최근 한 달간의 검시 기록을 훑어보는, 리스트에는 장소와 나이가 나온다)
최근에 그 동네에서 떡으로 질식한 사건이 두 건 더 있었어. 전부 사고사로 처리됐는데, 이상하긴 하네.

강현 제가 그쪽으로 갈게요. (차 돌리는)

윤 박사, 걸어가서 안치 냉장고의 한 칸을 연다.

천을 걷어 내면 피해자 노인이 나온다. (인식표에 강병진)

62. 국과수 부검실, 밤

강현이 부검실로 들어서는데, 윤 박사는 부검 테이블 앞에 접시를 놓고 떡을 먹고 있다. 윤 박사, 강현을 보더니, 입속의 떡을 꺼내 부검용 접시에 올린다. 접시에는 이미 굳은 다른 떡이 올려져 있다.

'뭐 하는 짓이지?', 보는 강현.

윤 박사 이건 내가 먹던 거. 저건 피해자 입에서 나온 거.

강현 (접시를 보는데)

윤 박사 다르지? 사람이 씹은 건 이렇게 치아 자국이 남거든. (피해자 떡) 근데 이건 뭘까? 씹은 것처럼 꾸미기 위해 뭔가로 찌른 거야.

강현 그러네요. ('살인 사건이었어!' 하는 얼굴인데)

윤 박사 (뱉었던 떡을 다시 맛있게 먹는다)

강현 ('으…' 하는 얼굴로 보다가) 다른 사건들은 뭐였어요?

윤 박사 (파일 건네준다)

강현 (살펴보는데)

윤 박사 근데 그거 다 2팀 담당이더라. ('어쩔래.' 하는 얼굴)

강현 아흐… ('골치 아프게 됐다.' 싶은)

63. 강하경찰서 전경, 아침

64. 강력팀 사무실, 아침

거울 보고, 억지 미소 짓고 있는 강현.

이수가 출근하며 강현을 본다.

이수 술이 덜 깼어? 왜 아침부터 조커 웃음을 짓고 있어?

강현 (어휴) 조용히 해.

하는데, 안 팀장, 숙직실에서 잔 듯 수건 목에 걸고 등이 가려운지 효자손 찾아 긁기 시작하는데, 강현이 홍삼 박스 들고 활짝 웃으며 다가간다.
'헐~' 보는 이수.

강현 좋은 아침입니다, 선배님~

안 팀장 ('이 새끼, 뭘 잘못 먹었나.')

강현 어제 야근 하셨구나. (홍삼 주며) 피곤하실 텐데, 이거 하나 드시죠.

안 팀장 (보고) 독이라도 탔냐? (등 긁는데)

강현 아유, (억지로 웃고) 농담도 잘 하셔.

안 팀장 (삐딱하게 보는) 뭔데?

강현 아… 사건을 하나 맡았는데 베테랑 선배님의 도움이 필요해서요.

안 팀장 (보는데)

강현 최근에 은부동에서 기도폐색으로 사망한 사건이 둘 있었잖아요.
그거 수사 자료 좀….

안 팀장 (홍삼 쭉 마시면서) 그건 왜?

강현 어제 비슷한 사건이 또 일어났어요. 참고 좀 할려고요.

안 팀장 (멈칫 살벌하게) 내가 실수했다는 거야?

강현 그런 거 아닙니다. 은부동에서 한 달 사이에 세 건, 좀 이상하잖아요.

안 팀장 지금 선배 사건 뒤집겠다는 거야?!

강현 (차분히) … 연쇄 가능성 있습니다.

안 팀장 내 사건 건드리면 가만 안 둔다.

강현 (굳어 보는데)

안 팀장 (홍삼 박스 던지고) 얘기 끝났어, 꺼져!

안 팀장 나가면, 굳은 얼굴로 선 강현. 강현 보는 이수.

CUT TO

강현, 할 말 있는 듯 서 있고, 그 주위로 준영, 이수, 경진. 강현을 본다.

강현, 화이트보드에 피해자 사진 붙이고, '강병진, 75세' 쓴다.

강현 (결심했고) 은부동 건, 좀 더 파 보자.

준영 어? 왜?

이수 나를 믿는다는 거지. 내가 골동품 전문가를 만났는데, 사라진 국새가 73점이나 된대. 가정집에 있을 수도 있는 거야.

강현 거기까진 모르겠고, 팩트 체크 한번 해 보자는 거야.

준영 (강현 보는데)

강현 (준영 보고) 떡을 씹은 흔적이 없어. 지금 부검 중이야.

준영 (수긍하고)

강현 (소리 낮춰 조용히) 이게 만일 연결되는 거면 연쇄 살인이야.
피해자에 대해서 자세히 알아보고, 이전 두 건 수사 공조 안 되니까 지구대 가서 확인하고, 피해자 가족들도 만나 보자.

준영 나는 부검실에 가 볼게.

강력 1팀 각기 나가면, 무슨 꿍꿍인가 슬쩍 보는 안 팀장.

65. 몽타주, 낮

#지구대

경진, 순경에게 얘기하고 사건 파일 받고.

#피해자의 집1

집 안으로 들어가는 이수와 강현. 테이블 위에 영정 사진이 세워져 있는데, 스튜디오가 아닌 집 안에서 찍은 듯 사진의 배경과 뒷벽이 같다.
50대 딸들 둘, 어중간하게 서서 무슨 일인가 강현을 보고.

강현 (신분증 보여 주며) 경찰입니다.

강현, 방 안 보는데, 방 안의 옷장이 열려 있고, 이불들 다 쏟아져 나와 있다. 주변에는 통장, 땅문서 등등. (자식들이 뒤지고 있었던 것)

강현 뭘 찾고 계셨나 봐요?
딸1 어머니 패물이 없어져서요.
딸2 쇼 하지 마. 네가 숨겼잖아. 내놔!
딸1 아니라니까!
강현 패물이 없어졌어요?

CUT TO

철제 약상자 열면, 싸구려 가짜 목걸이만 남아 있다.
보는 강현과 이수.

강현 여기 있던 게 얼마나 할까요?
딸1 돈 천은 넘을 거예요.

상자를 보는 강현에서.

#골목

골목에서 순경과 함께 CCTV 위치를 확인하는 경진.

#피해자의 집 2

50대 아들이 김치 냉장고 열고, 통 하나를 꺼낸다. 비어 있다.

이수 여기에요?

아들 아버지가 현금 갖고 있는 걸 좋아하셔서… 언제 전쟁 날지 모른다고….

이수 아아….

강현 금액이 얼마나 될까요?

아들 정확히는 모르는데, 금도 좀 있어서 꽤 될 거예요.

강현 … 담당 형사한테 얘기하셨어요? 돈이 없어졌다고?

아들 그게… 이미 화장도 끝났고, 사고사라고…
(문득) 아닌가요? 이거 강도 살인이에요?

대답을 안 하고 서로 보는 강현과 이수.
이수의 시선에 바닥에 세워진 영정 사진이 들어온다. (역시 집에서 찍은 것, 벽이 같다)

#피해자의 집 2

대문, 강현과 이수가 나오는데 스치는 교회 명패.
지나쳤던 강현이 다시 명패를 본다. <영성가족교회> 놀라는 강현 얼굴.

66. 국과수 부검실, 낮

윤 박사, 피해자의 시신을 샅샅이 훑어보고 있다.

뒤에서 혈액 분석 자료를 보고 있는 준영.

서류 - 졸피뎀 17mg, 니코틴 4.2mg

'살인 맞구나.' 어두워지는 준영의 얼굴.

윤 박사 (시신의 목에 있는 점을 보다가…) 찾았다!

준영 (다가와서 보는) 뭔데요?

윤 박사 여기 봐요. (점차 확대되는 점… 가운데 구멍) 주사 자국이야. 점에다 숨겼네. 끝내주죠?

준영 (한숨 쉬는데) 니코틴 주사한 거네요.

윤 박사 (끄덕이고) 근데 왜 실망해요?

준영 한 대 맞을 일이 있어서요. (주먹으로 턱을 치는 시늉하는)

윤 박사 예약하고 때리는 건가? (피식) 턱 빠지면 나한테 와요. 나 뼈 잘 맞춰요. (싱긋)

윤 박사, 장갑 벗고 가면, 한숨 쉬는 준영에서.

67. 영성가족교회 전경, 낮

68. 교회, 낮

#예배당

나이 지긋한 목사와 이수, 강현, 한쪽에 서서 이야기 중이다.

목사 어떻게 이런 일이 일어났는지 모르겠습니다… 한 달 사이에 세 분이나….

강현 피해자를 특정해서 노린 것 같은데 그분들이 돈이 많다는 걸 주변 사람들이 알았을까요?

목사 전혀 몰랐을 거예요. 저도 몰랐으니까요. 수수하게 입고 다니시고 돈을 많이 쓰는 걸 본 적도 없어요.

강현 세 분이 친하셨나요?

목사 아닐 걸요… 그저 조용히 예배만 보고 가시는 분들이었어요.

#교회 복도

이수와 강현, 복도를 걸어가는데.

강현 피해자를 어떻게 골랐을까….

이수 (같이 생각하는데 사무실 표지판 보이고) 아!

교인 중에 누가 부자인지 알 수 있는 사람이 있어!

강현 (이수 보며) 경리!!

이수 그래, 경리는 누가 십일조를 얼마 냈는지 알지.

#사무실 안

'경리' 붙어 있는 책상에서 고개를 드는 경리 직원. (젊은 여성, 안경 쓴)

신분증 내보이는 이수.

CUT TO

경리 (울먹울먹) 사실은… 두 달 전에 회계 장부가 없어졌어요.

강현 (놀라 보는)

경리 도둑은 생각도 못 하고… 제가 잃어버린 줄 알고… 혼날까 봐 얘기 안 하고 다시 만들었어요.

강현 (한숨 나오고)

경리 저 때문에 그분들이 돌아가신 거예요? (아예 안경 벗고 오열)
저 감옥 가요…?

이수 (휴지 벅벅 뽑아 건네주며) 괜찮아요. 감옥 안 가요.

69. 강력팀 사무실, 밤

이수와 강현 화이트보드 앞에 섰다. 보드에는 세 노인의 영정 사진 붙어 있다.
각기 현장의 사진들도 함께, 모두 떡을 먹다 죽은 걸로 꾸며진 시신들.
경진이 들어온다.

경진 우리 할아버지 전과가 있네요. (파일 내밀면)

강현, 이수 (같이 보는)

INSERT. *서류.*
마지막 피해자 사진, 강병진. 옆으로 강도 전과 3범.
그가 털었던 집 리스트 중에 최상수 회장의 집이 있다.
없어진 돈과 패물 리스트. 거기에 국새는 없다.

이수 최상수!! 그 집에 국새가 있었다고 했어. 진짜 국새라니까!

강현 (보면)

이수 불법인 걸 아니까 도난 물품으로 신고도 안 한 거지.

그때, 준영이 들어온다.

강현 어떻게 됐어?

준영 (다가와 파일 내려놓으며) 위에 남아 있던 식혜에서 졸피뎀 나왔고, 사인은 급성

니코틴 중독이야. 주사.

하더니, 준영이 이수 앞에 가서 선다. '왜 이래.', 보는 이수에게.

준영 (턱 대고) 한 대 쳐요.

이수 (실실 웃고) 아… 그거? (주먹 쥐며) 이빨 꽉 무세요~

강현, 경진 (보는데)

이수 (칠 듯 자세를 잡고 안 움직이고)

준영 뭐 합니까?!

이수 킵 해 놓을라고. 나중에. (놀리듯) 긴장 풀고 있을 때 그때 칠게요.

준영 (돌아서는 이수를 쫓아가 잡으며) 지금 쳐요. 빨리 치라고!!

강현 (버럭) 둘 다 그만 안 해?

이수, 준영 (멈칫, 강현을 보고)

강현 와서 앉아!!

이수, 준영 (머쓱하게 와서 앉으면서도 서로 째리고)

이수 아니~

강현 집중해라. 세 명 죽었어!

이수, 준영 (입 다물고)

강현 피해자들은 모두 같은 교회의 교인이고, 범인들은 훔친 회계 장부로 대상을 물색했어. (경진에게) CCTV 뒤져 봤어?

경진 (나서며) 용의자는 찾았어요. (화이트보드에 사진 붙인다. 낮, 차에서 내려 피해자의 집으로 들어가는 두 남자, 손에 네모난 뭔가를 들고 있다.)

근데 카메라 기종이 안 좋아서, 얼굴도 번호판도 식별이 안 돼요.

(흐릿한 얼굴과 차량 번호판 확대)

강현 대낮에 들어갔네?

준영 피해자가 문을 열어 준 건가?

강현 손에 들고 있는 건 뭐지? (보는데)

이수 (영정 사진들을 보다가) 근데, 요즘은 집에서 영정 사진 찍는 게 유행인가?

순간, 세 사람 모두 화이트보드에 붙은 피해자들 영정 사진을 본다.

이수 (강현 보고) 저거, 다 집에서 찍은 거 같잖아?

강현, 다시 CCTV 범인의 손에 들린 네모난 것을 보고. 그 시선을 따라 준영과 경진도 네모를 보는데. 순간, 세 사람 모두 뭔가를 깨닫고 각기 통화를 한다. (피해자 가족들에게 전화하는 것이다. "영정 사진을 누가 찍어 줬나요?")

이수 (어리둥절한데)

세 사람 (전화 끊고 서로 보는)

강현 무료 봉사로 영정 사진을 찍어 준 사진사가 있어.

경진 저도요.

준영 누군지는 모른대.

강현 (CCTV 사진을 보면서) 저놈들이 범인이야.

1팀이 모두 사진을 보면, 화이트보드의 CCTV 사진으로 다가가는 카메라. 흐릿하게 확대되는 CCTV 사진 속의 범인들에서.

70. 강병진의 집 앞, 낮

화면 또렷하게 초점 맞으면, 얼굴이 드러나는 두 범인.
사람 좋게 생긴 고영범과 박재근(30대 중반), 피해자의 집으로 다가가 초인종을 누른다.

영범 (미소) 안녕하세요? 저희는 무료로 영정 사진을 찍어 드리는 단체에서 나왔습니다. (대답이 없으면)

재근 (나서며) 잠깐 문 좀 열어주시겠어요? 설명을 들어보시고 안 하셔도 됩니다.

잠시 후, 열리는 문.

미소 지으며 들어가는 고영범과 박재근에서.

5화 엔딩.

ep.06

지금 바로 처리할 생각이야

1. 사건의 재구성

#강병진의 집 앞

사람 좋게 생긴 고영범과 박재근(30대 중반), 피해자의 집으로 다가가 초인종을 누른다.

영범 (미소) 안녕하세요? 저희는 무료로 영정 사진을 찍어 드리는 단체에서 나왔습니다. (대답이 없으면)

재근 (나서며) 잠깐 문 좀 열어 주시겠어요? 설명을 들어보시고 안 하셔도 됩니다.

잠시 후, 열리는 문. 미소 지으며 들어가는 고영범과 박재근.

#강병진의 집 안

(카메라 렌즈 안으로 보이는) 어색하게 의자에 앉아 앞을 보는 강병진.
카메라 세팅하고 서서 보는 고영범.

영범 (카메라에서 시선 들며) 어르신, 살짝 웃어 보세요.

병진 (어색하게 웃으면)

영범 좋습니다.

사진을 찍는 고영범.

박재근, 여기저기 주변을 둘러본다. 그러다 서랍장 위의 검은 옥새를 본다.

(옥새를 노리고 왔다기보다는, 뭔가 값나가는 느낌이 난다는 시선)

CUT TO

다른 날, TV를 보고 있는 강병진.

초인종 소리에 인터폰 화면을 보면, 사진 액자 들고 웃고 있는 고영범.

문 열리고 들어오는 고영범과 박재근.

영범 (포장 뜯으며 사람 좋게) 어르신, 사진이 아주 잘 나왔어요.

강병진이 사진을 보는데, 옆에서 떡과 식혜를 꺼내는 박재근.

재근 이거 좀 드시라고 준비했어요.

병진 아, 나는 떡은 안 먹어요. 잘 체해서.

고영범과 박재근, 서로 눈 마주치고.

박재근이 식혜 병을 흔들어 열고 한 잔 따라 준다.

재근 그럼 이거라도 한 잔 드세요. 드시면서 천천히 보세요.

사진을 보던 강병진이 식혜를 받아 들고 마시면, 서로 보는 고영범과 박재근.

식혜 병 안, 떠도는 쌀알 사이로 덜 녹은 졸피뎀 약 가루들.

CUT TO

강병진, 쓰러져 있고, 장갑을 낀 고영범이 점을 찾아 주사한다.

(그 뒤로 집안을 뒤지는 박재근의 실루엣)

옥새를 (뒤집어 확인하고 - 바닥은 금) 수건에 싸서 가방에 넣는 박재근.

죽은 강병진 옆에 떡 접시를 뒤집어 놓는 고영범.

손잡이들에서 지문을 지우는 박재근.

얇은 포크로 떡을 쑤셔서 강병진의 입에 넣는 고영범에서.

2. 강력팀 사무실, 밤

말이 없어진 1팀.

이수 진짜… 악질이네… (하는데)

그때, 안 팀장이 얼굴이 벌게져서 들어온다.

그 뒤로 열 받은 2팀원들도 따라 들어온다.

안 팀장 (성큼성큼 회의 테이블로 다가오며) 이강현이 이 새끼! 너 손대지 말라고 했지? 무슨 소리를 떠들고 다니는 거야!!

강현 (차분하게) 수사 자료 달라고 했잖아요. 사고사로 정리한 거 이제 필요 없습니다. 세 건은 모두 강도 살인 사건이니까.

안 팀장 뭐?!

강현 (부검 보고서 내밀며) 세 번째 피해자 니코틴 주사로 살해당했습니다.

다른 두 피해자도 부검을 해야 되는데, 화장이 끝나서 불가능하네요.

안 팀장 이 새끼가!! (확 달려드는데)

이수, 준영 (동시에 그 앞을 막아선다)

강현과 안 팀장, 서로 노려보며 서고, 경진도 강현 뒤로 서고.
안 팀장 뒤로 2팀원들도 다가서며 대치 상황인데….

형사과장 E 뭐 하는 짓들이야?!!

일동 (돌아보면)

형사과장 둘 다 내 방으로 와!

3. 형사과장실, 밤

세 번째 피해자 수사 자료들을 보는 형사과장.
그 앞에 선 강현과 안 팀장. 둘 다 굳은 얼굴들인데.

형사과장 (두 사람 보다가 안 팀장에게) 사건 이 팀장한테 넘겨.

안 팀장 네?

형사과장 (강현에게) 선배 등에 칼 꽂았으니까 범인 제대로 잡아. 나가.

강현 (인사하고 나가면)

안 팀장 과장님. 저 새끼 기 살려 주면 안 돼요.

형사과장 넌 후배 견제하기 전에 일부터 똑바로 해. 안 쪽 팔리냐?

안 팀장 (일그러지고)

4. 강력팀 사무실, 밤

강현 들어오면, 날 선 얼굴로 강현을 보는 2팀들.

강현, 무시하고 자리로 가면, 보는 1팀들.

강현 우린 우리 일에 집중하자.

안 팀장 들어오며 강현 쪽 노려보는데, 경진이 슬쩍 화이트보드를 끌고 1팀과 2팀 사이에 세워 시선을 차단한다.

강현 (화이트보드의 사진 보고 팀원들 보면서) 이놈들 무조건 우리가 잡는다.
경진 근데 단서가 없잖아요… 지문 하나도 안 나왔어요.
1팀 (막막한 듯 보드를 보는데)
준영 가능성은 희박해도 니코틴 쪽을 파 봐야지.
강현 응, 과수대에 연락해서 현장 감식 다시 하고.
이수 (답답하고) 아니, 국새를 쫓아가면 되잖아.
강현 그게 만약 진짜래도, 이렇게 빨리 장물이 나오진 않을 거야. 특수한 물건이니까…. (돌아서는데)
이수 (생각하다가 '!', 혼잣말) 안 나오면… 찾아야지!

5. 고급 BAR 전경, 밤

차를 세우고 안으로 들어가는 이수.

최 이사 E 약속 잡아 놨습니다. 장소로 가시면 됩니다.

6. BAR, 밤

어두운 실내, 작은 룸 안으로 들어가는 이수.

40대, 안경을 쓴 예리한 인상의 남자(윤 실장)가 앉아 있다.
그와 마주 앉는 이수.

윤 실장 (명함을 테이블 위로 주는) 윤 실장입니다.

이수 (보면 윤 실장, 핸드폰 번호만 적힌 명함)
윤 실장님이 유명하시더라고요… 원하는 건 뭐든지 구해 주신다면서요?

윤 실장 (미소) 클래식 카, 기록이 없는 보석, 밀수입된 문화재, 뭐든 구해 드리죠.
돈만 충분하다면….

이수 돈은 걱정하실 거 없고.

윤 실장 원하는 게 뭐예요?

이수 (보다가) 국새요.

윤 실장 (의아하다는 얼굴로) 국새…?

이수 (거만하게 다리 꼬며) 아버지가 시장 선거에 나오셨잖아요. 선물로 드리려고요.
미신 같은 거죠.

윤 실장 왕의 도장을 갖고 있으면 당선이 되실 거다…? 좋은 선물이 되겠네요.

이수 가능하겠어요?

윤 실장 (미소) 찾아서 연락드리죠. (일어나 나간다)

이수, '과연 찾을 수 있을까….' 명함을 보며 생각하는.

7. 강하경찰서 전경, 낮

8. 강력팀 사무실, 낮

지친 얼굴의 강력 1팀원들.
경진은 현장 근처 CCTV 찾아보고 있고, 강현은 KCSI 대원이 주고 가는 파일을 보고 있고, 준영은 전화 통화를 하고 다들 바쁜 모습들. 그들을 보는 이수. 강현, 파일 본다.

INSERT. *파일.*
지문 확인 불가, 머리카락 확인 결과 손녀와 할아버지 것만 나왔다는 내용.

강현이 파일을 '탁' 덮는데, 준영도 전화를 끊고 강현을 본다.

준영 니코틴 쪽은 막혔어.
강현 현장에서 발견된 것도 없어.
경진 (눈 비비며) CCTV도 끝이에요.
이수 ('역시 내가 해결하겠군.' 빙글거리며 보는데)
준영 (이수 보고) 사건이 막혔는데, 웃음이 나옵니까?
이수 박 형사 때릴 생각하고 있습니다~
준영 (재수 없다는 듯 보는데)

안 팀장과 팀원들, 지나가며 살짝 비웃는다. '막혔구먼.' 싶은 얼굴.

강현 (안 팀장 보다가 시선 거두고) 이놈들 전문가야. 비슷한 사건이 있었는지 찾아보자. 사진 전공, 동호회 출신으로 사기 전과 있는 쪽도.
이수 (절레절레) 수사가 완전 단순 노동이네. 창의력인 줄 알았더니.
강현 (째리고) 동호회 쪽 네가 파. 창의적으로.
이수 (쩝)

CUT TO
밤이 되었다.

1팀 모두 눈이 빠지게 검색 중인데. 책상 위에는 에너지 드링크들.
이수도 동호회 리스트 뽑아 놓고, 사이트들 검토하고 있는데… 지겹고.

이수 (중얼중얼) 이래 갖고 찾아지겠냐고….

강현 (자기 책상에서 듣고 서류 보면서)
찾아진다. 원래 수사는 몸으로 하는 거야, 머리가 아니라.

이수 귀는 밝아가지고. (하는데)

CUT TO
며칠의 시간이 흐른다. 옷이 바뀌는 사이, 준영과 경진은 뭔가 전화를 받고 나가기도 하고, 강현은 팩스 받아서 확인하고, 이수는 졸고…
외근에서 돌아온 준영과 경진은 소득이 없다며 고개를 젓고…
2팀은 비웃으며 지나가고, 이수는 고개 저으며 한숨을 쉬고… 밤이 온다.
그때, 이수 핸드폰 울린다. <윤 실장>

이수 윤 실장님? … 찾았어요?!!

이수, 벌떡 일어난다. 보는 일행.

이수 어디요? 네!! 얼만데요? 알겠어요! (끊고)

일행 (다들 보고 있다)

이수 (승리의 미소) 국새가 나왔어. 비밀 옥션에. 오늘 새벽 2시. 에누리 없이 10억.

강현 (놀라 보는데)

경진 10억?!

강현 비밀 옥션이 뭐야? 어떻게 하는 건데?

이수 나도 처음이라 잘 모르지만…

(미소) 특별한 사람만 갈 수 있는 거겠지. 나처럼?

준영 (흘기고) 새벽 2시까지 10억을 어떻게 준비해?

경진 가짜 돈으로 만들면 안 돼요?

강현 (고심하며) 위치 추적기를 달아야 되는데, 가짜 돈이면 걸리지.

경진 그럼 어떡해요?

이수 (책상 톡톡 치고) 여러분~~ 내가 있잖아~~

경진 (허걱) 집에 10억이 있어요?!!

이수 아니, 은행에.

강현 (시계 보고) 지금이 몇 신데, 돈이 있어도 어떻게 찾아.

9. 은행 앞, 밤

불 꺼진 은행 앞에 준영의 차, 강현의 차, 이수의 스포츠카 서고,
각기 팀원들 내리는데.
은행 셔터가 올라가고 나타나는 은행장과 직원 둘. 그 옆에 선 최 이사.
이수와 강현은 은행으로 향한다. 은행장과 인사하는 이수.

이수 은행장님, 밤늦게 죄송합니다.

은행장 아닙니다. 진 실장님 부탁인데 들어드려야죠. 이쪽으로.

이수, 은행장을 따라 들어가며 최 이사에게.

이수 고마워요.

멀리서 준영은 그런 이수를 삐딱하게 보고 섰다.

10. 은행장실, 밤

이수와 강현이 앉아서 기다리고, 최 이사는 뒤쪽에 섰다.
직원 둘이 커다란 가방 두 개를 들고 들어온다.
뒤이어 서류를 들고 들어오는 은행장. 직원들이 가방을 열어 확인시켜 준다.
그걸 보던 강현, 자기도 모르게 입이 벌어진다. 놀랍고 말이 안 되고….

은행장 현금 10억입니다. (서류 주며) 여기 사인하시면 됩니다.

직원들 나가고, 은행장과 최 이사가 서류 들고 멀어지면.

강현 (이수 보며) 넌 대체… 어떤 세상에 사는 거니….
이수 웬만한 건 다 되는 세상? (미소)

11. 은행 앞, 밤

강현의 차 트렁크에 가방 두 개 올려져 있고, 그 앞에 선 준영과 경진.

경진 와, 형님 진짜…. (엄지 척)
이수 뭐, 이 정도 가지고….
경진 (위치 추적기를 가방 안 보이는 곳에 숨긴다)
준영 (혼잣말하듯) 이런 걸 갑질이라고 하지. (이수를 보면)
이수 난 능력이라고 배웠는데?

서로 맘에 안 든다는 얼굴로 보는 이수와 준영.
한쪽에 서서 전화를 하고 있는 강현. (이하 안 팀장 위치와 교차)

INSERT. 안 팀장 위치.
한밤의 골목, 차 안, 잠복 중. 옆에는 2팀원들.
안 팀장, 강현 이름 확인하고 전화 받는다.

강현 선배님. 피해자가 도난당한 물건이 경매에 나왔어요. 범인들이 나타날 거예요.
안 팀장 (전방 주시하며 굳어 듣는다)
강현 이쪽으로 오세요. 같이 잡아요.
안 팀장 바빠, 끊어.

골목에서 한 사내가 나오면 일제히 내려 사내를 에워싸는 2팀.
(2팀은 살인강도 전과자들을 확인하는 중이다.)

안 팀장 황의태. ○월 ○○일날. 어디 있었어?
사내 아이 씨… 뭔 일만 나면… (여권 꺼내고)
중국에서 어제 들어왔어요!

여권 확인하고 실망하는 2팀의 모습에서.

은행 앞, 툭 꺼지는 핸드폰을 잠시 보다가 일행을 돌아보는 강현.

강현 출발하자!

12. 도로, 밤

달리는 이수의 스포츠카 안의 강현과 이수.
뒤에 각기 준영의 차, 경진이 모는 강현의 차.

13. 클럽 앞, 밤

와서 서는 이수의 차. 시간은 밤 12시.
차 안에서 앞을 보는 강현과 이수.

강현 클럽?

이수 (확인하고) 어, 주소 여긴데. (올려다보며) 이 안에 비밀 옥션이 있나 봐.

강현 … 가 보자. (내리는데)

이수 (강현 잡고) 그러고 못 들어가. 클럽 안 가 봤어?

강현 (보는데)

이수 (전화하는) 네, 대표님. 샵 좀 열어 주세요.
(미소로 강현 보면서) 여친 복장이 영 맘에 안 드네요.

강현 (흘기는)

14. 고급 편집 샵, 밤

이수만을 위해 열린 샵. 직원 둘 행거 끌고 들어오고,
강현은 어리둥절 보고 있다.
직원들에게 강현을 맡기고, 이수는 자기 옷을 고르기 시작하고.
강현이 옷을 갈아입고 힐 신고 어색하게 나오는데.

이수 (갸우뚱 보다가) 너~무 형사 같아.

강현, 다시 다른 옷 입고 나오면.

이수 무서운 형사 같아.

다시 다른 옷.

이수 쫌… 성격 나쁜 형사 같아.

슬슬 열 받는 강현이고. 다시 다른 옷.

이수 (또 갸우뚱 보는데) 이건… 약간….

강현 적당히 해라!!

이수 (피식) 이뻐.

강현 (흘기고)

이수도 멋진 옷으로 갈아입고, 섹시하게 꾸민 강현과 함께 샵을 나선다.
하지만 힐이 불편한 강현은 불안하게 걷고.
이수가 팔을 잡으라고 내미는데, 강현은 혼자 팔짱을 끼고 걸어간다.

15. 클럽 앞, 밤

클럽 입구로 걸어가는 이수와 강현.
순간, 강현이 비틀한다. 이수가 강현의 손을 잡아 자신의 팔을 잡게 한다.

강현 (보는)

이수 (귓속말) 이런 옷 입고 넘어지면 창피하다~

강현 (손 풀고) 안 넘어져. 힐 오랜만에 신어서 그래.

이수 얼마나 됐는데?

강현 졸업식 때?

이수 (피식, 강현의 손 올리며) 잡아.

강현, 이수의 팔을 잡고 이수를 보는데.

16. 클럽 앞 잠복지, 밤

각기 건물의 앞과 옆쪽에 차량에 대기 중인 준영과 경진.

#경진 위치

입구로 들어가는 두 사람이 보인다. 흥미롭게 보는 경진. '오~ 무슨 분위기?'

#준영 위치

팔짱을 끼고 들어가는 이수와 강현을 못마땅하게 보는 준영. (양복 입은)

경진 E (무전) 팀장님 예쁜데요~~

준영 (무전 하는, 무뚝뚝) 쓸데없는 소리 말고 긴장해.

경진 E (무전) 넵!!

17. 클럽 안팎, 밤

#클럽 안

시끄러운 음악, 정신없는 조명, 춤추는 사람들 사이에 서서
사방을 살펴보는 강현. 곳곳에 있는 경비원들, 여러 곳의 출입구들. 엘리베이터 위치, 남자 손님들 확인하는데 눈앞에 맥주 두 병 내미는 이수.

강현 ('뭔 짓?') 근무 중이야.

이수 어, 완전 근무 중인 형사로 보여. 아주 눈에 살기가 있다. 이거 마시고 힘 좀 빼.

강현 (말도 안 된다는 듯 보는데)

이수 시간 되면 (힐끔 보며) 저 엘리베이터가 열릴 거야. 그때까진 자연스럽게 있어. (맥주 내밀며) 무알콜이야.

강현 (받아서 쭉 들이킨다. 시원하게)

이수 (미소로 병 받아 옆에 놓고) 자 이제 부드럽게, 리듬을 타 봐. (살짝 몸을 흔든다. 부드럽게, 멋지게)

강현 (멀뚱하게 이수를 보다가 주변을 보면 모두 춤추고 있고)

강현, 살짝 몸을 움직여 보는데, 어색해서 못 하겠고.

이수 (웃고) 몸치구나.

강현 (뚝) 됐어, 나 기분 안 좋은 손님 할 거야. (맥주 마시는데)

이수 (보며 웃는)

강현 왜?

이수 (빙글) 재밌어서.

강현 (흘기고) 그놈의 재미.

#경진 위치

밖을 주시하고 있는 경진. 술에 취해 클럽에서 나오는 여러 사람들 보인다.

#준영 위치

밖을 주시하는 준영.
주류 배달 차량이 한 대 클럽 후문 쪽으로 들어간다.
자세히 보는 준영.
배달원 둘, 내려서 카트에 맥주 박스들을 싣고 안으로 들어간다.

#클럽 안

이수와 강현은 맥수를 마시며 이야기를 나누고 있다.

이수 넌 뭐가 재밌냐? 취미 같은 거 있어?

강현 (생각하다) 그런 거 없는데….

이수 아니 막 짜릿하고 신나고 주말만 되면 하고 싶고 그런 게 없어?

강현 나는… 범인 잡는 게 제일 재밌어.

이수 (지그시 보는)

강현 (빙글) 예전에 3년 동안 안 잡힌 악성 수배범을 잡은 적 있었거든? 알아보니까 얘가 게임 중독이야. 그래서 내가 희귀 아이템 판다고 속여서 잡았지. 사기꾼한테 사기 쳐서. 수갑 딱 채우는데, 진짜 펄쩍 뛰더라!
(흐뭇한 웃음) 그만큼 재밌는 건 아직 못 찾았어.

이수 너 나랑 좀 놀아야겠다.

강현 (피식, 시선 돌리는데)

그때, 이수 뒤로 보이는 복도 끝 엘리베이터가 열린다.
(어둠 속에서 엘리베이터의 불빛이 네모나게 떴다)

강현 (긴장하며) 열렸어!

이수 (돌아보고 엘리베이터 확인)

강현 (브로치 등 안 보이는 곳에 설치한 도청기에 대고) 들어간다. (앞장서면)

이수 (뭔가 아쉬운 얼굴로 따라가는)

#엘리베이터

엘리베이터 앞에는 경비원 하나 서 있고,
이수와 강현이 들어가는데 아무 반응 없다.
엘리베이터 문이 닫히면, 이수, 비상 버튼을 누른다.

그러자 전광판에 S가 뜨고 지하층으로 내려간다.

(패널에 지하층은 없다)

#준영위치

클럽을 보고 있는 준영. 긴장한 얼굴에서.

18. 비밀 경매장, 밤

어두운 실내, 정 가운데 유리 상자 안에 국새에만 조명이 떨어지고 있다.
홀린 듯 국새로 다가가는 이수와 강현. 바라보는데…
뒤에서 매니저 나타난다. (세련된 바지 정장, 30대)

매니저 찾으시던 물건이 맞습니까…?

이수와 강현이 돌아보면, 매니저는 유리 상자를 열고, (안에서 꺼내지는 않는다)
장갑 낀 손으로 조심스럽게 국새를 들어 보인다. (검은 칠을 벗겨 낸, 금색)

매니저 고종 황제께서 만드신 대한국새입니다. 화려하게 장식된 용뉴가 아름답죠?

이수, 강현 (정말 아름답다. 보고 있고)

매니저 멋진 선물이 될 겁니다.

이수 아버지 마음에 들겠네요. 왕처럼 군림하는 걸 좋아하거든요.
(핸드폰으로 전화하는) 어, 박 비서. 돈 갖고 와.

CUT TO

매니저 고급 상자에 국새를 넣고 있고.
엘리베이터 문 열리면, 돈 가방 들고 들어오는 준영.

이수 (돌아보며) 왜 이렇게 늦어? 거기 내려놔.

준영 (짜증 나는데) 네, 실장님. (돌아서 나가는데)

이수 그리고. 아아 두 잔 준비해 놔. 목마르다.

준영 ('까불래?' 이수 보는데)

이수 눈 예쁘게 뜨고.

준영 (어금니 물고) 네. (나가고)

이수 (매니저 보고) 새로 온 비선데, 아직 예의가 없어서 가르치는 중이에요.

강현 ('아주 신이 났네.' 흘기는데)

19. 클럽 엘리베이터, 밤

엘리베이터 안에 타는 이수와 강현.

밖에서는 매니저가 허리 굽혀 인사하고. 문 닫히면.

강현 너 그러다가 준영이한테 한번 제대로 맞는다.

이수 (피식) 나 싸움 잘해. 한 대 킵해 논 것도 있고.

강현 준영이 10살부터 복싱했어. 경찰대 안에도 적수가 없었다고.

이수 아, 참… 이 셔츠 안에 화난 근육을 보여 줄 수도 없고.

강현 (놀리고) 쉐이크 먹고 땀 좀 흘렸어?

이수 야, 이거 만드는 게 얼마나 힘든데? 그냥 봐라. 보여 줄게.

(국새 박스 내려놓고 셔츠 단추 푸는데)

문 열리고, 그냥 나가 버리는 강현.

이수 같이 가!

박스 들고 따라가는 이수.

20. 클럽 근처 곳곳, 밤

#경진 위치

주류 배달 트럭이 빈 박스를 싣고 떠난다.

#준영 위치

스포츠카 끌고 나가는 이수와 강현을 보고 있는 준영.

#떨어진 골목

골목에 서는 스포츠카.

강현, 고개 숙여 힐 벗고 운동화 신는다.

풀었던 머리 묶고 무전기 드는 강현.

강현 (무전 치는) 움직임 있어?

#준영 위치

태블릿으로 돈 가방 위치 확인하는. 여전히 건물 안에 있다.

준영 아니, 없어.

#이수의 차

클럽 쪽을 보며 경계하는 강현.

#각 위치

돈 가방의 위치 추적기를 보며 대기하는 강현, 준영, 경진.
시간이 흐른다.
클럽이 문을 닫고, 사람들 나오고 (모두 짐이 없다) 모든 차 빠져나가는데,
다른 종류의 주류 배달 트럭이 들어온다. 놀라는 준영과 경진.
준영은 바로 튀어 나가고! 경진도 트럭으로 달린다.
놀라 보는 강현!!

#클럽 후문
준영, 트럭 기사의 신분증을 보고. 경진은 주문서를 본다.
그 옆으로 이수의 차 와서 서고, 강현과 이수 내린다.

강현 뭐야?
준영 한 시간 전에 들어간 트럭이 있었어.
강현 !!

#클럽 입구
지키고 선 경비원에게 일시에 경찰 신분증을 보여 주는 1팀.

21. 클럽, 밤

#복도
긴장된 얼굴로 걸어가는 1팀.

#엘리베이터
엘리베이터를 타고 비상 버튼 눌러 내려가는 1팀.

#비밀 경매장

문 열리면, 빈 유리 상자 앞에 빈 돈 가방 두 개가 버려져 있다.

#보안실

INSERT. *CCTV, 돈을 가져가는 범인들.*

복도, 주류 박스 담긴 카트 끌고 들어가는 범인들 컷, 둘 다 모자를 써서 얼굴이 안 보인다. 박스 안은 비어 있다.

경매장 안, 가방을 열어 주류 박스 안에 돈을 담는 범인들. (검은 장갑 낀)

범인들 나가면, 바닥에 버려지는 가방 두 개.

현재, 사태 파악하고 허탈해지는 일동.

강현도 난처한 얼굴인데.

이수	이제 어떡하냐….
경진	(이수에게) 그러게요. 10억 어떡해요?
이수	(그 걱정 아니었고) 어? 아… 10억? 그건 국새 산 걸로 쳐야지.
일동	('와-' 진심 감탄하고)
경진	(엄지척) 대인배!

강현, 굳은 얼굴로 걸어가고.

#사무실

경매장 안쪽에 위치한 작은 사무실.

강현이 문 열면, 매니저 당황해 멈추고. 강현이 들어간다.

CUT TO

테이블에 마주 앉은 강현과 매니저. 옆으로 이수, 준영, 경진.

매니저 그 사람들이 누군지는 저도 모른다니까요. 여긴 철저하게 익명으로 운영돼요. 사는 사람도. 파는 사람도. 원래는 돈도 우리 쪽에서 보내는 건데, 직접 오겠다면서 자리를 비워 달라고 했어요.

강현 얼굴도 모르고 연락처도 모른다? 그럼 그놈들이 어떻게 알고 경매에 물건을 보냈어요?

매니저 … 우리끼리만 아는 다크 웹 사이트가 있어요.
거기 정보를 올려요. 재벌이 찾는 물건이 있다고.
그러면 연락이 오죠.

강현 (매니저를 보는)

매니저 어제 물건을 가져왔는데… 얼굴은 모두 가리고 있었어요.
(매니저가 국새를 확인하는데 마주 앉은 범인 1, 마스크와 선글라스를 쓴)

다시 막혔다, 답답한 듯 한숨을 내쉬는 강현에서.

22. 강력팀 사무실, 밤

텅 빈 사무실 안으로 들어오는 1팀. 무거운 얼굴들.
각자 무전기와 소지품들 테이블에 놓으며 한숨 쉬고 자리에 앉는데…
안 팀장과 팀원들이 들어오다가 1팀을 본다. (작전 실패 사실을 알고 있다)

안 팀장 (1팀 쪽으로 다가오며) 이강현이 또 허탕 쳤냐?
(비웃으며 옆의 2팀원에게) 아주 얼굴에 루저라고 써 있네?

강현, 준영 (대응하기도 싫다. 무시하려고 하는데)

이수 (안 팀장 보고, 경진에게) 언제 루저 뜻이 바뀌었냐? (안 팀장 보며) 범인 놓치고 후배한테 신경질 내는 선배를 루저라고 하는 거 아니었어?

2팀원 (비웃고) 넌 빠져 있어. 뭘 안다고.

안 팀장 (강현에게 다가가며) 그렇게 잘나고 똑똑한 우리 후배님이 범인을 왜 놓쳤을까?

준영 (안 팀장을 노려보는데)

강현 그러게요. 베테랑 선배님이 도와주셨으면 잡았을지도 모르는데… 안타깝네요.

안 팀장 내가 왜? 나는 네가 범인 놓치고 쪽팔리길 기대하고 있는데?

강현 (굳어 일어선다) 독거노인들을 셋이나 죽인 강도단이 밖에 있어요! 그런데도 선배는 선배 기분이 더 중요해요?

안 팀장 나는 너 같은 새끼가 잘난 척하고 승진하는 꼴이 보기 싫은 것뿐이야.

강현 (굳어 보는) 저도 기대하죠. 범인 잡아서 연쇄 강도 살인 사건을 입증하면 선배가 어떤 징계를 먹을지.

안 팀장 (굳어 보다가, 피식 비웃고) 큰소리는 잘 치지. 어디 보자. (나가고)

그들이 나가고 나면 자리에 다시 앉는 강현.
큰소리는 쳤지만 방법이 없다. 침울해지는 1팀.

CUT TO
팩스가 들어온다. 범인들이 사용한 주류 트럭에 대한 정보.
경진, 팩스를 확인한다. 회의 테이블 주변에 앉거나 선 1팀들.

경진 (한숨) 트럭은 도난 차량이었어요.

강현 도난 차량을 사용하고, CCTV에 얼굴 한 번 안 드러내고, 돈 가방을 버리고 갈 정도로 철저한 놈들이야. 분명히 초범은 아닌데….

준영 비슷한 사건 기록은 없어.

강현 서로 다른 전과를 가진 놈들이 교도소에서 만나서 팀을 꾸린 건가….

경진	(뭔가 전화를 받고 나가는 2팀을 보며) 2팀이 은부동 근처 강도 전과자들 훑고 있대요.
준영	(나가는 2팀 보다가) 그걸로는 못 잡아….
강현	이걸 끝으로 놈들이 잠적하면….
강현, 준영	(미결이다. 무거워지는데)

무거운 침묵이 흐르는데….

이수	(생각에 빠져) 다시 나오게 만들어야지….
	(뭔가 떠오른) 아!! 함정을 파자!!
일동	(이수를 보는)
이수	다크 웹!! 매니저를 이용하면 돼!
강현	(알아듣고) 대상을 알려 주고?!
이수	물건은 내가 구해 올게! 아. 근데 노인이 문제네….
준영	(끄덕) 일반인을 끌어들일 순 없어. 위험할 수도 있으니까.
강현	(생각하며) 나이가 많고 어떤 상황이든 대응할 수 있는 사람을 찾아야 돼.
경진	(걱정) 그런 사람이 어디 있어요?
이수	시간 없는데… 놈들이 연락을 끊어 버리면 끝이야.
강현	(생각에 잠기는)

23. 강현의 집 전경, 오전

24. 강현의 집 거실, 오전

강현, 집으로 들어가는데, 형준이 거실에서 그림을 그리고 있다.

형준	(인기척에 돌아보고) 회사에서 밤 샜어?

강현 어, 엄마는?

형준 동사무소에 일 있다고 나갔다.

형준, 다시 그림에 집중하고, 강현이 다가가 보면, 태블릿의 사진을 보며 들꽃과 고양이들을 그리고 있다. 물끄러미 보는 강현을 보는 형준.

형준 왜? 사건이 잘 안 풀려?

강현 (형준을 본다. 어려운 얘기를 꺼낼 듯한 얼굴)

CUT TO

테이블 앞에 마주 앉은 강현과 형준.

강현 벌써 셋이나 죽었어. 놈들의 미끼가 돼 줄 사람이 필요해.
나이도 적당히 많고, 범인과 맞설 용기가 있고, 문제가 생기면 힘으로 제압할 수 있는 사람… 아빠뿐이야.

형준 (갈등하듯 본다)

강현 도와줘.

형준 (굳은) 나 이제 경찰 아니다. 그런 일에 나설 수는 없어….

강현 (답답하고) 아빠가 왜 경찰이 아니야? 내가 다 밝히고 다시 복직시킬 거야.

형준 강현아… 다 끝난 일이야.

강현 억울하지도 않아? 평생을 바쳤잖아! 누명 쓰고 파면당하고….

형준 (강현을 보는데)

강현 난 억울해. 내가 존경했던 아빠가 이렇게 패배자처럼 사는 거, 억울하다고!

강현, 이층으로 올라가면… 형준, 고개를 숙이고 한숨을 쉰다.

25. 강현의 방, 오전

강현, 옷장 열고 갈아입을 옷 꺼내다가 검은 상자를 본다.
상자를 열면, 형준의 정복이 들어 있다.

INSERT. *회상, 강현의 집 근처 골목.*
일 년 전, 형준이 검은 상자를 들고 기운 없이 걸어간다.
뒤에서 보고 따라가는 강현, 형준의 손에 든 검은 상자를 알아본다.
뭘 하는 건가 보는데, 형준은 상자째로 헌 옷 수거함에 넣어 버린다.
놀라는 강현.
형준이 가고 난 뒤, 수거함에 손을 넣어 보는 강현. 닿지 않는다.
수거함에 적힌 번호로 전화하는 강현.
담당자를 기다리는 강현. 직원이 오면 인사하고 열어 달라고 하고. 상자를 받아 드는 강현….

현재, 아버지의 정복을 보는 강현의 깊은 얼굴에서….

26. 클럽 전경, 오전

27. 비밀 경매장 사무실, 오전

매니저, 컴퓨터 작업하고 있는데, 이수가 문을 열고 들어온다.

이수 스톱~!! 손 떼세요!
매니저 (보는데)
이수 (잽싸게 다가와) 증거 인멸하고 그러면 안 돼요. 이제 압수 수색 들어올 건데.
매니저 (이수 노려보는데)

이수 째려본다고 해결될 거 없으니까 컴다운 하시고.

매니저 당신하고 상관없잖아?

이수 왜 상관이 없어요. 나쁜 놈들 잡아야 되는데.
일단, 그 비밀 사이트에 들어갑시다.

매니저 (뭔 소린가 보는데)

이수 (지그시) 협조 안 하면 공범이라고 생각할게요.

매니저 (화 참으며 사이트에 접속한다. 놈들과 채팅하던 창을 연다.
마지막 메시지 - <돈은 저희가 가져갑니다.>)

이수 (치라고) 재벌이 원하는 물건이 있습니다. 구할 수 있습니까?

매니저 (보면)

이수 빨리. 압수 수색 들어온다니까요?!

매니저 (메시지 타자 치는)

INSERT. *모니터 화면.*
물건을 구해 달라는 메시지와 고 선생의 고려청자 향로 사진이 떠 있다. 놈들은 메시지를 확인하지 않고 있고.

이수와 매니저는 화면을 보며 기다리고 있다.
놈들이 메시지를 읽고 '1'이 사라지는 순간, 이수와 매니저 놀라는데,
문이 벌컥 열리면서 형사 여럿 들어온다.

광수대 (사무적) 서울청 광수대입니다. (압수 수색 영장 펼치며) 영장 집행합니다.

이수 아, 잠시만요! (신분증 보이고) 강하서 강력팀 진이수입니다.

광수대 (자기들끼리 눈빛 주고받고) 재벌 도련님 우리가 알지. 근데 뭐 하는 건진 모르겠네?

이수 연쇄 강도 사건 수사 중이죠, 이 컴퓨터가 좀 필요하니까 다른 거부터 챙기세요.

광수대 ('명령이냐.' 삐딱하게 보는데)

이수 여기 정보 드린 게 우리 팀이잖아요. 아님 뭐 힘 싸움이라도 해야 되나? (핸드폰 연락처 찾으며) 서장님 정도면 되겠어요?

광수대 (피식) 5분 준다. (다른 형사들에게) 시작하자.

광수대원들 사무실을 뒤지기 시작하고. 매니저 물러서고.
이수는 모니터 앞에 앉아 메시지를 넣기 시작한다.
<노인이 갖고 있는 고려청자 향로인데 아무리 팔라고 해도 말을 안 듣네요.>
<방법은 상관없으니 물건만 가져오면 됩니다.>
하지만, 읽기만 하고 아무 대답이 없는 강도들.

INSERT. *강도들의 공간.*
핸드폰으로 메시지를 보고 있는 강도의 뒷모습.
새로운 메시지 <가격은 전과 동일. 10억.>

이수, 초조하게 화면을 보고 있는데 옆에서 시간 됐다고 시계 툭툭 치는 광수대. 이수 마지막 메시지를 날린다. <능력 안 되면 다른 팀 찾겠습니다.>
답을 기다리는데.

광수대 (팀원에게) 야, 코드 뽑아라.

이수, 초조한데. 순간, 뜨는 메시지. <우리가 하죠.>
박수 '딱' 치며 일어서는 이수.

이수 됐다!!

웃으며 나가는 이수.

이수 수고하십시오~~

28. 강현의 집 앞, 오후

기분 좋은 얼굴로 차를 세우는 이수, 옆자리에는 고려청자 향로.
강현에게 문자하는 이수. <아버님은 어떻게 됐어?> … <어렵겠어.>
문자를 보던 이수는 생각하다 내려서 강현네 초인종을 누른다.

29. 강현의 집 거실, 오후

문을 열어 주는 형준. 이수, 인사하며 들어온다.

이수 안녕하세요? 이 팀장 안에 있나요?
형준 2층에 있는데….

이수, 꾸벅 인사하더니 계단으로 올라가며 큰 소리로 말한다.

이수 이 팀장! 준비 다 됐어! 놈들이 미끼를 물었다고!!
강현 (계단으로 내려오며 왜 이렇게 소리를 치고 있나 보고)
이수 배우 섭외됐어? (과장된 연기) 안 됐다고? (형준 쪽 머리로 가리키고)
강현 ('됐다고.' 지나가는데)
이수 (강현 쿡쿡 찌르며) 그럼 어떡해! 주소도 여기로 해 놨는데, 놈들이 언제 올지 모르다고!
강현 (대충 연기해 주며) 나도 방법이 없어~ 작전은 못 해.

이수 (툭 치며) 메소드 연기 몰라?

강현은 소용없다는 듯 그냥 거실로 내려가는데,
형준, 아무것도 못 들은 척, 먹 갈고 있고.
강현과 이수는 형준을 보다가… 그냥 나가려고 하는데, 먹을 멈추는 형준.

형준 네 엄마는 어떡할 거야?

강현, 이수 (돌아보면)

형준 나 혼자 있어야 되면, 고미숙 씨는 어떡할 거냐고.

형준을 보며 얼굴 밝아지는 두 사람에서.

30. 한수 생명 전경, 밤

31. 한수 생명 사무실, 밤

직원 책상 옆에 붙어 앉은 이수.
모니터를 보면, 직원은 여행 상품권을 만들고 있다.
<행운의 고객님, 축하드립니다~!!> 등의 문구.

직원 여행지는 어디로 할까요?

이수 (생각하다 전화한다) 어, 이 팀장.

INSERT. *강현의 집 거실.*

강현 *여행지? (형준에게) 아빠, 엄마 어디 가고 싶어 해?*

형준 울릉도.

강현 (핸드폰으로) 울릉도!

이수, 직원에게 봉투(밖에 주소 적힌)를 받는다.
열어 보면, <장기 가입 고객께 드리는 특별 여행의 행운. 울릉도> 적혀 있고.
(날짜가 정해져 있다)
봉투 넣고 신나서 나가는 이수.

32. 강현의 집 앞, 밤

이수, 차를 세우고 내려서 강현네 우편함에 봉투를 넣는다.
아래쪽에서 미숙이 올라오는 낌새가 보이자 집 안으로 들어가는 이수.
미숙, 여성 안전 귀가 스카우트 조끼 입고 집에 들어가려다가 편지 발견하고 열어 본다.

미숙 어머, 어머!! 이게 뭐야!! 여보~~~ (하며, 들어가고)

이수네 대문, 이수 빼꼼 대문 열고 보며 웃는다.

33. 강현의 집 거실, 밤

미숙 (호들갑을 떨며, 들어오며) 이게 무슨 일이야!

형준과 강현은 웃음을 꾹 참고 미숙을 본다.

형준 무슨 일인데?

미숙 호호호호, 내가 울릉도 당첨됐어!!

강현 (어색한 연기) 정말? 우와~

미숙 웬일이니, 나 이렇게 운 좋은 거 처음이야! 누구랑 가지? 자기, 갈래?

형준 아이, 내가 가긴 어딜 가….

강현 이모랑 가면 되겠네.

미숙 그럴까? (전화하며 방으로 가고) 어, 미진아!! 울릉도 갈래?!

서로 보며 웃는 강현과 형준에서.

34. 강현의 집 거실, 아침

머리 말고, 사골국 끓이는 미숙. '다 됐다.' 불 딱 끄고.
방으로 뛰어가 옷 갈아입고.
정신없이 짐 가방 다시 체크하고, 챙 넓은 모자 쓰고, 신이 난 미숙.

미숙 늦었다, 늦었어… 간다!!

미숙, 손 흔들고 나가면,
지켜보던 강현과 형준, '정신없었네.' 서로 보는데.
이내, 다시 현관문 열리고, 짐 다 내려놓고.

미숙 선글라스!!

방으로 뛰어 들어가고… 선글라스 쓰고 나가는 미숙.

미숙 진짜 간다! 국 식으면 냉장고에 넣어!

웃는 강현과 형준.

CUT TO
형준의 머리를 하얗게 분장해 주는 강현.
그리고 평소와는 다른 나이 들어 보이는 옷으로 갈아입는다.
갑자기 늙어 버린 아버지를 잠시 보는 강현에서.

35. 이수의 집 앞, 낮

골목으로 준영의 차가 도착한다.
장비(형준의 집 도청 및 감시 장치) 들고 내리는 준영과 경진.
이수의 집 앞에는 레스토랑 밴이 하나 서 있다.

준영 이 자식은 왜 강현이 앞집에 살아?
경진 잘됐잖아요. 잠복하기 딱이고. (들어가고)
준영 (지나가며 레스토랑 밴을 살짝 본다)

36. 이수의 집 거실, 낮

준영과 경진, 각종 장비 챙겨서 들어오는데,
거실에 케이터링 서비스 직원들이 핑거 푸드들을 세팅하고 있다.

경진 오~~ 형님!!
이수 웰컴~~

준영 ('뭐 하는 짓들이야.' 보는데)

강현 (이어 들어오다가) 뭐야, 이게?

이수 아니 여기 며칠 있을지 모르는데, 먹을 게 없잖아.

강현 잠깐 한눈팔면 사고를 쳐!

이수 ('반응 왜 이래.', 황당) ?

강현 (직원들에게) 이쯤 하시고 가세요, 저희가 할 일이 있어서…

(직원들 나가면, 장비 챙기면서) 우리가 지금 놀러 왔냐고! 잠복근무야!!

(나가면)

준영 (장비 설치하며, '쌤통이다.' 보고 있고)

이수 아니 발작 버튼이 대체 어느 포인트야?

37. 강현의 집 거실, 낮

강현이 거실에 도청기를 설치하고 있는데, 뒤로 준영이 들어온다.

준영 (형준에게 바르게 인사한다) 선배님. 잘 지내셨어요?

형준 (반갑게) 어, 오랜만이네.

준영 도움 주셔서 감사합니다.

형준 (미소)

강현 (준영 보면서 미소)

도청기와 카메라 설치를 마치고 나가면서 형준의 등을 한 번 다독이며 서로 보는 부녀. 서로 끄덕이고. 강현이 나가면, 한쪽을 보는 형준.

(강현의 정복 사진은 사라졌고, 그 자리에 향로가 놓여 있다)

38. 골목, 낮

형준의 집이 보이는 위치에 카메라를 설치하고 이수의 집으로 들어가는 강현과 준영.

39. 이수의 집 거실, 여러 날.

강현, 가방 열고, 준영과 경진에게 총과 수갑을 나눠 준다.
이수도 자기 차례 기다리는데, '옜다' 느낌으로 수갑만 주는 강현.

이수 나는. 나는 총 안 줘?
강현 ('농담이냐.', 보는)
준영 쏠 줄이나 압니까?
이수 겁나 잘 쏩니다.
강현 그래 네가 못하는 게 없겠지. 근데 내가 너한테 총을 주는 일은 영원히 없을 거야.
이수 ('헐, 실망이야.')

CUT TO
이수와 경진이 맛있게 준비된 요리를 먹고 있다.
강현, 옆으로 오더니 요리 하나 집어 먹는다. '오~' 맛있다는 얼굴.

이수 성질내더니 잘 먹네?
강현 있으니까 먹어야지 (우걱우걱) 맛있네.
준영아, (하나 집어 준영에게 주는) 너도 먹어 봐.
준영 됐어, 배 안 고파.

강현, 주려던 것까지 입에 넣고, 이수는 강현 흘기고.
해가 지기 시작한다.

CUT TO
이틀의 시간이 흐른다.
팀원들은 돌아가며 일부는 밖을 보고, 헤드폰 쓰고 모니터 확인하며 경계하고, 일부는 소파에 기대어 쉰다… 낮에는 돌아가며 일하고 밤에는 (찾아오지 않을 것이므로) 소파에서 쪽잠 잔다.
사이사이 이수가 바리스타처럼 커피를 내려 주고. (준영 안 먹음 - 경진이 건네주면 캔 커피 따는 준영, 이수도 다음부터는 안 준다)
테이블에는 먹고 남은 쓰레기들 쌓여 가고, 팀원들 슬슬 지치는 낌새도 보인다.

CUT TO
각기 소파에 기대어 잠든 1팀들.

INSERT. *날이 밝아 오는 골목.*

'딩동-' 초인종이 울리고, 벌떡 일어나 각기 위치로 가는 1팀 일동.

INSERT. *강현의 집 앞, 검은 봉지 든 아줌마다.*

강현 아, 엄마 친구야. 텃밭에서 나온 거 갖다주러 오셨나 보다.
일동 (기운 빠지는데)
강현 나 좀 씻어야겠다. (하품) 정신 차려야지.

CUT TO

거실에 이수, 씻고 나온 강현, 경진이 요리 먹고 있고.

화장실에서는 샤워 소리가 들린다.

이수 박 형사는 내가 차린 건 안 먹으면서 샤워는 하네, 남의 집에서?

강현 준영이는 아침마다 샤워해.

이수 (헐) 그걸 네가 왜 알아?

강현 친구니까 알지.

CUT TO

준영이 머리 털며 나오고, 이수는 맘에 안 들고.

경진은 이런 분위기가 재밌고, 강현은 모니터 앞에 앉아 헤드폰 쓰는데

이수가 밖을 보기 시작한 순간, 범인들이 나타난다!

이수, 강현을 돌아보며.

이수 왔어!

'딩동-' 초인종이 울린다.

헤드폰의 소리에 집중하는 강현.

영범 E 안녕하세요? 저희는 영정 사진을 무료로 찍어 드리는 봉사 단체입니다.

긴장하는 1팀들.

40. 강현의 집과 이수의 집 교차, 낮

#강현의 집 대문

형준이 대문을 열면 미소로 등장하는 고영범과 박재근.

부드러운 미소를 띠고 형준을 보는 두 사람.

두 사람 들어오게 하고 대문을 열어 두는 형준.

#이수의 집 거실

긴장하며 주시하는 팀원들. 강현의 얼굴이 무겁다.

#강현의 집 거실

형준을 따라 집 안으로 들어오는 고영범과 박재근.

형준 내가 영정 사진을… 찍어야 되나….

영범 미리 준비해 두시는 게 좋죠. 나이도 있으시고 하니까요. 저희는 집에서 편하게 찍어 드려요. (카메라 도구 꺼내고)

재근 준비할 동안, 이거 한 잔 드세요. (식혜 병과 떡을 꺼낸다)

박재근이 식혜를 따라서 형준에게 주고, 떡도 펼쳐 놓는다.

박재근을 보는 형준의 날카로운 얼굴.

영범 (거들며) 혼자 계시는 분들은 잘 못 챙겨 드셔서 저희가 준비했어요.

형준 식혜 좋아하는데, 잘됐네. (웃지만 날카로운)

#이수의 집 거실

영상 보며 헤드폰으로 듣는 강현.

강현 지금 바로 처리할 생각이야!! (일어서고!)

#강현의 집 거실

형준이 식혜를 마시면, 이내 주변을 돌아보는 고영범과 박재근, 향로를 발견하고 서로 본다. 의자 놓고 카메라 세팅하고 돌아서면.

형준이 의식을 잃고 소파에 쓰러져 있다. 앞에는 빈 식혜 컵.

장갑 끼며 씩 웃는 고영범과 박재근. 고영범이 주사기를 꺼내고, 박재근은 향로를 챙긴다.

#강현의 집 마당

살짝 열려 있던 대문으로 들어오는 1팀.

각기 흩어져서, 현관문으로 강현, 그 뒤로 이수 다가서는데,

강현이 물러나 있으라고 손짓한다. 멈추는 이수.

준영과 경진은 거실 유리창(커튼이 내려진) 쪽으로 소리 없이 다가간다.

#강현의 집 거실

고영범이 형준의 가슴에 있는 점에 주사기를 꽂으려 하는데,

형준이 눈을 번쩍 뜨면서 고영범의 손목을 꽉 잡는다!! 놀라는 고영범!

박재근도 놀라 멈칫하는데, 현관문과 거실 창이 동시에 열리면서

1팀이 일제히 나타난다. 총을 겨누고 있다.

강현 움직이지 마!! (들어오면서) 주사기 던져!

고영범, 천천히 손을 들고 주사기를 던지고

1팀들 범인들에게 다가오고… 형준도 일어서는데…

박재근이 갑자기 주머니에서 칼을 꺼내 형준을 붙잡고 목에 칼을 댄다.

목이 베이면서 피가 살짝 나고.

멈칫 굳는 형준. 놀라 보는 강현!!

긴장한 채 박재근을 보는 고영범과 강현, 준영, 경진.

재근 총 버려!!

형준, 강현을 보고. 강현도 형준을 본다.
1팀 모두 총을 들어 멀리 던진다. 긴장한 채 서로 틈을 보는 1팀과 강도들.
고영범, 천천히 강현의 총을 집어 들려고 고개를 숙이는데,
부엌 쪽문 쪽에서 나타난 이수.

이수 어이!

고영범, 멈칫 돌아보는데, 이수가 발차기로 고영범을 날려 버린다!
순간, 놀란 박재근을 엎어치기 해 버리는 형준!
그 바람에 테이블이 엎어지면서, 그 뒤에 숨어 있던 붓과 물통이 쓰러진다.
물통에서는 형준이 버린 식혜가 흘러나온다. (먹는 척하며 버린 것)
쓰러진 박재근의 팔을 뒤로 꺾고 허리춤에 없는 수갑을 찾는 형준. (버릇이다)
강현이 다가가 수갑을 내민다.
잠시 수갑을 보는 형준. 이내 강현에게 수갑을 채우라고 물러선다.
박재근에게 수갑을 채우고 형준을 보는 강현.
순간, 도망치려는 고영범! 이수는 놈의 뒷덜미를 잡아 팔을 꺾더니 슬로우로
'철컥' 경쾌한 소리와 함께 수갑 채운다. '이 맛이구먼.' 싶은 이수 얼굴.
1팀, 범인들 데리고 빠져나가고 강현은 형준의 상처를 지혈해 준다.

강현 (살피며) 아빠, 괜찮아?
형준 (미소로 끄덕인다) 이까짓 것 뭐, 끄떡없어.
강현 경찰 미련 없다더니, 아직 살아 있네?

형준 (피식) 살아 있기는. 허리가 다 아프다.

강현 치.

눈을 맞추는 부녀에서.

41. 강하경찰서 전경, 밤

범인들을 끌고 증거물 들고 승합차에서 내리는 1팀.
멋진 음악이 흐르고, 네 사람 의기양양하다.

42. 강력팀 사무실, 밤

2팀들, 자리에 각기 앉거나 서서 뭔가 얘기하는 중인데,
1팀이 범인들을 끌고 들어온다.
온갖 폼 잡고 엄청 빼기면서 일부러 2팀 앞을 지나가는 1팀원들.
그걸 본 2팀들, '망했다.' 일그러지는 얼굴들.
강현은 안 팀장을 보고, 안 팀장은 강현을 본다. 화나고 좌절한 얼굴로.
'흥', 지나가는 강현과 이수.

INSERT. *유치장.*
유치장에 갇히는 고영범과 박재근. 하늘이 무너진 표정.

사무실, 경진은 장비 정리하고 준영은 구속영장신청서 쓰고…
강현은 수사 발표문 준비하고 일어선다.

43. 형사과장실, 밤

과장 앞에 강현과 안 팀장 서 있다. 형사과장은 발표문 검토하고 있고.

형사과장 (강현에게 서류철 돌려주며) 이렇게 발표 해.

강현 네. (받아 드는데)

형사과장 (안 팀장에게) 너는… 피해자 유족한테 고소장 들어왔어. 징계위원회 열릴 거야. 준비해.

안 팀장 (충격 받는다)

강현 (안 팀장을 보는데)

44. 강하경찰서 복도, 밤

앞서 걸어가는 안 팀장, 어떻게 해야 할지 모르는 굳은 얼굴.
뒤에서 따라오며 그 모습을 잠시 보는 강현…
이내, 뛰어가 안 팀장을 잡는다.

강현 선배!

안 팀장 (버럭) 왜? 뭐!!

강현 (가만히 보다가 발표문을 넘긴다) 선배가 발표해요.

안 팀장 (놀라고) 뭐?

강현 같이 잡은 걸로 하자고요.

안 팀장 (당황스럽다)

강현 뇌물이에요. 나중에, 내가 부탁하면 뭐든 하나 들어 줘야 돼요.

안 팀장 (멍하니 받아 들면)

걸어가는 강현. 여전히 이해가 안 되는 얼굴의 안 팀장.

45. 강력팀 사무실, 밤

이수, 흐뭇한 얼굴로 수갑을 채우던 그 순간을 생각하고 있다.

INSERT. *점차 크게 확대되는 범인의 손목.*
'철컥' 에코 울리며 채워지는 수갑.

'크~' 좋아하는 이수. 서랍 손잡이, 박카스 병, 안마기 손잡이, 아무 데나 수갑을 철컥철컥 채우고… 풀고… 논다. 멀리서 한심하게 보고 있는 준영.
자기 손목에 착 채워 보는 이수. '아야… 아프네.' 하면서 수갑 푸는데.
그때, 문자가 온다. 영환이다. <큰일 났어! 빨리 와 줘!!>
이수, 무슨 일인가 일어나는데….

46. 호텔 전경, 밤

와서 서는 이수의 차, 이수 급히 내리는데.

47. 호텔 루프탑 BAR, 밤

이수가 야경이 화려한 루프탑의 BAR로 들어가면 맞이하는 영환.

이수 무슨 일인데?
영환 (끌고 가며) 큰일 났다고. 이리 와 봐.

이수, 테이블로 따라가는데, 술자리가 마련되어 있고.
편안한 차림의 여배우, 한유라가 있다.

영환　(웃으며) 유라 씨, 우리 작품에 출연하기로 했어.

이수　(얼떨떨) 아… 안녕하세요?

유라　안녕하세요?

이수와 영환, 테이블에 앉고.

이수, 이게 무슨 짓이냐는 얼굴로 영환을 보고. 영환은 왜 그러냐는 얼굴이고.

이수　무슨 일 난 줄 알았잖아….

영환　큰일 났지. 유라 씨 만나는 건데… 얘가 유라 씨 팬이라 얼었네요. (어색하게 웃는데)

유라　(뭔가 상황이 이상하고) 저 잠시만…. (자리를 뜨고)

영환　(이수 툭 치며) 야, 왜 그래? 팬이라며? 일부러 자리 만들었더니….

이수　(기억도 안 난다) 내가 그랬나?

영환　일단 술부터 한 잔 해. 얘가 이상해졌어.

이수　(술도 안 먹고, 딴 생각)

48. 삼겹살집, 밤

회식을 위해 모인 강현, 준영, 경진. (4인석) 멀리 TV.

불판에 고기 올라가고, 각자 잔을 들고 건배하고.

강현　수고했다, 1팀 파이팅!!

준영　안 팀장 얼굴 봤냐?

경진　아주… 썩었던데요? (건배하고 마시는)

강현　(두 사람 보며 빙글 웃는데)

TV에서 수사 발표를 하는 안 팀장이 나온다.

준영 (놀라고) 어? 뭐야?

강현 (웃으면)

준영 에휴… 한 번 제대로 꺾어 주지.

강현 선배 밟아서 뭐 하냐. 보험 하나 들어 놓은 거야.

준영 으이그…. (잔 들고)

강현 으이그…. (건배하고 마시고)

같이 웃는 1팀. 경진, 고기 굽고, 준영, 술 따르는데…
문득 빈자리 하나를 보는 강현.

49. 호텔 루프탑 BAR, 밤

한유라와 영환이 무슨 얘기를 나누며 건배를 하는데, 재미없는 이수.
영환이 이수 눈치를 보는데, 이수에게 문자가 온다.
강현, <회식 중인데 안 오고 뭐 해?>
갑자기 활짝 얼굴 피는 이수. 벌떡 일어나고.

이수 나 간다!

영환 (황당) 뭐?

이수 유라 씨 반가웠어요. 촬영 잘하세요!! 파이팅!!

나가는 이수.

50. 삼겹살집 앞, 밤

신이 나서 웃으며 뛰어 들어가려다가,
'아차', 자연스럽게 기쁘지 않은 척, 태도 바꾸고 들어가는 이수.

51. 삼겹살집, 밤

이수, 걸어 들어가면, 들어오라고 손짓하는 강현.
준영이 돌아보고, 마음에 안 들고.

강현 어디 갔다 왔어?

이수 급하게 처리할 일이 좀 있어서.

강현 (소주잔 놓고) 앉아.

이수 아니, 회식을 이런 데서 하냐… 엄청난 범인을 잡아 놓고… (앉고) 나한테 얘기했으면 좋은 데로 잡았지….

준영 (흘기고)

강현 (피식) 돈 자랑 그만하고 잔이나 받아.

경진 (활짝, 소주 따라 주며, 취했고) 환영합니다~~

강현 (잔 들고) 건배 한 번 하자, 1팀 파이팅!! (건배하는데)

준영 (혼자 잔 안 들고)

강현 (준영을 보면)

준영 (마지못해 잔 들며) 1팀과 깍두기 하나.

이수 깍두기? 나 아니었으면… (하다가) 됐고, 이거 마시면 말 놓는 거다.

준영 싫습니다. (잔 치우고)

이수 아우, 똥고집~ 알았어요…. (잔 들면)

강현 (둘 보며 웃고) 건배!!!

다 같이 건배를 하는 1팀.

CUT TO
취한 1팀들 고기 먹고, 술 마시고, 흥겨운 분위기.
경진이 소주잔 겹쳐서 폭포주 마시면, '와' 하며 따라하는 이수,
그러다 비싼 셔츠에 다 흘리고, 그래도 즐겁다.
즐겁게 노는 1팀의 모습에서.

52. 강현의 집 거실, 밤

형준, 치워 두었던 강현의 제복 사진을 다시 제자리에 세운다.
그리고 거울로 밴드를 붙인 상처를 잠시 본다.
조용히… 흐뭇하게 미소가 번진다….

53. 이수의 집 앞, 밤

이수의 차에서 내리는 대리 기사와 이수, 강현.

이수 (대리 기사에게) 수고하셨어요. (돈 주고)
강현 (대리 기사 가면) 들어가.
이수 어. 너도. (돌아서는데)
강현 (이수 보고) 진이수… 수고했어.
이수 뭐라고? 잘 못 들었는데?

강현, 웃으며 집으로 들어가고.
이수, 기분 좋게 대문 열고 들어간다.

54. 이수의 집, 밤

'인정받았다.' 기분 좋은 이수 현관문을 열고 들어가는데,
거실에 명철이 앉아 있다.
순식간에 가라앉는 이수, 굳은 얼굴로 명철을 본다.

이수 바쁘신 분이 여기까지 왜 오셨어요?

명철 (하고 싶은 말이 많았지만 적당한 말을 못 찾겠다. 무엇보다 지금은 이수가 이 집에 있는 게 마음에 안 든다) … 왜 여기로 온 거냐…?

이수 ('할 말이 그거뿐이야?') 아버지 열 받게 하려고요. 성공한 모양이네.

명철 (열 받는데 누르고) 이사 나와. 집은 구해 줄 테니까.

이수 (기도 안 차고) 왜, 내가 여기 있으니까 불편하세요? 당신이 버린 여자가 생각나서?

명철 !!

이수 당신을 사랑하고 버림받고 혼자 아들 키우다가 죽은 엄마가 생각나요?

명철 (차갑게) 닥치지 못해?!

이수 난 여기 살 거예요. 당신과 상관없이 이 집은 내 거거든.

명철 (기가 차고) 네 거라고? 네가 경찰로서 한수 그룹을 이용하는 건, 그건 다른 거야?

이수 (굳어 보는데)

명철 무슨 짓을 해도 넌 내 아들이고 그건 변할 수가 없는 거야!

이수 알고 있어요. 한순간도 잊을 수 없었어. 다들 뒤에서 한수 그룹 혼외 자식이라고 수군거렸으니까.

명철 (이수를 보는데)

이수 그래서 조용히 경찰 생활하고 있잖아요. 아버지 선거에 도움되라고.
나는 앞으로도 한수의 모든 자산을 이용해서 범인을 잡을 거예요.
나를 이용하는 대가라고 생각하세요.

명철 (굳어 본다)

INSERT. 도로, 명철의 차 안.

명철, 차 안에서 깊은 생각에 잠겨 있다.

CUT TO

이수, 침대에 심란하게 앉아 있다.

옆에 세워진 엄마의 사진을 잠시 보는 이수에서… 암전.

55. 골목, 아침

아침이 밝아 온다.

56. 강현의 집, 아침

#대문

대문 열고 미숙이 들어온다. 웬 큰 부직포 가방을 들고 있다.

#거실

미숙 (들어오며) 여보 좀 나와 봐~~ 나 왔어~~

형준 (밝은 미소로) 왔어? 뭘 이렇게 많이 사 왔어?

미숙 (가방에서 각종 특산품 꺼낸다) 이거? 오징어… 돌미역, 명이나물, 호박엿! 이거 자기 좋아하잖아? (호박엿 봉지 열면)

형준 어, 호박엿 오랜만이네… (입에 넣고) 맛있다…. (활짝 웃고 물건들 챙겨서 가면)

강현 (부은 얼굴, 헝클어진 머리로 내려와서) 엄마 왔어? (바로 오징어 다리 하나 뜯어 먹고) 재밌었어?

미숙 재밌었지. 울릉도 너무 좋드라~~ (미소 짓고)

강현 잘했네….

미숙 (부엌에서 정리하는 형준 보다가) 근데, 네 아버지 무슨 좋은 일 있었니?

강현 응?

미숙 얼굴이 폈어.

강현 (미소로 형준 보며) 글쎄? 아무 일도 없었는데? (하면)

형준을 보는 미숙에서.

57. 문화재청 전경, 낮

58. 문화재청 세미나실, 낮

기자들 몇 모여 있고, 이수가 국새를 기증한다.

청장, 국새를 받고 둘이 같이 포즈 잡고 사진 찍고.

59. 한수 그룹 회장실, 낮

명철, 승주, 비서진, 스케줄 조정 중이다.

승주 젊은 층 공략을 위해서 대학교 특강이나 타운홀 미팅을 하는 것도 좋을 것 같아요.

명철 (끄덕이고) 그래, 네가 준비해 봐.

승주 네.

묵음으로 틀어져 있던 뉴스 채널에서 이수가 나온다. 소리를 켜는 비서.

보는 명철, 승주.

INSERT. *TV에 나오는 이수의 기증 장면.*

기자 *한수 그룹의 차남인 진이수 경감이 연쇄 강도 살인 사건을 해결하고 사라졌던 국새를 찾아 기증했습니다. 이런 걸 노블레스 오블리주라고 하죠. 철없는 재벌 3세로 보였던 진이수 경감의 행보가 연일 화제입니다.*

승주 (미소를 지으며 명철을 보는)

경찰 되고 이수가 좀 달라진 거 같아요.

명철 (굳었던 입매가 약간의 미소로 변한다)

승주 (명철의 미소를 보며 약간 가라앉는 느낌이다)

60. 어느 골목, 낮

작은 빌딩들이 늘어선 오피스 골목.

간판에는 IT 회사들의 이름이 늘어서 있다.

61. 사무실, 낮

부동산 중개인(여, 중년), 잠긴 사무실 도어 록을 열고 들어가면, 뒤에 선 남자 둘(새 사무실을 찾고 있는 손님들) 따라간다.

중개인 (사무실 소개하면서 여기저기 보여 주고)

여기가 주변보다 싸게 나왔어요. 공간이 넓고 채광도 좋고.

진짜 좋은 거는 창고가 딸려 있다는 거예요.

(안쪽에 슬라이드 문을 열면, 안으로 오래된 박스들 보이고)

두고 간 물건들이 좀 있네, 이건 주인이 치워 주실 거예요.

(들어가다가 돌아보며) 들어와 보세요. 꽤 넓죠?

손님들 (따라 들어가다가 바닥을 보고 얼어붙는다)

중개인, 왜 저러나 뒤를 돌아보다가 흠칫 뒤로 물러선다.
곳곳에 쌓인 사무실 물품들과 컴퓨터 용품 박스들 뒤로
깡마르고 팬티만 입은 남자가 죽어 있다.
경악한 듯 벌어진 입, 공포에 질린 듯한 눈….

62. 건물 앞 골목, 낮

강력팀 승합차 와서 서고. 강현, 준영, 경진, 내린다.
뒤이어 이수의 스포츠카 서고, 이수 내리면.
자연스럽게 한 팀의 호흡으로 건물로 들어가는 네 사람.

63. 사무실, 낮

창고 앞에서 경진이 가방을 열면,
네 사람 각기 장갑과 비닐 신발 착용하고, 머리에 비닐 쓰고.
서로 시선 주고받으며 현장으로 들어가는 1팀의 모습에서.

6화 엔딩.

ep.07

이런 시신은 처음이야

1. 사무실 창고 안, 낮

직부감으로 보이는 시신의 모습.
팬티만 입고 웅크린 몸은 깡말랐고, 살짝 눈을 뜨고 비명을 지르듯 입을 벌리고 죽어 있는 30대 중반 남자. 손은 핸드폰을 꽉 쥐고 있는.
기괴한 모습에 시신을 내려다보고 있는 1팀의 얼굴들.
이수는 눈을 살짝 가리고 천천히 보고 있고, 그 모습을 보는 강현.
1팀은 주변을 둘러보기 시작하고.
그 뒤로 KCSI팀 도착해 지나가며 사진 찍고 조사를 시작한다.
슬쩍 이수 옆으로 가는 강현.

강현 (긴장해 옆으로 시신을 보는 이수에게) 왜 이렇게 긴장해?

이수 응? 내가?

강현 (생각하다가) 부검실에서 기절한 거 진짜였어?

이수 (여유로운 척) 하, 장난이었지.

강현 지금 똑바로 못 보는데?

이수 왜 못 봐. 전체적인 걸 보고… (시신 옆에 누울 듯 얼굴 딱 대고)

이렇게 제대로 볼려는 거지.

잠시 보다가 가는 강현. 주변을 확인한다.
바닥에는 생수병 한 박스가 있고, (500ml 20개, 몇 병 비어 있는)
한쪽에는 벗어 던진 옷가지들이 놓여 있다.
옷가지 살피는 경진.
보면, 준영이 창고 문을 살펴보고 있다. 곁으로 가는 강현.

준영 (강현에게) 잠금장치는 없어.
강현 (살펴보고 다시 시신을 보는데…)

시체의 얼굴을 가만히 보는 이수, 무섭고 끔찍한 기분…
그러다 문득 누군지 알아보고 표정 변한다. '진짜 맞나?' 다시 보면서 무서움이 사라지고 호기심만 남은 이수의 얼굴에서.

강현 (돌아서며) 일단 신원 확인부터 하고.
이수 (벌떡 일어나며 잘난 척) 아니, 누군지 몰라? 나처럼 자세히 봐 봐.
아는 만큼 보인다~
강현, 준영 ('또 왜 저러냐.' 눈빛)
이수 (삐기면서) 경제지… 같은 거 안 보지? 뉴스도 안 보는데….
강현 아, 누군데?
이수 (핸드폰으로 찾은 경제지 표지 보여 주며) 3월 비즈니스 매거진의 표지 모델,
SW 소프트 대표 최선우!
강현 (이수 핸드폰을 보고 확인한다. 같은 사람 같다)
경진 (옷에서 지갑 꺼내 신분증 확인) 맞아요. 최선우. (신분증 갖고 다가오고)
강현 (신분증 확인하는데)

이수 아, 나 왜 이렇게 머리가 좋을까, 비행기에서 잠깐 읽은 건데 딱 생각이 나네.

경진 ('오오~' 하는데)

준영 (꼴 보기 싫고)

강현 입만 다물면 더 똑똑해 보일 텐데….

이수 그건 또 내가 추구하는 방향이 아니지.

강현 (지겹고, 경진에게 신분증 주며) 최선우에 대해서 알아봐. (나가는)

2. 사무실 앞, 낮

부동산 중개인과 이야기하는 강현과 이수.

중개인 (여전히 심장 누르고) 아… 이게 무슨 일이에요?

강현 시신… 얼굴 보셨어요…? 안면이 있는 사람인가요?

중개인 아뇨, 첨 보는 사람이에요.

이수 경제지를 좀 보시지….

강현 ('조용히 해라.' 이수 보고) 사무실은 언제부터 비었어요?

중개인 한… 두 달 됐나? 지난주에도 왔었는데 그때는 아무도 없었어요.

강현 (끄덕이고) 알겠습니다. 감사합니다.

중개인 가고, 강현 돌아서는데.

이수 왜… 빈 사무실에서 죽었을까…?

강현 (생각하는데)

경진 (다가와 태블릿 보여 주면서) 여기가 최선우 씨 사무실이었거든요.

INSERT. *태블릿.*

최신우 인터뷰 기사 중 현장 건물 사진, 건물 앞에 선 최선우.

경진 사업을 시작한 게 여기였대요.

이수 맞아, 직원 세 명으로 시작했지, 그게 여기였구나… (진지해지며)
자수성가해서 유니콘 기업을 키워 낸 IT 업계의 전설이 이렇게 죽다니….

강현 인생이 허망해?

이수 아니, 흥미진진해. (눈 부릅) 아주 어려운 사건이 될 거 같아….

강현 그딴 소리 하지 마. 재수 없어.

이수 (흠칫) 내가? 아님… 수사가?

강현 둘 다! (경진에게) 여기 CCTV 확보하고 최선우 차량 수배해.

3. 최선우의 집 앞, 낮

고급 빌라 앞에 선 강현과 이수.

강현 (초인종 누르며) 경찰입니다!

대문 열리면, 들어가는 이수와 강현.

4. 최선우의 집, 낮

#현관

현관문 열리고 왜소한 체격의 여자가 나타난다. (최선우의 처)

#복도

고급스러운 분위기의 내부.

최선우의 처를 따라 들어가는 이수와 강현.

이수 오, 집 좋네. 내가 여기 살까 했었는데….

하면서 거실로 들어서는데, 모든 가전 집기에 빨간 딱지 붙어 있다.
'헐-' 입을 딱 다무는 이수. 주변을 보는 강현.

#거실
소파에 앉은 세 사람. 소파에도 빨간 딱지 붙어 있다.

선우 처 (피곤한 얼굴, 불안) 무슨 일이에요?
이수 삼가 조… (의를… 하는데)
강현 (막고) 지금 남편 분이 어디 계신지… 아세요?
선우 처 며칠 전에 나가서 안 들어왔어요.
강현 무슨 일로 나가셨어요?
선우 처 전 몰라요… (둘러보며) 보다시피 회사 상황이 안 좋아져서…
뭔가 해결하러 나갔나보다 했어요. (불안해진다) 왜 그러시는데요?
강현 (차분) 최선우 씨가 시신으로 발견됐습니다.
선우 처 (놀라 얼굴을 가리며 오열한다. 이런 일이 생길 수도 있다는 걸 안다)

이수와 강현은 최선우의 처가 진정될 때까지 잠시 기다린다.
이수는 티슈를 가져다 앞에 놓아준다.

강현 최근에 최선우 씨에게 무슨 일이 있었나요?
선우 처 갑자기 모든 게 엉망이 됐어요. 회사도 안 좋아지고…
그 사람은 밤에 잠도 못 자고… 정신과까지 갔었어요…

하지만 해결할 방법이 있다고 했었는데… (울컥) 살해…된 건가요…?

강현 (차분히) 수사 중이긴 한데… 아직까지 타살의 정황은 없습니다.

선우 처 그럴…리가… 저한테 전화했었어요. 누군가 자길 죽이려고 한다면서… 저도 죽일지 모른다고… 도망치라고…!

최선우의 처를 보는 이수와 강현의 얼굴에서.

5. 최선우의 집 앞, 밤

집에서 나오는 이수와 강현, 강현에게 전화 온다.

강현 (받으면)

6. 2차선 도로, 밤

최선우의 차 앞에 선 준영. 통화 중이다.
옆에는 자동차 서비스 센터 차량.

준영 최선우 차량 찾았어. 도로에 버려 놓고 갔어.
(내부를 보면서) 차 키도 안에 놓고. (보면, 내부에 놓인 차 키)

서비스센터 직원이 준영을 보면, 문 열라고 끄덕이는 준영.
이내, 차 문을 열기 시작하는 직원.

7. 최선우의 집 앞, 밤

강현 블랙박스 확인하자. 나는 부검실로 가 볼게.

8. 국립과학수사연구원, 밤

9. 국과수 부검실, 밤

부검실로 들어서는 이수와 강현.
부검대 위에 최선우의 시신이 있고, 막 부검이 끝났는지 윤 박사는 장갑을 벗고 정리 중이다. 서로 눈인사.

강현 부검 끝난 거죠?
윤 박사 (끄덕이고) 응, 외상 흔적 없고, 주사 자국 없고, 약물도 없어.
이수, 강현 ?
윤 박사 내가 부검 8년 차거든? 이런 시신은 처음이야.

최선우의 시신을 내려다보는 이수와 강현.

윤 박사 사인이… 탈수야.
강현 탈수요?
이수 물을 안 먹었다는 거예요?
윤 박사 (끄덕이고) 위장이 깨끗해요. 최소 4일 동안은 아무것도 안 먹었어.
사망한 지는 하루 지났고.
이수 (충격이다) 어떻게 사람이… 그렇게 죽어요…?
윤 박사 그건 두 분이 알아내셔야겠죠?

기가 막힌 이수와 강현 얼굴에서.

10. 이수네 골목, 밤

밤의 골목을 걸어 올라가는 이수와 강현.
둘 다 골똘히 생각에 잠긴….

이수 아무리 생각해도 이해가 안 된다. 거기 생수 한 박스 있었잖아.

강현 응.

이수 문은 열려 있었고.

강현 핸드폰은 손에 쥐고 있었지….

이수 어떻게 된 걸까? 이런 거 본 적 있어?

강현 아니, 이상한 시신들 많이 봤지만 이런 건 처음이야.

하는데, 누군가 위쪽에서 두 사람을 보는 시선.
강현은 시선을 느끼고 돌아보다가 미숙과 눈이 딱 마주친다.
'니네 뭐 하는 거야~' 싶은 미숙의 반달 미소.

이수 이 미스터리를 꼭 풀고 싶다….

강현 어, 그래야지. 집에 가서 생각해 봐. (이수 밀며) 들어가.

이수 어?

강현 들어가라고.

어리바리 밀려 집으로 들어가는 이수.
강현이 돌아보면, 미숙이 웃으며 다가오고 있다. 벌써 피곤하다.

미숙 신경 쓸 필요 없다더니… 언제 오붓하게 같이 걸어오는 사이가 됐대?
내가 준 김치 때문인가~~?

강현 그런 거 아니야.

미숙 아니긴 뭐가 아니야~

강현 (오지랖 지겹고, 한숨) 우리 팀원이야.

미숙 어? 강력팀 형사야? 그것도 너네 팀? 어머 어머. 그것도 괜찮다.

강현 괜찮긴 뭐가 괜찮아, 상상하지 마. (대문 열고 들어가면)

미숙 (따라 들어가면서) 다음에 밥 한번 먹으러 오라 그래.

강현 아후~ 됐어!

11. 이수의 집 앞, 아침

아침이 밝아 온다…

이수, 나오는데. 젖은 머리의 강현, 자신의 차에 오르고 있다.

이수 (자기 차 열면서) 같이 가지?

강현 (시선 피하며 조용히) 아냐, 따로 가자. (급히 출발하는)

이수, 왜 저러나 보다가 뒤를 돌아보는데,

강현의 집 거실 커튼 사이에서 이수를 보고 있는 미숙. 은은한 미소.

어리둥절 인사하는 이수, 손을 흔들며 웃는 미숙. 뭔가 귀여운 호러.

이수, '저 웃음은 뭘까….' 차를 타고 떠난다.

12. 강력팀 사무실, 낮

강현, 부검 보고서 보고 있는데 슬쩍 다가가는 이수.

이수 아침에 나오는데… 어머님이 나를 보고 웃고 있더라?

강현 (시침 뚝) 그럴 리가 있냐, 잘못 봤겠지.

이수 (갸우뚱) 살짝 오싹했는데….

강현 나보고 웃은 거야.

하는데, 들어오는 준영. 얘기하는 둘을 잠시 보고.

강현 블랙박스 땄어?

준영 어.

준영, 컴퓨터에 연결해 영상 틀면서 이수를 슬쩍 밀어낸다. 화면 잘 안 보이게. 이수, 바로 다른 위치로 옮겨 화면을 보고.

INSERT. *모니터 화면.*
6일 전, 최선우, 겁에 질린 얼굴로 주변을 돌아보다가 차를 버리고 떠난다.
(차 키까지 안에 넣고 그냥 문 닫고 떠나는)
앞으로 돌리면, 그냥 운전을 하는 최선우의 모습들. (회사 앞, 도로, 집 앞)

그러다 9일 전 화면. (밤, 한강변, 혹은 CCTV가 없는 어떤 곳)
차 뒤쪽 블랙박스, 뒤에 서는 낡은 차량.
거기서 남자가 하나 내린다.
최선우와 남자(조성구)가 무슨 얘기를 주고받다가 최선우가 남자 멱살을 잡는다. 그러고 다시 놓으면서 뭔가 말하는 최선우.
뭔가 설득하는 듯 하고, 남자는 어쩔 수 없다는 얼굴로 돌아선다.
남자의 얼굴에서 멈추는 화면.

프린터에서 나온 남자의 사진을 꺼내 들어보는 강현.

강현 이 남자부터 찾아야겠다.

이수와 준영이 강현을 보는데,
경진이 서류 들고 들어온다.

경진 피해자가 죽기 전에 통화한 사람 찾았어요.

강현이 서류 받아 보면.

INSERT. *서류.*
사진 없이, 연락처와 신상 정보.

경진 서유경이라고, 유명한 정신과 의사래요.

강현이 서유경 파일 내려놓으면, 혼자 들고 진지한 척 보는 이수.
준영이 '탁' 뺏어서 보고.

준영 (강현을 보고) 만나 봐야겠네?

강현의 시선에 '나랑 가야지.' 싶은 얼굴의 이수와 준영.

강현 그럼, 진이수는 나랑 병원으로 가고,
준영이는 회사로 가서 이 남자 확인해 봐.

준영 (약간 실망) 어.

이수 (웃으며 먼저 나서고) 내 차로 가자.

준영 (이수 보다가 강현에게) 왜 자꾸 저 자식이랑 붙어 다녀?

강현 전담 마크 중이잖아. 네가 맡을래?

준영 (그건 싫은데)

경진 E 우와~!

경진의 소리에 강현과 준영이 보면.
이수가 새로 산 수갑을 자랑하고 있다.
수갑은 금색이고 다이아몬드까지 붙어 있다.

이수 특수 제작. 세상에 하나밖에 없는 거야.

경진 한 번 채워 주세요~

이수 너를 체포하겠다! ('철컥' 채우면)

경진 (오버하며) 아, 형사님 살려 주세요~~

강현 (이수와 경진을 한심하게 보다가 준영에게) 걔한테 맡기겠니?… 나밖에 없지….

이수와 경진에게 다가가는 강현. 이제 둘은 셀카 찍고 있고.

강현 진이수, 가자!

이수 어. 알았어!

수갑 풀고 수갑 벨트에 멋있게 차고 강현을 따라가는 이수.
나가는 강현과 이수를 보는 준영에서.

13. YK 병원 전경, 낮

시외. 낮은 병원 건물(YK만 적힌)이 있고 뒤로 조경이 잘 된 마당을 중심으로 작은 독채(입원동)가 여럿 보인다. 마치 고급 펜션 같은 느낌의 구조다.

그 앞에 서는 이수의 차, 내리는 이수와 강현.

14. YK 병원 대기실, 낮

병원 안으로 들어오는 이수와 강현.
로비에서부터 대기실까지 마치 호텔처럼 꾸며져 있고, 편안하고 고급스런 분위기다. 대기실에는 아무도 없다.
(예약 시간에 철저히 신원을 보장할 수 있는 구조)

이수 (들어오며) 병원이 무슨 호텔 같네….

접수대에는 호텔 매니저 같은 복장의 코디네이터 둘, 이수와 강현을 보고.

코디네이터1 (미소) 예약하셨나요?
강현 (다가가며 신분증) 아뇨, 경찰입니다.

살짝 긴장하는 코디네이터 1, 코디네이터 2를 보면,
코디네이터 2가 원장실에 전화하고.

이수 사람이 이렇게 없어서 운영이 되나… 여기 진료비가 얼마나 해요?
코디네이터1 (미소) 금액에 대해 묻지 않으시는 분들이 오십니다.
이수 나도 돈은 많은데. 궁금해서요.

코디네이터 1, 대답 안 하고, 강현은 이수를 보는데,
코디네이터 2, 코디네이터 1에게 뭐라 하고.

코디네이터1 들어오시랍니다. 따라오시죠. (앞장서고)

강현 (따라가며 조용히) 쓸데없는 소리 좀 하지 마.

이수 안 궁금해? 호기심이 없냐, 형사가.

15. YK 병원 진료실, 낮

아늑한 분위기의 진료실, 부드러운 소파와 일인용 안락의자 놓여 있고,
의사 가운의 서유경이 부드러운 미소로 두 사람을 맞는다.
(지적이고 우아한 느낌의 50대 여성)

서박사 (소파로 안내하며) 들어오세요.

들어가며 주위를 둘러보는 이수.
책장에는 올해의 의사 상패 (크리스털, 안에 뭔가 들어갈 수 있는 서랍이 있다)
책상에는 워터 볼 오르골 (돌아갈 때마다 빛이 나오고 가려지는 등대 모형이 들어 있다)
오르골을 보고 멈칫하는 이수.
이수의 침대 곁에 있던 오르골과 같다.
오르골을 보는 이수를 지그시 보는 서 박사. 마치 반응을 관찰하듯…
그런 서 박사를 보며 소파에 앉는 강현. 이수도 앉으면.

서박사 (마주 앉으며) 무슨 일이시죠?

강현 최선우 씨 아시죠?

서박사 (여유 있게, 천천히 대답한다) … 네. 제가 상담하고 있는 분입니다.

강현 최선우 씨는 어떤 병이 있었나요?

서박사 (미소) 그 부분은… 말씀드릴 수 없다는 걸 잘 아실 텐데요?
이곳에 오시는 분들이 가장 중요하게 생각하시는 게 보안입니다.

강현 알죠, 근데 최선우 씨가 사망하셨습니다.

서박사 (살짝 놀라는) 그래도 역시. 안 됩니다. 영장을 받아 오시죠.

이수, 강현 (서 박사를 보는데)

서박사 어떻게… 죽은 건가요?

강현 (서 박사를 보는데)

이수 기묘한 자살이라고 할 수 있겠네요.

서박사 (의아한 얼굴로 보는데)

이수 사무실 창고에서 아무것도 먹지 않다가 탈수로 사망했거든요.

서박사 (놀라는) !

이수 그런 죽음이 가능하다고 생각하세요?

서박사 (이수를 보는) …

강현 최선우 씨 부인 말로는 불안증, 공황장애가 있었다고 하던데…
그것 때문에 이런 죽음을 택한 걸까요?

서박사 (한숨) … 글쎄요… 극도의 공포감에 빠졌을 때… 밖으로 나가지 못 하는 경우는 있어요.

이수 하지만 물을 안 먹는 게 가능할까요? 바로 옆에 생수병이 있는데도?

서박사 (묘한 표정으로 이수를 보다가 표정 바꾸며) 거기까진 모르겠네요.
음식에 대한 공포가 생긴다면 섭식장애가 올 수 있지만…
최선우 씨는 그런 증상은 없었어요. 그리고…. (망설인다)

이수, 강현 (보는)

서박사 전에 입원을 잠시 했었는데, 그때 증상이 많이 호전됐었어요.

강현 그럼 어떻게 된 걸까요?

서박사 (생각에 잠기다가) 만일 탈수 증상이 시작된 시점에서 발작이 와서 쓰러졌다면 의식 불명에 빠져서 사망할 수는 있겠네요. 전에 입원했던 것도 갑자기 발작을 일으켰기 때문이었거든요.

강현 최선우 씨가 죽기 전 4일 동안, 매일 박사님께 전화를 했던데요.

서박사 (천천히 끄덕이고) 맞아요. 통화했어요.

강현 무슨 얘길 하던가요?

서박사 겁에 질려 있었어요. 누가 자길 죽이려고 한다면서….

서 박사를 보는 이수와 강현.

16. YK 병원 앞, 낮

차로 걸어가는 이수와 강현.

이수 하, 아무래도 이해가 안 되는데….

강현 탈수에 발작, 말은 되는 거 같은데?

이수 아니야. 뭔가 이 미스터리의 핵심을 놓치고 있는 기분이야.

강현 차 문이나 열어.

이수, '삑' 열면 강현 타고, 이수 타는데.

이수 (추리 발동) 일단 첫 번째 용의자는 서 박사야.

강현 누굴 만나기만 하면 용의자래….

이수 정신과 의사, 뭔가 의심스럽잖아.
영화 같은 거 보면 다 정신과 의사가 범인이야.

강현 네 빈약한 추리의 근거가 영화야?

이수 (진지) 영화는 현실의 거울이야~

강현 아, 네네~ 근데, 너 서 박사 알아?

이수 아니? 왜?

강현 왠지… 널 아는 것 같은 느낌이었어.

이수 (씩) 내 팔로워인가? 얘길 하시지. 맞팔해 드리는데.

강현 (한숨) 세상이 널 중심으로 돌지?

이수 오, 눈치 빠르네? (피식)

강현 (시끄럽다) 가자, 출발.

출발하는 이수의 차에서.

17. SW 소프트 전경, 낮

18. SW 소프트 사무실, 낮

칸막이 쳐진 책상들 사이, 회의 테이블에 앉은 준영과 경진.
앞에는 부장급 남자 직원. 블랙박스의 조성구 사진을 보다가 고개를 든다.

부장 조성구라고… 저희 회사 고객관리팀 팀장입니다.

준영 지금 만나볼 수 있을까요?

부장 아… 그게… 월요일부터 출근을 안 하고 있습니다.

준영 (보는데)

부장 사장님이 돌아가셨다는 게 사실입니까?

준영 네….

부장 하…. (한숨 쉬는데)

준영 블랙박스에 두 사람이 뭔가 심각한 얘기를 하는 장면이 찍혀 있었습니다.
대표님하고 조성구 씨가 어떤 특별한 관계가 있었나요?

부장 저희 회사가 상황이 좀 안 좋습니다.

준영 네.

부장 그래서 대표님이 회사 자금으로 코인에 투자를 하셨었나 봐요.

경진 (깊은 탄식) 저도 200 날렸어요….

준영 (경진 잠시 보고) 그런데요.

부장 그걸 어떻게 알았는지 조 팀장이 대표님을 횡령으로 신고하겠다고 협박했던 거 같습니다. 저도 어제 알았어요.

준영 조성구 팀장 집이 어딥니까?

19. 조성구의 집, 낮

#복도

낡은 주상 복합 오피스텔.

401호에서 주소 확인하고 초인종 누르는 준영과 경진.

대답이 없다.

준영 (문을 두드리며) 조성구 씨?!!

여전히 답이 없다.

준영은 복도 쪽 창문(창살이 있는)으로 간다.

살짝 밀어 열어 보는 준영, 안을 보는데 문틈으로 보이는 부엌에 의자 옆으로 누군가 누워 있고, 끔찍한 냄새가 난다.

준영, 경진을 보면, 코 막으며 준영을 보는 경진.

준영, 주머니에서 장갑 꺼내 끼고 현관문을 살짝 돌려본다. (도어 록 아님)

문이 열려 있다. 들어가는 준영.

경진은 토악질이 나서 들어오지 못하고 섰고.

#부엌

준영이 들어가자, 쓰러져 죽어 있는 조성구의 몸에서 파리떼가 일제히 날아

오른다. 옆에는 담배와 라이터. (피가 튄)
흉측한 몰골에 인상을 쓰면서도 조성구의 얼굴을 확인하는 준영.
한쪽에 검은 명품 보스턴백이 놓여 있다.
열어 보면 가득 현금이다.

준영 (경진에게) 감식팀 불러.

CUT TO

#현관

시간 경과. KCSI팀들 준비하고 각자 마스크 쓰고 들어가서 조사 중이고.
정장 차림의 윤 박사가 들어온다.

준영 (인사하며) 시신이… 상태가 좀 안 좋아요.

윤 박사 내 걱정해 주는 거예요? (싱긋) 스윗하네?

윤 박사 들어가 시신 앞에 앉아 살펴보기 시작한다.
파리들 날리는 가운데, KCSI 대원들도 파리 때문에 질색하며 일하는데,
시신 바로 앞에서 파리 따윈 신경도 안 쓰고 번데기를 채취하는 윤 박사.
그 뒷모습을 가만히 보는 준영.
그때, 뒤로 강현과 이수가 나타나고.

강현 어떻게 된 거야? (하는데)

이수 (상상 이상의 냄새에 코 막으며) 으헉!

이수, 뒤로 물러나서 헛구역질을 하고.
경진이 이수 등을 두들겨 준다.

이수 어후, 이거 뭐야?

경진 시체 썩는 냄새요. (페퍼민트 스틱 발라 주며) 저도 못 들어갔어요.

둘을 한심하게 보는 강현과 준영.

이수 (전화하는) 아저씨, 부탁 하나만 할게요.

INSERT. 도로.

고급 양복을 입고, 이수의 오토바이를 타고 달리는 최 이사.

CUT TO

조성구의 오피스텔 앞.

멋지게 오토바이를 세우고 기다리고 있던 이수(옆에 경진)에게 고급 가방을 전해 주는 최 이사. 이수, 받아 들면 바로 출발해서 달려가는 최 이사.

#거실

윤 박사 (설명을 시작한다) 피해자는 의자에 앉아 있었던 것 같아.

(일행을 돌아보다 말을 멈추는)

강현, 준영 돌아보면 화생방 방독면 쓰고 들어서는 이수와 경진.

'헐~' 보는 강현과 준영.

이수 (스마일) 계속하세요.

윤 박사 여기 핏자국을 보면, 빈 곳이 없죠.

(핏자국, 피해자 앞쪽으로 빈 곳 없이 뿌려진)

앉아 있는 피해자를 뒤에서 공격한 거야.

INSERT. *앉아 있는 조성구, 뒤에 서 있는 범인의 그림자.*
한방에 목을 긋는다. 앞으로 튀는 피.

윤 박사 흉기는 날카로운 칼이고 동맥을 한 번에 그었어.
강현 (보는)
윤 박사 처음이 아니란 얘기겠지.
이수 전문가일 수도 있겠네요.
윤 박사 그렇죠.
강현 사망 시각은요?
윤 박사 정확한 시간은 알 수 없지만… (작은 시료 통의 번데기 보여 주고)
이 귀요미가 나왔지.
일동 ('어디가 귀여워?')
윤 박사 구리금파리의 번데기야. 죽은 지 일주일 됐어.

20. 강력팀 사무실, 밤

화이트보드, 최선우와 조성구의 사진.
최선우 현장 사진들과 조성구 현장 사진들.
흉기 발견 ×, 상처 부위 사진들. 사건 순서. (일주일 전 조성구 사망일 기준, 다음 날부터 최선우 사무실에 고립 - 사무실에 들어가는 최선우 사진, 4일 후 최선우 사망)
화이트보드를 보고 있는 이수, 강현, 준영.

강현 일주일 전에 조성구가 죽고, 다음 날부터 최선우는 사무실 창고에 숨어 있다가 4일 뒤에 사망했어.

준영 (강현에게) 그 정신과 의사는 뭐래?

강현 최근에 입원했었고 상태가 호전됐었대.

통화할 때는 겁에 질려 있었다고 해. 누가 자길 죽이려고 한다면서.

의사 말로는 탈수 상태에서 발작을 일으킨 게 아닌가 하더라고.

준영 최선우가 자신을 협박하던 조성구를 죽이고 숨어 있다가 사망한 걸까….

강현 그것도 가능해. 하지만 현장에 있던 20억을… 왜 안 가져갔을까.

이수 여기서 포인트는 왜 물을 안 마셨냐는 거야.

겁에 질렸든 조성구를 죽였든 왜 물을 안 먹었을까?

세 사람 가만히 화이트보드를 본다…

바닥에 놓인 생수병 박스 사진….

강현 조성구 집 주변 CCTV는?

준영 복도에는 없어. 1층부터 3층까지는 상가가 있어서 카메라가 있는데, 유동 인구가 너무 많아. 우린 사망 시각을 특정할 수가 없잖아.

강현 (한숨 쉬는데)

경진이 파일 들고 들어온다.

경진 (파일 내밀고) 현장에 있던 돈 가방에서 지문이 나왔어요.

파일을 보는 강현, 준영이 '엥?' 뜬금없다는 얼굴이고.

뒤에서 보던 이수는 '헉-' 놀라더니 시선 돌린다.

강현 MK 그룹 둘째 딸, 홍은아?

준영 갑자기 홍은아가 여기서 왜 나와?

경진 집이랑 회사랑 연락해 봤는데 어딨는지 모른대요. 본인도 전화를 안 받고.

이수 (조용히) 받으면 더 큰일이야….

경진 (이수를 힐끔 보는, '왜 그런지 나는 알지.')

강현 (이수 잠깐 보고 전화기로 통화하는데, 연결된다)

여보세요? 저는 강하서….

은아 E (소리 질러서 밖으로 다 들림) 너 뭐야? 누군데 자꾸 전화질이야?

인생 마감하고 싶어? 또 전화하면 죽여 버린다!! (끊고)

강현 (황당해 멈춘)

이수 (강현 수화기 내려 주며) 얘가 분노 조절 장애가 있어. 재벌 딸답게.

강현 네가 왜 알아?

경진 작년에 둘이 세기의 커플이었잖아요~ 강남대로 사건 전까지.

준영 강남대로 사건?

경진 (태블릿으로 찾아 보여 준다)

INSERT. *강남대로에서 은아에게 따귀 맞는 이수.*

준영 어우~ 시원하네.

INSERT. *또 때리려는 은아를 들쳐 업고 가는 이수. 발광하는 은아. 달관한 이수 얼굴.*

이수 (한숨) 그게 아직도 돌아다니냐….

경진 어쨌든 형님이 출동하셔야겠습니다.

이수 내가? 안 돼. 싫어. 이번 생에는 걔를 다시 안 보기로 했거든.

준영 (강압적) 홍은아 진술 없으면 사건 막힙니다.

강현 그래… 재주 많고 능력 많은 네가 나서야지~

이수 아후….

21. 호텔 전경, 낮

호텔로 들어가는 이수의 차.

22. 호텔, 낮

#엘리베이터

한숨을 쉬며 엘리베이터에 타는 이수.

문자 온다. <우리 형: 오늘 인터뷰 알지? 집으로 와. 너도 가족이잖아.>

'아이고… 이것도 있었지….' 한숨 쉬며 핸드폰 닫고. 열리는 문.

#화원

외부 테라스. 유리로 된 하우스가 있고, 그 안에 가득 꽃이 담긴 통들이 늘어섰고, 쏟아지는 햇살 속에 요정 같은 미모로 꽃꽂이를 하고 있는 은아.

그 모습을 보며 들어가는 이수. 상대하기 싫은, 살짝 긴장한.

은아, 이수를 보더니 부드러운 미소를 지으며 다가와 이수를 본다.

은아 갑자기 왜 찾아왔어? 나… 못 잊었구나?

이수 (체념) 잊을 수가 있겠니….

은아 늦었어. 나 결혼해.

이수 누구 인생을 망칠려고?

은아 (째리다가 콧방귀) 질투하는 거야?

이수 누군지만 말해 줘. 근조화환 보내게.

은아 (무서운 얼굴로 가위 들고)

이수 (흠칫 하는데)

은아 (가위로 꽃대 자르면서) 열 받게 하는 재주는 그대로네. 근데 나 달라졌어.

이수 그래 보인다. 뭐 안 집어 던지고 꽃을 꽂고 있네….

은아 (우아하게 꽂으며) 신부 수업하는 거야. 잘 어울려?

이수 (조성구 사진 보여 주며) 이 남자 알지?

은아 뭐야, 이게?

이수 뭐가 아니고 사람이잖아. 잘 봐 봐.

은아 뭐 하는 짓이냐고!

이수 네가 모르나 본데. 오빠가 지금 형사가 됐어.

은아 (깔깔 웃는다) 올해 들은 것 중에 제일 웃겨!!

이수 (신분증 보여 주고) 진짜야.

은아 그럼 일 때문에 왔다는 거야? 나 보고 싶어서 온 게 아니고?!!

이수 (한숨) 이 사람 죽었어. 현금 20억이 든 가방이 옆에 있었고, 거기서 네 지문 나왔어. 어떻게 된 거야?

은아 (굳는다. 심각해진다) … 협박당했어.

이수 또 누구 때렸니?

은아 아니!!! 나 결혼하잖아… 신경이 곤두서서 정신과 치료 받았어… 특별 진료까지 했다고… 근데 그걸 가지고 협박해서… 돈 줬어. 그게 다야.

이수 (생각하다가) 그게 혹시 YK 병원이야?

은아 어떻게 알았어?

이수 (다가서며 지그시) 은아야… 오빠한테는 솔직하게 말해도 돼… 나는 믿어도 된다고….

은아 (뭔가 뭉클해지는데)

이수 (로맨틱한 얼굴로) … 네가 죽였니?

은아 야!! (급히 가위를 찾고)

이수, '허걱' 문으로 튀어 나간다.

뒤에서 퍽 날아와 유리창을 깨는 가위. 움찔하는 이수.

이수 (깨진 유리창 사이로 빼꼼) 잘 살어!! 결혼 축하해!!

23. 호텔 주차장, 낮

이수, 차에 타려는데, 문자가 온다.

<조희자: 오늘 올 생각하지 마라. 주제를 알아야지.>

문자를 잠시 보는 이수. '갈 생각이 없었는데 생각이 달라지네….'

24. 명철의 집 앞, 낮

방송 차량, 기자 차량들 서 있고.

25. 명철의 집 정원, 낮

화목한 가족의 포즈를 취하며 사진을 찍는 명철, 희자, 승주.

기자들 중에는 이 기자도 있다.

CUT TO

기자의 질문에 답하는 희자. 옆에 승주와 명철.

희자 (사랑스럽게 명철을 보면서) 아버지 권유로 만났지만 첫눈에 반했죠. 이렇게 멋진 남자 드물잖아요?

명철 (억지로 부드러운 표정 짓고)

희자 (승주를 살짝 안으며) 덕분에 이렇게 훌륭한 아들을 얻었답니다.

승주, 미소로 희자 보고, 명철은 살짝 무표정해진다.

이 기자 막내 아드님은 안 오시나요? 요즘 활약이 대단하던데요?

희자 (교양 있는 미소) 바빠서 못 올 거예요.

하는데, '부앙~~~' 요란한 소리와 함께 도착하는 이수의 스포츠카.
차에서 이수가 내리는데, 엄청 꾸미고 왔다.
카메라 일제히 이수를 향하고 플래시 터진다.
희자를 보며 걸어오는 이수.
승주, 피식 웃고, 희자는 싸늘해지는데…
그런 희자의 어깨를 안아 주는 승주. 진정하라는 듯.
명철, 이수를 가만히 본다. 전보다 부드러운 표정.
그러다가 플래시가 잦아들면….

명철 가족사진을 다시 찍어야겠네요.

이수 (그 말에 살짝 놀라고 명철을 본다)

명철 (잠시 이수를 보다 시선 돌린다)

승주 (명철과 이수를 잠시 본다)

CUT TO
잔디 마당 테이블 의자에 앉거나 서서 모인 명철네 가족.
사진이 찍힌다.

CUT TO

기자들 이수에게 질문 쏟아 내고…
이수, 여유롭게 대답하고…
이 기자, 이수를 보고…
그런 장면을 짜증 나서 보고 있는 희자.

26. 명철의 집 다이닝 룸, 밤

도우미에게 물 한 잔 받아 마시며 식탁 쪽으로 가는 이수.
도우미들 세팅 중인데 세 사람의 자리가 차려져 있다.
뒤에서 옷을 갈아입고 내려온 희자가 다가온다.

희자 네 자린 안 차렸다. 밥 먹고 갈 거 아니지?
이수 저 여기서 먹으면 체하잖아요, 밥은 좋은 사람들이랑 먹어야죠.
희자 그럼 됐다. 그만 가라.
이수 불청객은 이만 꺼져 드리죠… (보다가) 근데 성형외과 바꾸셔야겠어요.
아버지보다 열 살은 많아 보여요. (싱글)

걸어가는 이수를 열 받아 보는 희자에서.

27. 명철의 집 정원, 밤

이수, 굳은 얼굴로 걸어가는데, 승주가 집에서 나온다.

승주 이수야, 밥 먹고 가지.
이수 (미소) 배 안 고파. 일도 바쁘고.
승주 (왜 그러는지 안다. 끄덕이고) 오늘 와 줘서 고맙다.

이수　('뭘 그런 걸…', 피식) 갈게.

돌아서며 쓸쓸해지는 이수. 이수를 보는 승주에서.

28. 도로, 이수의 차 안, 밤

달리는 차 안의 이수, 생각에 잠긴.

29. 이수의 집 앞, 밤

강현의 차 도착하고, 강현, 짐 챙기고 있는데,
이수의 차가 와서 이수의 집 앞에 선다.
차에서 내리는 강현, 강현 보고 내리는 이수.

강현　홍은아 만나 봤어?
이수　어, 죽을 뻔 했어.
강현　네가 죽을 짓을 했겠지.
이수　(피식) 그런가? 조성구한테 협박을 당했었대.
강현　협박?
이수　결혼 앞두고 정신과 치료를 받았는데, 거기가… YK야!
강현　(끄덕이고) YK 병원의 보안 프로그램이 SW 소프트 거고, 담당자가 조성구였어.
이수　아하….
강현　조성구가 환자 정보를 빼내서 협박을 한 거지.
이수　협박당한 사람들 중에 누군가가 조성구를 죽인 거다?
그럼 최선우는 왜 그렇게 죽었지?
강현　일단 홍은아부터 조사 좀 해 봐야겠어.

이수 은아는 아니야. 내가 물어봤거든.

걔가 급발진하는 성격이라 거짓말을 못 해.

강현 (이수 보다가) 너, 홍은아랑 사귀었었다며?

이수 (떠보듯 웃으며) 그거 궁금해서 나 기다리고 있었던 거야?

강현 (기막히고) 아니거든?

이수 궁금해해도 되는데? 다 말해 줄게, 물어봐.

강현 관심 없다고. 아무나 용의자라 그러면서 전 여친은 빼 주냐고 물어보는 거야.

이수 (놀리듯) 아닌 거 같은데에~~?

하는데, 대문이 벌컥 열리며 미숙이 나온다.

미숙 둘이 같이 오네?

이수 안녕하세요? (인사하고)

미숙 (다가서며) 밥 먹었어요?

이수 아, 아직요….

미숙 잘됐다, 갈비탕 끓였는데, 먹고 가요.

이수 (강현을 보는데)

강현 (미숙 뒤에서 고개 저으며 거절하라고 X 사인 보낸다)

이수 (미소) 그럴까요? 저 배고파요.

미숙 들어와요. 들어와.

미숙을 따라 들어가는 이수를 보며, '망했다.' 싶은 강현 얼굴.

30. 강현의 집 안, 밤

미숙이 이수와 강현을 데리고 들어오자, 형준이 의아하게 본다.

미숙 여보~ 앞집 총각, 강현이랑 같이 일한대. 신기한 인연이지?
(이수에게) 들어와요~ (하면서, 부엌으로 가고)

이수, 형준에게 인사하고 형준도 덤덤하게 받고.
형준과 강현, 서로 잠시 보고.

CUT TO
식탁에 반찬들 푸짐하게 차려져 있고 앞에 밥, 갈비탕 있고.
이수, '와~' 하는 얼굴로 식탁을 보고 있다.
강현과 형준이 각기 생수병 하나씩 챙기고, 이수에게 하나 주는데.

이수 난 괜찮아. (하는데)
강현 (손에 쥐여 주는)

이수, 무슨 뜻인가 하는데,
미숙이 돌아선 사이에 갈비탕에 물을 붓는 강현과 형준.
이수가 '왜 저러지?' 하는 사이 미숙이 마지막 반찬을 가져오고.

미숙 (앉고) 차린 건 없지만, 많이 먹어요.
이수 (상을 다시 보며) 저 이런 집밥… 정말 오랜만이에요…
엄마가 일찍 돌아가셔서….
강현 ('그렇겠구나.' 보고)
형준 (잠시 이수를 보는데…)
미숙 아유, 고생 많았겠네… 엄마 밥이다 생각하고 먹어요.
이수 (미소) 잘 먹겠습니다.

미숙이 흐뭇하게 보는데, 한 숟갈 먹고 너무 짜서 사레 걸리는 이수.
켁켁 대는 이수 보고 놀라 미숙이 물을 뜨러 가면,
강현이 옆에서 이수 등 쳐주면서 국에 물을 부어 준다.
'이런 뜻이었구나.' 강현을 보는 이수.
미숙이 물 가져다주면 마시고.

미숙 천천히 먹어요.
이수 네.

밥을 국에 말아서 먹는 이수.

미숙 아니 왜 국만 먹어~ 이것도 좀 먹어 봐요.

이수, 반찬을 먹어 보는데, 뭘 먹어도 짜다.

이수 (천천히 씹어 삼키며 억지로 웃으며) 맛…있네요….

흐뭇한 미숙.
서로 눈 마주치며 웃는 강현과 형준.

31. 강현의 집 앞, 밤

'으…' 신음하며 나오는 이수. 따라 나오는 강현.

강현 (살피며) 괜찮아?
이수 아니, 혈압이 막 오르고 있어. (입술 만지며) 입술이 부은 거 같아….

강현 오버는…. (물통 주고)

이수 (생수 한 병 원샷)

강현 내가 거절하라고 했잖아. 말을 안 듣냐.

이수 (한숨 돌리는데)

강현 엄마가 갱년기 되더니 간을 못 맞춰. 엄청 짜고 맵고, 식탁이 살얼음판이야.

이수 갈비탕이 바닷물 같기는 했는데….

강현 (보는)

이수 (강현 보며) 따뜻했어.

강현 (보는데)

32. 강현의 집 안, 밤

창밖으로 마주 선 이수와 강현을 보는 미숙.

미숙 보기 좋다.

형준 (뒤로 다가와 커피 한 잔 건네주면서) 또 앞서 나간다.

미숙 (돌아서서 받으며) 내가 뭘~? 아까 보니까 강현이가 잘해 주던데, 등도 쳐 주고.

형준 (커피 한 모금 마시고) 저 친구 재벌이야.

미숙 (놀라고) 재벌?

형준 응, 한수 그룹 막내아들이야.

미숙 (심각해지는) 재벌인데… 강현이네 팀원이고… 우리 앞집으로 이사 왔다고? (활짝) 이거 완전 로코잖아!

형준 ('하아…', 입 다물고 외면)

33. 강하역 근처 식당가, 밤

윤 박사, 새로 생긴 식당 앞에서 외부에 세워진 메뉴판을 보고 있다.
모든 메뉴가 2인분인 부대찌개 집이다.
역에서 나와 걸어가던 준영이 윤 박사를 발견한다.

준영 어, 윤 박사님?

윤 박사 아, 박 형사님?

준영 이 근처 사신다더니….

윤 박사 우연히 만났네요. (미소) 아, 밥 먹었어요?

준영 아뇨, 아직.

윤 박사 잘 됐다. 이 집이 새로 생겨서 먹어 보고 싶었는데, 다 2인분이라… 같이 먹을래요?

준영 … 네. 들어가죠.

34. 식당, 밤

자리 잡고 앉은 준영과 윤 박사.
숟가락 젓가락을 꺼내 둘 다 동시에 상대방에게 놓아준다.
시선 마주치고, 미소. 부대찌개가 나오고….

윤 박사 맛있겠다. (하다가) 소주도 한 병 먹을까요?

준영 (웃고) 네, 좋아요.

소주 한 병 놓고 이야기를 나누는 윤 박사와 준영.
가게 밖에서 보이는 두 사람의 모습. 이야기가 잘 통하는 것 같다.

35. 이수의 집 침실, 밤

이수, 침대에 앉아 물 한 병 원 샷하고…

가만히 엄마의 사진을 잠시 본다.

그러다 사진 뒤의 오르골에 시선이 간다.

'왜 같은 오르골이 서 박사 진료실에 있었을까… 우연일까….'

오르골을 들어 태엽을 감는 이수. 천천히 돌아가는 오르골에서….

CUT TO

웅크리고 잠이 든 이수의 얼굴에서.

36. 이수의 꿈

다시 갤러리 안이다. 온통 하얀 넓은 홀.

걸어가는 이수. 이제 자신이 뭘 보게 될지 아는 얼굴.

역시 갤러리 안에 그 그림이 걸려 있다.

그림 앞으로 다가가 자세히 보는 이수.

하지만, 여자의 얼굴은 여전히 알아볼 수가 없다.

37. 이수의 집, 새벽

꿈에서 깨며 눈을 뜨는 이수. 새벽 네 시가 넘은 시각.

'왜 자꾸 이 꿈을 꾸는 걸까….' 생각에 잠기는 이수.

38. 강현의 집 앞, 아침

강현, 나오면서 준영에게 통화한다.

강현 어, 홍은아 최근 행적 확인 좀 해 줘.

이수가 집에서 나오면 전화를 끊는 강현.
강현이 차에 오르면 옆자리에 타는 이수. 자연스럽다.

강현 얼굴이 왜 그래? 잠 못 잤어?
이수 좀… 설쳤어.
강현 너무 짜게 먹어서?
이수 (피식) 아니….

강현, 안 까부는 이수가 처음이라 잠시 보다가 출발한다.

39. YK 병원 전경, 아침

도착하는 강현의 차, 내리는 두 사람.

40. YK 병원 진료실, 아침

마주 앉은 서 박사와 이수, 강현.

강현 (서 박사 앞으로 조성구의 사진을 내민다) 이 사람, 아세요?
서 박사 잘 모르겠는데… 누구죠?
강현 조성구라고 이 병원 보안 프로그램 담당자입니다.
서 박사 아… 그런데요?
강현 병원의 정보를 빼내서 환자들을 협박했던 것 같습니다.
서 박사 (충격 받는) 뭐라고요?!

강현 모르셨어요?

서박사 전혀… 몰랐어요. 이 남자가 체포된 건가요?

강현 시신으로 발견됐어요. 살해당했습니다.

서박사 (놀라 정신이 없는 가운데) 어… 어떤 정보를 어떻게 빼낸 거예요?

강현 거기까지는 저희도 모릅니다. 그러니까 수사에 협조해 주세요. 환자 정보와 CCTV 자료가 필요합니다.

서박사 아… 아니… 그래도 안 돼요. 환자 정보를 그냥 드리면 제 의사 생명은 끝나요. 영장을 받아 오세요.

강현, 답답한데… 전화 온다. 형사과장이다.
전화 받으며 나가는 강현.
옅은 한숨을 쉬며 생각에 잠기는 서 박사.
이수는 잠시 오르골을 보다가… 서 박사를 할 말이 있는 듯 본다.

이수 저… 뭐 하나 물어봐도 될까요?

서박사 (이수 보고) 네.

이수 어떤 사람이 계속 같은 꿈을 꾼다면 그 이유가 뭘까요?

서박사 (천천히 여유를 찾고) 본인 얘기 아니에요?

이수 (살짝 당황하고)

서박사 어떤 꿈인데요?

이수 꿈에서 계속 같은 장소에 가요… 제 기억엔 가 본 적이 없는 곳이에요….

서박사 (지그시 보는)

이수 그리고 거기에서 늘 같은 걸 봐요….

서박사 (은근히 자만심이 흘러나오는 표정이다) 정확한 건 진료를 해 봐야 알겠지만… 확실한 건 하나 있네요.

이수 (긴장해 보는)

서박사 진이수 씨의 마음에 억눌린 뭔가가 있다는 거.

이수 (보는데)

서박사 꿈은 무의식이 보낸… 편지 같은 거예요.
지금 진이수 씨의 무의식이 뭔가 전할 이야기가 있는 거죠.

'그게 뭘까.' 생각에 잠기는 이수에서.

41. YK 병원 로비, 낮

이수가 진료실에서 나오는데 강현이 전화를 끊으며 돌아본다.

강현 영장은 안 나올 거 같아. 여기 환자들이 대단하신가 봐.

이수 (멍한) 어.

강현 반응이 없어… 무슨 얘기 했어?

이수 어? 아냐. 가자. (하는데)

나가는 이수와 강현.

42. YK 병원 주차장, 낮

강현, 시동 걸면서 이수가 신경 쓰이는.

강현 셜록 홈즈가 오늘 왜 이렇게 조용해. 빈약한 추리 좀 해 보시지?

이수 어… 뭐 아직 떠오르는 게 없네….

이수 보다가 출발하는 강현에서.

43. YK 병원 진료실, 낮

생각에 잠겨 있던 서 박사가 문자를 보낸다.

44. 한수 그룹 회장실, 낮

명철은 책상에 앉아서 서류 보고 있고,
옆에서 승주가 뭔가 설명하고 있는데, 문자가 온다.
명철 핸드폰을 보더니 승주가 보이지 않게 문자를 확인한다.

INSERT. *핸드폰 <서유경 박사>*
<아드님이 꿈을 꾸고 있습니다. 기억이 돌아올 것 같습니다.>

순간, 무거운 표정으로 얼굴을 가리며 한숨을 쉬는 명철.
그걸 보는 승주, 무슨 일인가 싶고.

승주 아버지, 무슨 일 있으세요?
명철 (승주를 보다가 시선 돌리며) 어, 아니다.

그런 명철을 걱정스럽게 보는 승주.

45. 이수의 동네, 낮

상가 거리, 미숙이 재활용정보 전단지를 나눠 주고 있다.

미숙 재활용 잘 하세요~ 지구를 지킵시다~~

그 옆으로 부동산 상가가 늘어서 있는데,
이 기자가 차를 불법 주차해 놓고 부동산에 들어가고…
나와서 다른 부동산에 또 들어간다…
전단지 나눠 주며 그 모습을 보는 미숙.

CUT TO
이 기자가 나와서 차로 다가오는데, 불쑥 나타나는 미숙.

미숙 (미소) 여기 차 대면 안 되는데~~
이 기자 ('뭐야.' 하는 얼굴로 보고)
미숙 제가 여기 통장이거든요~ 집 구하러 오셨나 봐요~
이 기자 아, 그게 아니고… 뭘 좀 알아보러 왔습니다. (명함 내밀며) 저 기자예요.
미숙 (명함 보고) 오, 기자님이시구나… (호기심) 뭘 알아보시는데요?
이 기자 (미심쩍지만) ○○-○번지 집, 아세요?
미숙 잘 알죠, 그 집이 왜요?
이 기자 25년 전에 그 집에 살았던 사람들에 대해서 조사하고 있어요.
미숙 25년은 너무 멀다~ 나도 이사 온 지 10년밖에 안 됐는데….
이 기자 그러게요. 아는 사람이 없네요.
미숙 여기 재개발되면서 상가가 싹 바뀌었잖아요. 뭘 조사하는데요?

말할 듯 안 할 듯 미숙을 보는 이 기자에서.

46. 이수의 집 앞, 낮

이 기자, 주차하고 내려서 이수의 집을 사진 찍고, 바라본다.
살짝 문을 밀어 보지만 잠긴.

수첩을 보는 이 기자.

INSERT. *수첩.*
담당 형사 이형준. 주소.

주소를 보다가 뒤돌아 반대편 집 지번을 확인하고, 기가 차서 보는 이 기자.
담당 형사가 맞은편 집에 살다니…
이 기자, 걸어가서 강현의 집 초인종을 누른다.
쏟아지던 샤워기 소리 (형준이 마당에 물 주는 중이었다) 그치고.
잠시 후, 문을 여는 형준.

이 기자 (명함 내밀며) 안녕하세요, SBC 이기석 기자입니다.
형준 (빤히 보면서) 내가 기자를 싫어하는데.
이 기자 (피식) 다들 그렇죠. (명함 집어넣고) 경정님 일로 온 건 아닙니다.
형준 (보는, '그럼 뭔데?')
이 기자 (엄지로 뒤를 가리키며) 저 집에 대해서 여쭤보려고 온 거예요.
형준 (시선 날카로워지는데)
이 기자 25년 전에 저 집에서 일어난 사건, 담당이셨죠?
형준 그걸 이제 와서 왜?… 선거 때문인가?
이 기자 히든카드… 같은 거죠….
형준 (경멸하듯 보고) 할 말 없어. 그만 가게.

형준이 문 '쾅-' 닫으면 이수의 집을 올려다보는 이 기자.

INSERT. *강현의 집 마당.*
문을 닫고 무겁게 가라앉은 형준의 얼굴.

47. 강하경찰서 전경, 낮

48. 강력팀 사무실, 낮

강현, 감식팀 보고서 보고 있고, 이수는 좀 멍하게 앉아 있다.
준영이 들어오면서 이수 이상해서 '슥-' 보고.

준영 (강현에게) 홍은아 알리바이 확실해. 조성구 살해 당일, 미국에 있었어.

강현 흠….

준영 (이수 보고) 뭔 일 있냐?

강현 (이수 보며 어깨 으쓱하고) 몰라.

준영 지금까지 밝혀진 건 조성구가 최선우와 홍은아를 협박했다는 것뿐이네.

경진 E 그게 아니에요!

경진이 보고서 들고 들어온다. 돌아보는 강현과 준영.
이수도 정신 차리며 경진을 본다.

경진 두 사람은 공범이에요! (자료 내려놓으며)
포렌식 결과 나왔는데 최선우하고 조성구, 지워진 문자가 있었어요.

다가가서 보는 강현과 준영.

INSERT. *보고서 문자 내역.*
조성구: 대표님. 이제 여기까지만 하시죠.
최선우: 두 번이나 성공했잖아. 마지막으로 한 번만 더 하자.
조성구: 위험합니다.
최선우: 일만 끝나면 내가 바로 나가게 해 줄게. USB는 어디 있어?

조성구: 그건 걱정 마세요. 저밖에 못 여는 데에 있습니다.

문자를 보고 있는 강현, 준영, 경진.

강현 (생각하다가) 이제 말이 된다. 조성구가 횡령으로 최선우를 협박하자, 돈이 없던 최선우는… (블랙박스 화면 - 한강변, 성구에게 사정하는 최선우 컷) YK의 정보를 빼내 환자들을 협박하자고 한 거야.

준영 하지만 누군가를 잘못 건드렸고.

강현 (조성구를 죽이는 범인 컷) 조성구가 살해당하자, 겁에 질린 최선우가 (차를 버리고 / 정신없이 사무실로 들어가 웅크리는 최선우 컷 - 블랙박스와 CCTV 컷 섞어서) 빈 사무실로 숨어든 거지.

이수 (다가와 보고서를 보면서)
잘못 건드린 거물이 누군지 알려면, USB부터 찾아야겠네.

일동 (이수를 보는데)

끄덕이며 이수를 보는 강현에서.

49. SW 소프트 사무실, 오후

조성구 팀장 책상을 뒤지는 준영과 경진.
잠긴 서랍이 있다.
책상 주변을 뒤져 열쇠를 찾아내는 준영.
서랍을 열고 뒤집어엎는다.
각종 사무 집기들이 나오지만, USB는 없다.

50. 조성구의 오피스텔 앞, 오후

강현의 차 서고 이수가 내리는데, 경비가 다가온다.

경비 여기 차 세우면 안 돼요.

강현이 어디로 가야 되나 보는데.

이수 나 먼저 올라가 있을게.

강현 장갑 껴!

이수, 알았다고 손짓하고 건물로 들어가고,
강현은 주차 자리를 찾아 이동한다.

51. 조성구의 집, 밤

#복도

이수가 조성구 집을 향해 걸어간다.

#현관

조성구의 집 안에 숨어 있는 괴한, 나가려다가 발걸음 소리에 긴장한다.

#문 앞

이수가 접근금지 테이프(살짝 떼었다 붙인 느낌으로 중간이 뜬)를 떼어 내고 들어가려다가 생각난 듯 장갑을 꺼내 낀다.

#현관

숨죽이고 있는 괴한.

#문앞

이수, 문 열고 들어가는데, 아무도 없다.

#집안

이수, 불을 켜고, 곳곳을 뒤지기 시작한다.
싱크대 안이며, 장롱이며 서랍을 다 열어 보는 이수.
그러다 문득 침대 밑을 보는 이수! 침대 밑에는 잡동사니뿐이다.
그러다 발치를 보는데, 바닥까지 끌리는 커튼 뒤에 사람의 신발 같은 모양이 있다. 벌떡 일어나는 이수.

이수 나와.

커튼을 걷고 나오는 사내. 날카로운 인상에 검은 옷, 검은 모자.

이수 범인은 현장에 다시 나타난다더니… 반갑다! (씩)

사내, 대답 없이 이수에게 덤벼들며 주먹을 날리고!
이수는 물러서며 피하고 발차기를 날린다.
가슴을 맞고 뒤로 밀리는 사내! 이수는 다시 발로 차려고 하지만 사내가 옆으로 이동하며 이수의 옆구리를 쳐 버린다.
중심을 잃은 이수가 식탁에 밀리며 '우당탕' 쓰러지면서 이수의 주머니에서 금수갑과 열쇠가 튀어나온다.
절도 있는 싸움 기술로 몇 합을 주고받는 둘.
하지만 이수가 머리를 맞고 벽으로 밀리고 만다.

그 순간, 벽에 튀어나온 파이프에 이수의 손목을 수갑 채워 버리는 사내.
이수, 놀라 보는데, 사내는 튀어 나가 버린다.
바닥에 떨어진 열쇠. 멀다. 팔도 다리도 닿지 않는다.
주변을 살피는데, 위쪽 벽에 완강기가 보인다.
완강기 박스를 발로 차는 이수.
밧줄이 바닥으로 떨어지고, 밧줄을 이용해서 수갑 열쇠를 끌어당기는 이수.
열쇠로 수갑을 풀고 창밖을 보면, 이미 1층 주차장에서 유유히 걸어가고 있는 사내.
그걸 보고 열 받은 이수. 완강기에서 나온 밧줄을 보는데,
강현이 현관으로 들어온다.
순간, 이수, 완강기 줄을 잡고 창밖으로 떨어진다.
아연실색해서 보는 강현!!

INSERT. *차량 위로 떨어지는 이수 컷!*

강현이 뛰어 들어가 창밖을 보면, 차 위에 떨어진 이수! 차량 경고음 울리고!
걸어가던 사내가 소리에 이수를 돌아보고 뛰기 시작한다.
이수는 전속력으로 뛰어가 사내를 발로 차 버린다.
쓰러진 사내를 덮치는 이수.
무슨 상황인지 몰라 당황한 강현에서.

52. 오피스텔 주차장, 밤

충격 받은 차량에서 시끄러운 경고음 나고 있고.
당황한 차 주인이 '삐-' 눌러 경고음이 꺼지면
주인에게 명함 주는 이수.

이수　　새 차로 바로 뽑아 드릴게요. 죄송합니다. 범인 잡느라…. (미소)

차주　　(황당해 명함 받는데)

강현이 건물에서 걸어 나온다.

이수가 강현 보고 웃으며, (금수갑 채워진) 사내를 끌고 간다.

이수　　조성구 집에 숨어 있었어. (씩 웃고) 내가 잡았지.

강현　　(진짜 열 받았다) 미쳤어?

이수　　어?

강현　　너 그러다 죽어!!

이수　　완강기 잡고 내려왔잖아. 4층밖에 안 되는데, 뭐.

강현　　놓치면? 제대로 끼고 내려온 것도 아니잖아.

이수　　그럼 어떡해. 이놈 잡아야지.

강현　　범인이 문제가 아니라… (답답하고) 모르겠어? 너 너무 위험하다고.

강현은 이수가 이해가 안 되고, 이수도 강현이 이해가 안 된다.

서로 보는 두 사람에서.

53. 강하경찰서 전경, 밤

54. 강력팀 사무실, 밤

강현, 들어오면서 경진에게 사내를 인계한다.

강현　　진술 녹화실로 데려가.

이수 때문에 너무 놀라고 긴장했는지 강현이 기운이 없다.
책상 앞에 앉은 강현을 보던 이수, 돌아서 나가고.
강현, 생각에 잠겨 있는데, 미숙에게서 전화가 온다.
(이하 교차, 미숙은 정류장에서 안전 귀가 도우미 준비 중)

강현 어, 엄마.

미숙 어, 강현아. 진이수 있잖아.

강현 (피곤한지 얼굴 가리며) 걔가 왜….

미숙 아니 어떤 기자가 뭘 묻고 다니더라고….

강현 (고개 들고) 기자 누구?

미숙 (명함 꺼내 보고) 이기석? 이 사람이 이수네 집에 살던 사람 얘기를 묻고 다녀. 그 집에서 여자가 죽었다나… 그러던데… 생각해 보니까 이수가 그 집에 전에 살았다고 해서… 너 뭐 아는 거 있어?

강현 아니. 없어.

미숙 그래….

강현 어, 엄마. 나 바빠.

미숙 그래, 알았다.

전화 끊고, 잠깐 생각하던 강현이 사건 검색을 한다.
주소지로 검색. 그러자 사건 파일이 하나 뜬다. 파일을 여는 강현.
이내, 굳는 강현의 얼굴.

INSERT. *모니터 화면.*
김선영 자살로 종결. 현장에 아들이 있었음.
선영의 자살 현장 사진들. 욕조 안에 누워 있는 선영의 모습이 이수가 꿈에서 보는 그림과 비슷한 느낌이다. 입을 살짝 벌리고 눈도 조금 떠진 익사체.

경찰청 담요를 덮고 넋 나간 얼굴로 계단에 앉은 어린 이수의 사진.
어린 이수를 안은 젊은 형준의 사진.

놀란 강현의 얼굴… 이수와의 대화가 떠오른다.

INSERT. *4부, 이수의 집.*

강현 (집안을 둘러보다가) *너… 진짜 여기 살았었어?*
이수 (등지고 텐트 치며) *응, 엄마랑 둘이.*
강현 (무슨 소린가 보는데)
이수 *일곱 살 때, 갑자기 엄마가 돌아가셨고…*
그때 알았어. 내가 한수 그룹 회장의 아들이란 거.
강현 (차분히) *엄마는 어떻게 돌아가셨어?*
이수 *교통사고. 기억도 잘 안 나….*

놀란 강현이 그대로 굳어 있는데, 뒤에서 이수가 다가와 커피를 놓는다.
강현, 흠칫 놀라서 노트북을 그대로 닫고!
뭔가를 본 건지 강현을 의아하게 보는 이수.
두 사람의 모습에서.

7화 엔딩.

ep.08

용기를 내보겠니?

1. 강력팀 사무실, 밤

이수 모, 김선영의 현장 사진들을 보며 놀라 굳은 강현.
뒤에서 이수가 다가와 커피를 놓는다.
강현, 흠칫 놀라서 노트북을 그대로 닫고!
뭔가를 본 건지 강현을 의아하게 보는 이수.

강현 (긴장해서) 뭐… 왜?

이수 뭐는 뭐… 커피 마시고 진정 좀 하라고.

강현 ('못 봤구나.' 안도의 한숨 쉬고)

이수 (자기 때문에 한숨 쉬는 줄 알고) 이제부터 조심할게. 마음이 급해서 그랬어.

강현 (이수 보는데)

이수 근데… (미소) 기분은 좋네. 네가 나 걱정해 주는 거잖아.

강현 ('정말 걱정이다, 네가.')

경진 (다가와 두 사람 분위기 보면서 서류 내민다) 신원 나왔습니다.

강현 (보고, 일어나며) 어, 가자.

강현이 앞장서면, 따라가는 이수.

경진 (이수에게) 또 한 건 하셨네요.

이수 스파이더맨처럼 날았지. (웃고)

걸어가며 로우 파이브 하는 이수와 경진.

그 모습을 잠시 보는 강현에서.

2. 진술 녹화실, 밤

#진술 녹화실 앞

강현 앞서고, 경진은 참관실로 들어가고.

이수는 강현 따라가는데, 돌아보는 강현.

강현 넌 밖에 있어.

이수 아니, 나는 언제 취조해 봐?

강현 밖에 있으라고. (들어가는)

이수, 강현을 보며 구시렁대다가 돌아보면 이수 앞에 선 준영.

준영 비키세요.

이수 (째리고 걸어간다)

#진술 녹화실

조성구의 집에서 잡힌 남자. (이하 김도형)

마주 앉은 강현과 준영. 테이블 위에는 비닐 팩에 든 김도형의 물건들.

(핸드폰, 차 키, 지갑)

강현 (파일 보며) 김도형 씨. 전과가 좀 있네요. 주거 침입 3건, 차량 절도 2건.

도형 (무표정으로 보는)

강현 조성구 씨 집에는 왜 들어갔어요?

도형 뭐… 훔칠 거 있나 해서요.

준영 출입 금지 테이프가 쳐진 집을… 뭐 훔칠 게 있는지 들어갔다고요?

(조성구 집 앞, 테이프 걷고 문 닫으며 틈으로 다시 붙이는 도형 컷)

형사가 언제 올지 모르는데?

도형 안 올 수도 있으니까. 인생은 타이밍 아닙니까….

#참관실

보고 있는 이수와 경진.

이수 아, 저 정도는 나도 할 수 있는데….

경진 취조에는 경험이 좀 필요해요.

이수 그니까 경험을 시켜 줘야 될 거 아니냐고.

#진술 녹화실

거짓말 다 보인다는 얼굴로 김도형을 보고 있는 강현과 준영.

준영 전과만 보면, 단순한 도둑처럼 보이지만…

당신이 노린 집, 차 모두 대단하신 분들 소유던데….

도형 (여유) 우연일 겁니다.

강현 우리 생각은 이래요. 당신은 높으신 분들의 민원을 담당하는 해결사다.

도형 (살짝 긴장하는)

강현 오늘도 누군가의 명령으로 조성구의 집에 들어간 것이다.
뭔가를 찾기 위해서….

도형 (굳어 보는데)

준영 그리고… 조성구를 죽인 것도 당신이다.

도형 (놀라 인상 팍 쓴다) 그건 아니에요!

강현 ('걸렸구나.') 그럼, 누가 시켜서 들어간 건 맞군요?

#참관실

이수 오오~!

#진술 녹화실

준영 누가 시킨 거예요?

도형 그런 사람 없다고. 그냥 들어가 본 거라고….

준영 (강하게) USB 찾으러 들어갔잖아!! 누구야!?

도형 (긴장하며 강현을 볼 뿐인데)

그 순간, 김도형의 핸드폰이 진동한다. 보면, <VIP>

강현 VIP가 인내심이 없으시네.

도형 (난감한 얼굴인데)

강현 (핸드폰을 비닐에서 꺼내 주며) 받아 봐요.

도형 (움직이지 않는데)

준영 (핸드폰 밀고) 만나자고 해. 살인죄까지 덮어쓰고 싶지 않으면….

#참관실

긴장해 보고 있는 이수.

이수 (중얼거리며) 받어… 받어….

#진술 녹화실

계속 진동하는 핸드폰, 끊어지기 직전이고.

강현, 준영은 김도형을 보고. 김도형은 움직이지 않는데…

문 벌컥 열리고 이수가 뛰어 들어와 전화를 받는다.

놀라서 보는 강현과 준영!

놀란 경진도 진술 녹화실로 들어왔다.

이수 (조용히 하라고 입에 손가락 댔다가, 목소리 변조)
네… 네… 네! (하고, 끊으면)

준영 (일어서며) 무슨 짓입니까?

이수 (준영 무시하고 강현에게) 만나자는데?

강현 어디서?

이수 전에 만났던 데서.

준영 거기가 어딘 줄 알고!

이수 (경진에게) 김도형 씨 차 어딨는지 알지?

경진 네.

이수 네비에 있겠죠. (차 키 집고 강현에게) 그 차 타고 가서 VIP 모셔 올게.
(도형의 모자를 벗기면서) 이거 좀 빌릴게요. (모자 쓰고) 간다.

이수 신나서 나가면, 무거운 강현과 준영의 눈치를 보다가.

경진 제가 같이 갔다 올게요. (하고, 나가는)

준영 (나가는 두 사람 보다가) 저 자식 언제까지 날뛰게 둘 거야?

강현 (가라앉은 얼굴로) 그냥 둬. 내가 보고서 올릴 거야.

준영 (의아해 보는데)

강현 더는 현장에 두면 안 되겠어. 그동안 있었던 일들 보고하면 서장님도 이해하시겠지. (냉정하게) 쇼는 이 정도 했으면 됐잖아.

일어서 나가는 강현, 보는 준영.

3. 한강 주변 일각, 밤

나쁜 놈들이 모일 법한 어두운 곳.
도형의 차량 안에 이수(트레이닝으로 갈아입고 도형의 모자 쓴)와 경진이 앉아 있다.
조금 떨어진 곳에 고급 차량이 서서히 들어와 서고….

이수 왔다.

CUT TO
이수와 경진이 차로 조용히 다가가고,
이수가 문을 벌컥 연다! 동시에 손전등을 비추는 경진!
차 안에서 진하게 키스 중이던 남녀, 화들짝 놀란다.

여자 어머!

남자 뭐야! 당신들?

놀라는 이수와 경진.

이수 아이고. 실례했어요~

이수가 젠틀하게 문을 닫아 주는데, 급히 출발하는 차.

이수 여기가 핫 플레이슨가…. (웃고)

경진 (웃는데)

멀리서 고급 세단이 천천히 다가온다.

모자 푹 눌러쓰고 다가가는 이수, 경진… 차는 멈춰 서고.

이수, 노크하는데, 망설이는지 문이 안 열린다.

이수가 다시 노크하면 '윙-' 내려가는 창문. 경진이 손전등을 쫙 비추는데!

나타나는 사람은… 왕종태다!

이수 와우!

종태 (인상 쓰며 이수를 보는)

이수 (왕종태 보며) 엄청난 분이 나타나셨네. 그것도 혼자. 의심스럽게?

종태 (성질내며) 이거 안 치워? 너네 뭐야?

경진이 손전등을 끈다. 그제야 이수와 경진이 보이는 왕종태.

경찰 신분증을 든 두 사람을 보고 굳는 왕종태에서.

4. 강하경찰서 진술 녹화실, 밤

#진술 녹화실

초조하게 앉아 있는 왕종태.

#진술 녹화실 앞

강현이 앞서고, 준영이 따르는데, 앞을 막는 이수.

이수 이번엔 내가 들어가죠.

준영 ('뭔 소리?', 보는데)

이수 저런 거물 감당하려면 나 정도는 돼야 할 거 같아서요.

준영 문제 생기면 다 책임지겠다, 이겁니까?

이수 오브 콜스.

준영 (피식)

이수 비키세요. (들어가는)

준영 (잠시 보는)

#진술 녹화실

강현, 앉아 있고, 이수가 들어와 앉으면.

강현이 '네가 왜?' 보고,

이수는 '그렇게 됐다, 걱정 마.' 웃으며 끄덕이고.

종태 (한숨) 서장 어디 있어?

강현 아마… 댁에서 주무실 겁니다. 저희는 깨울 생각이 없고요.

종태 내가 지금… 여기서 이러고 있으면 안 된다고. 몰라?

강현 (관심 없고. 사진 내밀고) 김도형, 아시죠?

종태 (입 다무는데)

강현 당신 심부름꾼, 지금 유치장에 있어요.

종태 몰라, 난 그런 놈 모른다고!

이수 (빙글) 모르는 사람이랑 밤 11시에 CCTV 없는 데서 왜 만나려고 하셨을까?

종태 (짜증 나서 보는데)

#참관실

보고 있는 준영과 경신.

#진술 녹화실

강현	김도형 씨에게 조성구 씨 집을 뒤지라고 시켰습니까?
종태	아니.
강현	김도형에게 조성구를 죽이라고 시켰습니까?
종태	(짜증) 아니!
강현	(차분하게) 저희가 48시간 동안 조사할 수 있는 거 아시죠?
종태	그렇겐 못 할걸. 벌써 서장한테 보고 들어갔을 거야.
강현	이슈가 되게 할 순 있죠. 시장 선거 후보가 전과 5범과 무슨 관계인가.기자들이 좋아할 만한 소재네요.
종태	(무겁게 입을 다무는데)
이수	(보다가) USB 저희가 찾았습니다.
강현	(잠시 이수를 보는데)
종태	(하얗게 질리며 흥분한다) 안 돼… 정말, 정말 찾은 거야? 그거… 그건 세상에 나오면 안 돼!! (이수에게) 너도 봤어? 몇 명이 본 거야!!

흥분하는 왕종태를 보는 강현과 이수.

#참관실

보는 준영.

#진술 녹화실

강현 솔직하게 얘기하세요. 조성구한테 협박당했죠?

종태 (깊은 한숨)

강현 그래서 죽이라고 시켰습니까?

종태 아니야. 난 지금 선거 중이잖아! 그렇게 위험한 일을 하겠나?
그냥… 돈을 줬네.

이수 죽일 수 있을 거 같은데요. 조용히.

종태 (고개 저으며) 자기가 죽으면 USB가 세상에 나올 거라고 했어.
그건 죽는 거보다 더 끔찍한 일이야….

강현 (왕종태를 보는데)

이수 무슨 병인데요? 알코올 중독? 분노 조절 장애? 그거보다 더 심한 거…? 사이코패스?!

종태 (열 받은 얼굴로 보고)

강현 (이수를 한심한 듯 보는데)

밖이 소란스럽다.
'벌써 왔네.' 싶은 강현의 얼굴.
문 벌컥 열리고, 급히 차려입고 온 서장이 들어온다.
이수와 강현이 일어서면,
왕종태 확인하고, 조용히 강현에게 욕하는 서장.

서장 (강현 노려보며 작게) 이 새끼가….

이수 (눈치채고 나서며) 제가 모셔왔습니다. 조사할 게 있어서….

서장, 이수에게 뭐라 할 수도 없고, 왕종태 눈치 보이고.

서장 (왕종태에게) 일어나시죠.

강현과 이수가 보는 가운데 왕종태를 모시고 나가는 서장.

5. 강력팀 사무실, 밤

창문 앞에서 밖을 보고 있는 이수와 강현. 조금 떨어진 곳의 준영.
서장이 선글라스와 모자로 신분을 가린 왕종태를 차에 태우고 있다.

강현 특급 작전을 하고 있네.

이수 저러니까 진짜 범인 같은데? (피식)

강현 (이수를 보는데)

경진 (들어오며) 알리바이 나왔어요. 조성구 살해 당일, 왕종태 의원은 부산에 있었고. 김도형은 강원랜드에 있었어요.

한숨을 쉬며 회의 테이블로 모여드는 이수, 강현, 준영, 경진.

강현 두 건은 성공했다.
(최선우와 조성구의 문자 내역 컷, <두 번이나 성공했잖아.>)
그건 홍은아와 왕종태를 말하는 거고.
마지막 한 번… (문자 <마지막으로 한 번만 더 하자.>)
그게 누군지 알려면 USB를 찾아야 돼.

강력팀 (모두 강현을 보는데)

강현 오늘은 늦었으니까 퇴근하고.
내일부터 조성구와 관련된 장소 다시 뒤지자.

강력팀 (끄덕이고)

6. 강현의 집 앞, 밤

강현의 차 도착하고.

무거운 얼굴의 강현. 시동 끄고 잠시 앉아 있다가 내린다.

7. 강현의 집 거실, 밤

형준과 마주 앉은 강현. 무거운 공기.

강현 진이수 어머니 사건, 아빠 담당이었어?

형준 (언젠간 물을 줄 알았다) 그래….

강현 어떻게 된 건데?

형준 (깊은 얼굴로 강현을 보는)

INSERT. *이수의 집, 25년 전.*

형준, 김선영의 처방전을 보고 있다.

이어 욕실을 보는.

형준 E *오랫동안 우울증을 앓다가… 수면제를 먹고….*

욕실 안에 누워 있는 선영의 시신을 보고 있는 형준.

(주변에 과수대원들 움직이고 있고 형준만 멈춘 듯한 느낌으로)

형준 E *욕조에서 죽었어.*

현재, 형준을 보는 강현.

형준 발견 당시에 이수는 죽은 엄마 옆에 쓰러져 있었다고 들었다.

강현 진이수는 기억을 못 해. 교통사고로 알고 있어….

형준 그럴 수 있어. 처음엔 말도 못 했으니까.

INSERT. *과거, 이수의 집 계단.*

하얗게 질려 쪼그려 앉은 이수… 그 얼굴에 비치는 경광등 불빛…

그런 이수를 보는 형준에서.

형준 너무 큰 충격을 받아서 실어증에 걸렸다고 들었다.

강현 (가만히 보다가) 왜… 얘기 안 했어?

형준 (가만히 본다) 가까이 하지 마라.

강현 (보는데)

형준 그런 일을 겪은 사람은… 마음에 균열이 생겨. 언젠가는… 터진다.

형준을 보는 강현….

8. 이수의 집 앞, 아침

날이 밝아 오는 풍경.

9. 이수의 집, 아침

이수, 옷을 찾아 입고 있는데.

INSERT.

서랍장에 놓인 핸드폰 알람이 뜬다. <엄마 기일>

다시 화면이 이수를 비추면, 이수는 경찰 정복을 입고 있다.
핸드폰 들고 나가는 이수에서.

10. 강력팀 사무실, 아침

강현, 무거운 마음으로 보고서를 쓰고 있다.

INSERT. *모니터 컷.*
조성구 살해 현장인 4층에서 창밖으로 떨어져 인근 주민의 차량을 파손하는 사건이 발생하였습니다… 이는 본인은 물론 시민의 안전까지 위험에 처할 수 있는 상황으로…

보고서를 쓰다 멈추는 강현.
문자 온다. <이수: 오늘 일이 좀 있어서 늦을 거야.>
잠시 문자를 보는데, 준영과 경진이 들어온다.

강현 좀 알아봤어?
경진 네, 일단 조성구가 등록한 헬스클럽이 있고요.
준영 주차장에서 차도 찾았어.
강현 가 보자. 난 집을 다시 살펴볼게.

11. 몽타주, 낮

#헬스장
조성구의 사물함을 뒤지는 경진.

#공용 주차장

조성구의 트렁크를 열고 뒤지는 준영.

#조성구의 집

강현, 서랍을 다 빼고 그 뒤를 보고 집을 샅샅이 뒤진다.

#헬스장

사물함 안에서 나온 물건은 샤워용품뿐이다.

(샴푸 안까지 살펴보는 경진)

#공용 주차장

차량 뒤지는 준영. 바퀴 위, 문틈까지 손가락으로 훑지만, 아무것도 없다.

#조성구의 집

엉망이 된 집 안에 허탈하게 선 강현. USB는 없다.

12. 납골당 전경, 낮

13. 납골당, 낮

이수, 엄마의 안치단 앞에 서 있다.
유리 위로 제복을 입은 이수가 비친다.
미소로 안치단의 엄마 사진을 보는 이수.

이수 멋있지? 엄마 아들 경찰 됐다. (피식) 나도 처음엔 황당했는데…
하다 보니까… 이게 제대로 사는 기분인가… 싶기도 하고…

아침에 눈 뜨면 막 출근하고 싶어…
나도 내가 신기해. (미소 짓는데)

조금 떨어진 곳에서 관리자와 고객이 지나가면서 실랑이 중이다.

고객 (액자를 들고 사정하는) 잠깐이면 된다니까요.

관리자 아 글쎄, 안 돼요. 직계 가족이 아니면 못 엽니다.

순간, 떠오르는 문자.

INSERT. *7부, 문자 내역 컷*
최선우: USB는 어디 있어?
조성구: 그건 걱정 마세요. 저밖에 못 여는 데에 있습니다.

안치단을 보는 이수. 곳곳에 액자와 꽃 장식들이 들어 있다.

이수 ! (엄마 사진 보고) 엄마, 사건 때문에 바빠서 갈게. 또 올게!

이수 나가면 마치 이수를 보고 있는 듯한 엄마 사진.

14. 납골당 주차장, 낮

이수가 전화를 하며 자신의 차로 걸어간다.

이수 (연결되면) 어, 조성구 가족 중에 사망한 사람 있어?

강현 (조성구 집 안, 여전히 둘러보면서)

몇 년 전에 아버지가 돌아가셨던 거 같은데? 그건 왜?

이수 (자신감 넘치는 표정) USB 어딨는지 알 거 같아.

이수, 급히 차에 타는데 멀리서 누군가 이수를 보고 있다.
보면, 차에서 내리던 명철이다.
정복을 입은 이수를 가만히 보는 명철.
이수는 차를 출발시켜 지나치면서 명철을 보지 못하고.
명철은 꽃다발을 들고 납골당 건물로 걸어가기 시작한다. (혼자 왔다)

15. 납골당, 낮

명철, 가만히 선영의 안치단을 바라보고 섰다.

16. 조성구의 아빠 납골당, 낮

#입구

강현과 이수가 건물 안으로 같이 들어온다.

#안치실

담당자가 안치단이 늘어선 곳에 서 있다가 다가온다.
강현, 수색 영장을 준다.

담당자 (영장 확인하고) 이쪽입니다. (앞서고)

이수, 강현 따라가면, 안치단 하나를 여는 담당자.
안에는 미니어처로 제사상이 차려져 있고, 한쪽에 조성구의 사진, 손자들 사진들. 담당자가 열어 주고 사라지면.

이수 (고인을 향해) 잠깐 실례할게요.

안을 자세히 보는 이수. 사진 뒤에는 없다…
그러다 제사상을 뒤집어 보는 이수.
상 밑에 USB가 붙어 있다. 씩 웃는 이수.

#복도
걸어가면서 이수를 보는 강현.

강현 어떻게 알았어?
이수 엄마한테 갔었거든. 기일이라….
강현 (가만히 보는)

17. 강하경찰서 전경, 낮

18. 강력팀 사무실, 낮

상기된 얼굴로 모니터 앞에 모인 강력팀원들.
경진이 USB를 꽂고, 파일을 열면 수십 개의 동영상 파일이 뜬다.

강현 동영상이네….
이수 (가리키며) 홍은아부터 보자.

경진이 홍은아 파일을 열면….

INSERT. *모니터 화면.*
진료실이 아닌 다른 방. (벽에 걸린 거울에 설치된 몰카 시점)
검은 옷을 입은 은아가 돌아서서 테이블에서 뭔가를 하고 있다.
과격한 몸짓인데, 손에는 칼을 들고 있다.

'뭐 하는 건가….' 보는 팀원들.

INSERT. *모니터 화면.*
은아 뒤돌면서 찢어진 명품백과 인형을 바닥에 던진다.
바닥에는 커다란 스텐 접시가 있고, 떨어진 인형 조각들에 기름을 붓고 불 지르는 은아의 살벌한 얼굴. 흡사 마녀 같은.

이수 (움츠리며) 으… 저거 내가 사 준 건데….
강현 무슨 짓을 했길래?
이수 난 당하기만 했지. (도리도리) 치료가 덜 됐네…
(경진에게) 그만 보자, 무섭다.

경진이 파일을 끄면.

이수 왕종태 보자. 무슨 병인가 궁금해.

경진이 왕종태 파일을 열면.

INSERT. *모니터 화면.*
테이블 앞에 등을 지고 앉은 여자가 화장을 하고 있다.
화려한 드레스에 킬힐을 신었다.

이수 왕종태가 아닌데?

INSERT. *모니터 화면.*

사뿐사뿐 화면에서 걸어 나가는 여자.

순간, 다시 확 화면으로 들어서는 여자. (거울을 보는 것) 왕종태다!!

가발에 드레스에 화장 잘 먹은 왕종태가 거울 앞에 선다.

종태 (황홀한 얼굴로 거울 보며) 예쁘다…!

'아우 씨!!!' 모니터에서 확 떨어지는 강력팀들.

이수 (눈 가리고) 어, 나 트라우마 생겼어.

경진 (같이 눈 가리고) 저도요.

강현 (파일 끄며) 그만들 해.

준영 (차분) 20억 줄 만하네.

강현, 파일 리스트 보면서. (모니터 화면 컷)

강현 홍은아, 왕종태… 마지막 타깃은 누구였을까…?

준영 (같이 파일 보면서) 여기 있는 사람들 모두 정재계 거물들이야. 결혼을 앞둔 홍은아나 선거 중인 왕종태는 돈을 줄 확률이 높지만 다른 사람들을 건드리는 건 너무 리스크가 크지.

이수 (어느새 다가와 파일 보면서) 파일이 오픈되면 가장 큰 타격을 입는 사람… 무조건 돈을 줄 사람….

강현, 준영, 경진 (이수를 보는데)

이수 (뭔가 떠오르고!) 뭐 좀 알아보고 올게!!

나가는 이수.

강현 (모니터 보며) 이 사람들이 협박을 받았는지 어떻게 확인하지?

생각에 잠기는 준영, 경진, 강현에서.

19. 한옥 전경, 낮

20. 한옥, 낮

#방 안

한옥 스타일의 찻집, 혹은 다도를 가르치는 곳.
매서운 인상의 시어머니 앉아 있고, 은아, 다소곳하게 차를 준비하는데…
테이블 위에 있던 은아의 핸드폰이 진동한다. <개재수또라이미친X>
화들짝 놀란 은아가 이름 가리며 통화 거절 누르는데, 보는 시어머니.
은아, 어색하게 웃는데 다시 진동하는 핸드폰.

시어머니 (우아, 냉정) 받아 봐라.

은아 네, 어머니….

어색하게 웃으며 핸드폰을 들고 나가는 은아. 보는 시어머니.

#마당

나와서 전화를 받는 은아.

은아 (소리 죽여 발악) 이 미친 게 어디서 전화질이야?!

INSERT. *강하경찰서 복도.*

욕먹을 줄 알았다는 얼굴로 전화 받고 있는 이수, 이하 교차.

이수 나도 반가워, 은아야.

은아 뭐야, 빨리 말해! 별 거 아니면 죽는다!

이수 너 협박당하고 나서 서 박사한테 아무 말 안 했어? 네가 가만히 있을 사람은 아니잖아.

은아 당근 가서 뒤집어 놨지.

(은아, 병원 로비부터 뭐 집어 던지면서 진료실까지 들어가는 컷)

이수 서 박사도 알고 있었다는 거네….

은아 됐지? 끊는다. 다시 전화하면 죽을 줄 알아.

이수 아, 잠깐만 하나만 더.

은아 아, 뭐?

이수 네가 받는다는 특별 진료가 뭐야?

답 듣고, 모든 게 아귀가 맞아 들어간다는 얼굴의 이수…

이내 씩 웃으며 사무실로 향한다.

21. 강력팀 사무실, 낮

동영상에 있던 인물들을 리스트로 만든 자료를 보고 있는 강현.

죄다 재계, 정계, 검찰청 유명 인사들이다. 이 사람들을 다 어떻게 만나나 싶은 강현, 한숨 나오는데.

이수 (들어오면서) 범인은 서 박사야! (빼기고) 내가 처음부터 서 박사라고 했지?

준영 (한숨, 무시)

이수 (강현에게) 서 박사는 협박 건을 알고 있었어. 은아가 병원을 뒤집어 놨었대. 우리한테 거짓말한 거야.

강현 (이수를 보는)

INSERT. *7부, YK 병원 진료실.*

강현 *병원의 정보를 빼내서 환자들을 협박했던 것 같습니다.*

서박사 *(충격 받는) 뭐라고요?!*

강현 *모르셨어요?*

서박사 *전혀… 몰랐어요. 이 남자가 체포된 건가요?*

강현 *시신으로 발견됐어요. 살해당했습니다.*

서박사 *(7부와는 조금 다른 묘한 표정)*

강현 서 박사가 알고 있었다면….

이수 보안프로그램 담당자인 조성구에게 연락을 했겠지. 들켜 버렸으니 조성구는 마지막으로 서 박사를 협박했을 거야.

강현 (끄덕이고) USB가 세상에 나가면 가장 두려울 사람은 서 박사다….

이수 (끄덕이고 파일 리스트 보며) 이 쟁쟁하신 분들이 가만두지 않을 테니까. 병원 문 닫고 끝나는 일이 아니야.

경진 ('그렇구나.' 하는 얼굴인데)

이수 마음이 급해진 서 박사는 조성구를 직접 죽였을 거야.

준영 서 박사가 조성구 목을 그었다는 겁니까? 말도 안 됩니다. (리스트 파일 손에 들고) 이 중의 누군가가 협박을 당했고! 전문가를 시켜서 죽인 겁니다!

이수 서 박사는 의사예요. 몇 번이나 사람을 해부해 봤을 거고, 얼마든지 죽일 수 있죠, 전문가처럼.

준영 (말 안 되는 소리, 답답한데)

이수 무엇보다… 최선우를 탈수로 죽게 만들 수 있는 건 서 박사뿐이야.

강현, 경진 (잘 나가다가 뭔 소리)?

이수 서 박사의 특별 진료가 있는데 그게 최면이래.
사실은 그걸로 유명하다는 거야.
담배, 술, 도박 뭐든 끊게 해 주고 성격까지 바꿔 준대.

강현 (믿음이 안 가고) 최면…으로 최선우를 죽게 했다고?

준영 어떻게 최면을 겁니까? 물 먹지 말라고?

이수 그건, 나도 모르지만… 둘 사이에 충분히 라포가 형성되어 있으니까 어떻게 했겠죠!!

강현 나도 최면은… 모르겠는데….

이수 아니 그럼 물을 안 먹은 게 설명이 안 되잖아! (경진을 보는데)

경진 (믿었던 경진마저 미지근한 반응인데)

준영 헛소리는 그만 듣고, 여기 이 사람들 어떻게 접촉할지 생각해 보자.

이수 (답답하고 강현에게) 아, 범인 나왔는데, 이 사람들을 왜 만나~?

강현 그만해. 서 박사가 협박 건을 알고 있었어도 모른 척 할 이유는 많아.

이수 와, 나 미치겠네. (아이디어 떠오르고) 그럼, 박 형사가 가서 한번 해 보자!

준영 (인상 쓰고 보는)

이수 봐, 절대 최면 안 걸리게 생겼잖아. 근데 걸린다? 그럼 서 박사가 능력 있단 얘기지.

준영 (짜증 나는데)

강현 … 괜찮은 생각 같은데.

준영 (황당) 어?!

이수 (강현에게) 그치? 박 형사가 절대 안 할 행동을 하게 만들라고 하는 거야!

경진 (재밌겠다) 제가 하면 안 돼요?

이수 넌 나도 걸 수 있을 거 같아.

(손가락으로 동그라미 그리면서) 잠이 온다… 잠이 온다….

경진 (잠드는 척하고, 웃고)

준영 (두 사람 보다가 강현을 보고) 진심이야?

강현 확인 차원에서 해 보자.

준영 (혀 차고) 난 절대 안 걸려.

이수 두고 봅시다. (피식) 내가 예약할게요.

22. 이수의 집 앞, 밤

이수, 차 세우고 집으로 들어간다. 신나 있다.

23. 이수의 집, 밤

이수, 들어오는데, 최 이사가 앞치마를 두르고 요리를 해서 내놓는다.

이수 (테이블에 앉으며) 오, 아저씨 파스타! 맛있겠다.

최 이사 손 씻고 앉으셔야죠.

이수 넵! (화장실로 가고)

CUT TO

이수, 앉아서 파스타 먹고, 최 이사도 같이 먹다 흐뭇하게 이수 본다.

이수 와, 진짜. 아저씨가 가게 내면 제가 전액 투자할게요.

최 이사 은퇴하면 세계 여행할 겁니다.

이수 나도 따라가야지.

최 이사 거절하겠습니다.

이수 (피식) 예약은 됐어요?

최 이사 그럼요.

이수 어떻게 했어요?

최 이사 해외 부동산 투자를 하는 졸부로 했습니다.

이수 졸부라… 잘 어울리겠네. 서 박사 자료는요?

최 이사 (파일 더미 올리며) 여기 있습니다.

파스타를 먹으며 파일을 살펴보기 시작하는 이수.
흐뭇하게 보는 최 이사.

INSERT. *올해의 의사상을 받는 서 박사의 사진.*
(사진 속 상패는 진료실의 것과 조금 다르다. 상패 밑에 금색의 무언가가 있다)
그리고 서 박사의 담당 교수 유명석(60대 남)의 사진과 자료.

24. 강하경찰서 전경, 오전

25. 강력팀 사무실, 오전

사무실 중앙, 행거에 화려한 의상들이 늘어선 가운데,
강현과 경진은 구경하고 있고.
짜증 난 준영의 몸에 옷을 대며 고민하고 있는 스타일리스트 이수.

준영 대충합시다!

이수 아니… 무슨 옷을 대도 재벌 느낌이 안 나네… 얼굴 때문인가….

준영, 짜증 나서 아무 옷이나 들고 나가고.

강현과 경진은 재밌는지 웃고.

CUT TO

차려입고 나온 준영. 그럴 듯 하고.

이수 그 와중에 제일 비싼 걸 골랐네. 눈썰미는 있나 봐요~

이수, 준영에게 목걸이, 커프스, 시계 탁탁 채워 주고.

26. 강하경찰서 주차장, 오전

이수의 차 앞에 선 이수와 준영.

이수 콘셉트가 졸부인데… (준영 보고) 뭐 평소대로 하면 되겠네.
원래 '삐딱~'하고 거만하니까.

준영 (손 내밀고) 키나 내 놔요.

이수 (키 꺼내고 주려다가 빼면서) 얘가 예민한 애예요. 조심해요.

준영, '탁' 키 채서 열고 문 쾅 닫고 탄다.

이수 조심하라고! 상처 안 나게!!

'부앙~' 속도 높여 가는 준영.
'아유, 밉상이야~~' 보는 이수에서.

27. 도로, 이수의 차 안, 낮

운전하는 준영, 좋은 옷에 고급 차에 왠지 기분이 들뜬다.

이수의 선글라스를 꺼내 쓰는 준영. '이런 맛이군, 재벌이란 건….'

28. YK 병원 전경, 낮

29. YK '병원 진료실, 낮

서 박사와 마주 앉은 준영. 거만하고 재수 없는 태도.

준영 박사님 소문났던데? 최면을 잘하신다고?

서박사 (재수 없지만 참고) 네….

준영 내가 나쁜 버릇이 하나 있어서 고치고 싶은데….

서박사 (보는)

준영 (삐딱) 그 전에 테스트 한번 합시다.

서박사 (기가 차고) 테스트요?

준영 능력 있다고 사기 치는 인간들이 한둘이어야지. 많이 당했어요~

서박사 (자존심 상하는데)

준영 자신 없으면 여기서 그만두죠. (일어서려 하고)

서박사 해 보죠, 테스트.

준영 내가 진짜 싫어하는 인간이 하나 있는데… 오늘 하루 동안 걜 좋아하게 만들어 봐요.

서박사 (가소롭다는 표정)

CUT TO

안락의자에 눕듯이 앉은 준영. 손에는 등대 오르골이 놓여 있다.

등대가 돌아가면서 빛이 나오고… 사라지고… 준영의 눈에 비친다.

서박사 (옆에서 조용히 말하는) 당신은 지금 바닷가에 있어요.
파도가 밀려오고… 밀려갑니다….

눈을 감는 준영.

INSERT. *바닷가.*
준영, 해변에 서 있고, 바닷물이 밀려오고 밀려간다.

서박사E *사방은 고요하고… 마음은 편안합니다…*
공기는 따뜻하고… 발은 가벼워요….

준영, 해변을 편안한 얼굴로 걷는다.

서박사E *멀리서 그 사람이 걸어옵니다….*

준영 보면, 이수가 걸어오고 있다. 이수를 보는 준영에서….

진료실, 태엽이 돌아가던 오르골이 '탁' 멈추면 준영이 눈을 뜬다.
최면이 걸린 건지 아닌지 알 수 없는 얼굴.

30. 강하경찰서 전경, 낮

31. 강력팀 사무실, 낮

강현과 경진, 자료를 살피다가 준영이 들어오자 쳐다본다.
준영, 이수의 옷을 벗으면서 들어오고.

강현 (안색을 살피며) 어때?

준영 뭐가 어때? 최면, 말도 안 되는 거라니까.

경진 (실망) 아, 내가 갔어야 되는 건데….

강현 (피식 웃는데)

이수가 핸드폰 통화를 하면서 걸어 들어온다.

이수 네, 미팅 잡으셨어요?

준영이 이수를 본다. 뭔가 기대하는 얼굴로 준영을 보는 강현과 경진.
이수는 A4용지에 적는다. <한국대학교, 의과대학, 7시>
하지만 지그시 이수를 볼 뿐인 준영.
이수, 종이를 '슥-' 집어 들다가 손을 베인다. '아' 하고 보는 이수.
순간, 번개처럼 이수 앞으로 뛰어가 이수의 손가락을 잡는 준영.
이수, 의아해 보는데 준영은 피가 베인 손가락을 '후-' 불어 준다.
'허걱' 얼어붙은 이수. 터지는 웃음에 입을 막는 강현과 경진.

준영 (자상한) 아프지…?

이수 뭐, 뭐야….

준영 잠깐만. (밴드를 찾으려고 서랍을 열고)

이수 (강현에게) 왜 저래?

강현 (웃으며) 최면 걸린 거지. 너 좋아하게 해달라고 했대.

이수 왜 그런 걸!

준영	(밴드와 연고 들고 다가오고)
이수	(뒷걸음질 치며) 가까이 오지 마. 저리 가!
준영	(손 내밀며) 이리 와.
이수	하지 말라고. 저리 떨어져 있어!

뒷걸음질 치던 이수가 중역 책상에 걸려 삐끗하며 넘어진다.

준영	(무슨 큰일 난 듯) 괜찮아? 다쳤어!!
이수	괜찮아. (일어서려 하며) 너만 없어지면 더 괜찮을 거 같아.
준영	가만히 있어.

32. 강하경찰서 복도, 낮

이수를 공주님 안기로 안아 들고 나오는 준영.
경진은 핸드폰으로 찍고 있고, 뒤에서 강현은 웃겨 죽고.
지나던 2팀원들은 뭔 짓인가 보며 지나간다.

이수	(창피하고 열 받고) 내려놔.
준영	(다정하고) 움직이지 마. 다쳐.
이수	(이 악물고) 한 대 때릴 거 있었지. 지금 친다.

이수가 '빡-' 준영의 따귀를 때리고.
그 바람에 '우당탕' 바닥으로 넘어지는 두 사람.
놀라 다가오는 강현과 경진.
준영이 얼굴을 만지며 약간 정신을 차리는 듯한 얼굴이고….

이수 (준영을 보며) 어때, 이제 정신이 좀 들어?

강현, 경진 (다가와 최면이 깨졌나 보는데)

준영 (이수만 보고) 어떻게 나한테 이럴 수 있니? 난 걱정돼서 그런 건데.

이수 ('으허-' 미치겠고) 내가, 내가 나가야겠다.

도망치듯 나가는 이수.

준영 (쫓아가며) 진이수! 어디 가~?

웃으며 준영을 보는 강현과 경진. (핸드폰으로 찍고 있는)

경진 (웃으며) 박 선배, 다정한 사람이었네~ 그동안 숨기고 있었어…
(웃음 잦아들며 강현 보고) 근데 서 박사 좀 무섭네요….

강현 (끄덕이고) 정말 사람을 최면으로 조종할 수가 있네.

경진 그럼 이제 어떻게 해요?

강현 최선우 살인은 입증할 수 없을 거야. 중요한 건 조성구 사건이야.
누굴 시켰든, 직접 죽였든, 그 물증을 찾아야지.

33. 한국대학교 전경, 밤

34. 유명석 교수 연구실, 밤

책이 산처럼 쌓인 연구실 안, 초로의 유 교수가 앉아 있고 맞은편에 이수가 앉았다. 답을 기다리듯 유 교수를 보는 이수.

유 교수 (천천히 입을 떼는) 서유경… 기억나죠. 제가 가르쳤던 제자 중에 가장 뛰어난

학생이었습니다.

이수 (유 교수를 보는)

유 교수 사람은 모두 가지고 태어나는 게 있습니다.
서 박사는 사람의 생각을 꿰뚫어보는 능력을 타고났어요.
그래서 내가 정신과 전공은 하지 말라고 했어요.

이수 (의아) 왜요?

유 교수 인간의 마음을 다 알 수 있다는 착각, 그 자만이 환자도 의사도 망가뜨리는 거거든요.

이수 (유 교수를 보는)

유 교수 서 박사가 무슨 문제를 일으킨 겁니까?

이수 최면을 이용해서 사람을 죽인 것 같습니다.

유 교수 (깊은 탄식)

이수 그게 가능한 일일까요?

유 교수 최면은 공식적으로 인정되진 않았지만… 효과는 있습니다.
저도 치료에 이용할 때가 있어요…
환자의 의식을 지배하는 단계까지 들어갔다면 살인도 가능하죠.

생각에 잠기는 이수…
그런데 서 박사와 똑같은 올해의 의사 상패가 여기에도 있다.
가까이 다가가서 보는 이수.

이수 이 상은… 서 박사 진료실에도 있었어요.

유 교수 네, 3년 전에 받았을 겁니다.

상패를 보다가 서 박사의 상패를 떠올리는 이수.
(크리스털, 안에 아무것도 없는 컷)

유 교수의 상패에는 금색의 무언가가 들어 있다.
이수, 열어서 보는데, 꺼내는 것은 … 메스다!
메스에는 유명석이라고 이름이 적혀 있다.

유 교수 조심하세요. 날이 서 있습니다.

메스를 보는 이수. '이게 조성구를 죽인 흉기일까?'
유 교수는 이수의 손에서 메스를 받아 상패에 다시 넣는다.

이수 교수님, 제가 부탁 하나 드려도 될까요?

35. 강현의 집 거실, 밤

형준, 그림을 그리고 있고, 강현은 소파에서 핸드폰 보고 있다가 문자가 오자 나간다.
어디 가나 보는 형준.

36. 이수의 집 앞, 밤

이수, 주차하고 기다리고 있고, 강현이 집에서 나온다.

강현 무슨 일이야?
이수 서 박사 지도 교수를 만났어.
강현 (보는데)
이수 서 박사가 최선우를 죽게 만들었다는 거 입증할 수 없겠지?
강현 응, 재판에 갈 수도 없을 거야.

이수 그래서 내가 작전을 하나 짰거든? (미소) 팀장이 허락해 주라.

이수를 보는 강현. 미소 짓고 있는 이수.

INSERT. *강현의 집 거실.*
창밖으로 서서 이야기하는 이수와 강현을 보는 형준.

37. 고급 레스토랑, 낮

마치 정원처럼 꾸며진 식당이다. 테라스 혹은 넓은 마당이 화원 같다.
그곳에 하얀 테이블이 몇 개 있지만 모두 비어 있고.
한 테이블에 이수와 서 박사가 마주 앉았다. 부드러운 음악.
서로 보고 있는 두 사람. 이수가 와인을 따라 주면. 메인 요리가 나오고….

이수 (부드럽게 웃으며 예의 바른 섹시함. 첫 데이트를 하는 듯한 태도)
박사님하고 이야기를 좀 나누고 싶었어요. 진료실이 아닌 곳에서…
꽃을 좋아하신다고 해서 여길 예약했는데….
서 박사 (편안한 표정으로 꽃을 보며) 네, 꽃 좋아해요.
이수 드셔 보세요, 여기 요리 괜찮아요.

서 박사와 이수, 식사를 시작한다.

이수 박사님은 어떻게 정신과를 선택하셨어요?
서 박사 (이수를 바라보며) 사람들을 구하고 싶어서요. 아무에게도 말 못할 병을 가진,
그런 사람들….
이수 대단하세요. 다른 사람의 마음을 들여다본다는 거 쉬운 일은 아니잖아요.

서박사 (살짝 잘난 척) 쉬운 일은 아니죠….

이수 (미소) 쉴 땐 뭐 하세요? 여행 좋아하세요?

서박사 여행… 좋죠. 시간이 없어서 자주 가진 못하지만.

이수 바다 좋아하세요?

서박사 (끄덕이면)

이수 제가 바닷가에 별장이 하나 있는데, 거기 모래가 정말 부드러워요.

서 박사, 이수를 보는데, 이수의 나이프에 비친 햇살이 반사되며 서 박사의 눈을 스친다. 반짝… 반짝… 등대 오르골처럼. 들려오던 음악도 서 박사 오르골의 음악으로 디졸브 되며 바뀐다.

이수 넓은 해변을… 혼자서 걸으면 마음이 편안해져요.
파도가 밀려오고 또 밀려가는 걸… 가만히 보고 있으면….

서 박사의 눈을 스치는 빛들… 미소를 지으며 살짝 눈이 풀리는 서 박사….

이수 (핸드폰 확인하고 조용히) 잠시만요.

이수가 핸드폰을 들고 나가면, 서 박사 생각에 잠기는 얼굴인데…
뒤에서 유 교수가 다가와 서 박사의 어깨를 살짝 쓸어내린다.

서박사 (돌아보는데 약간 풀어진) 어? 교수님. (하는데)

유교수 (다시 어깨를 쓸어내리며) 앉아… 편히 앉아.

서 박사 편히 의자에 기대고….

유 교수 (옆자리에 앉으며) 아무것도 걱정할 거 없어. 넌 잘못이 없으니까… 마음은 편안하고… 몸은 가벼워지고… 눈꺼풀이 무거워….

서 박사, 유 교수를 보는데, 넥타이핀이 반사한 빛이 쏟아지고… 눈이 스르륵 감긴다. 멀리서 보고 있는 이수.

38. 강하경찰서 전경, 낮

39. 강력팀 사무실, 낮

이수, 사무실로 당당하게 들어오는데, 준영과 눈이 마주친다.
'흠칫', 멈춰 서는 이수.

이수 (준영 가리키며 강현에게) 오늘은 정상이야?
준영 뭔 소립니까?
강현 괜찮아, 들어와.
준영 (답답하고) 내가 어제 뭘 어쨌길래….
경진 (가까이 보며) 기억 안 나요? … 하나도?
준영 안 난다고! 뭔데?
경진 보여 드릴게요. (핸드폰 동영상 틀면)

준영이 이수를 안고 걸어가는 영상이 나오고.

준영 (경악) 이게 뭐야?
경진 (씩) 이랬답니다. 손가락도 (시늉 하며) '후~' 불었어요.
준영 야, 당장 지워. (핸드폰 잡으려 하고)

경진 (치우며) 안 돼요. 슬플 때 볼 거예요. (도망치고)

준영 (잡으려 하며) 당장 안 지워? (쫓아가는데)

이수와 강현, 두 사람 보는데, 그 뒤로 서 박사가 나타난다.
놀라 보는 강력팀에서!!

40. 진술 녹화실, 낮

앉아 있는 서 박사. 맞은편에 강현과 이수.
이수는 오르골(집에서 가져온 것)의 태엽을 돌려 책상 위에 놓는다.
돌아가며 빛을 비추는 오르골… 그리고 흘러나오는 음악…
가만히 오르골을 보던 서 박사가 입을 연다.

서 박사 홍은아를 협박했다는 사실을 듣고, 조성구에게 전화를 했어요.

41. 서 박사의 자백

#서 박사의 진료실
전화하는 서 박사. 굳은 얼굴.

성구 E 박사님이 몰래 찍은 환자들 동영상… 제가 가지고 있습니다.

서 박사 돈은 얼마든지 줄 테니까, 만나요. 만나서 얘기해요.

성구 E … 병원으로 찾아뵙죠.

서 박사 아니, 내가 그쪽으로 갈게요.

크리스털 상패에서 금색 칼을 꺼내는 서 박사. (서유경이라고 적혀 있다)

#오피스텔

정문, 식당가 복도, 엘리베이터

수많은 사람들에 섞여 걸어가는 서 박사. 남자처럼 입고 검은 모자 눌러썼다. 전혀 다른 사람처럼 보인다.

#조성구의 집 앞

서 박사 서 있는데, 열리는 문, 조성구가 나타난다.

#조성구의 집 안

테이블에 앉아 뭔가 얘기하는 두 사람. 긴장된 분위기.

서 박사 어떻게… 보안 회사 직원이 이런 짓을 해요?

성구 저나 사장님이나 힘들어서 그러죠. 박사님은 돈 많잖아요?

서 박사 (놀라고) 사장님? 최선우 대표 말이에요?

성구 … 돈만 주시면 다 끝나요.

서 박사 (눈빛 변하고) 동영상은 어디 있어요?

성구 제가 아무도 모르는 곳에 숨겨 놨어요.

서 박사, 핸드폰 확인하는 척 자연스럽게 조성구의 뒤로 간다.

조성구는 긴장을 풀려고 담배를 하나 꺼내 문다.

그리고 라이터를 켜는 순간!! 뒤에서 조성구의 목을 그어 버리는 서 박사.

벽으로 피가 분수처럼 튀고.

조성구는 의자 옆으로 쓰러지고…

피 한 방울 안 묻은 서 박사는 손수건으로 손이 닿았던 곳을 닦으며 뒤로 물러선다… 현관문을 닫고 나가는 서 박사의 실루엣.

#도로

운전하는 서 박사의 차 안

통화하는 서 박사.

서박사E 그리고 최선우에게 전화를 했어요.

최면 치료를 몇 번이나 했기 때문에 암시를 거는 건 쉬운 일이에요.

서박사 조성구가 살해당했어요. 이제 당신을 죽이러 올 거예요.

당장 도망쳐요.

#도로 CCTV

도로에 차를 세우고 황급히 도망치는 최선우.

서박사E 가장 안전한 곳에 숨어요… 밖에 나가면 안 돼요…

당신을 죽이려는 사람들이 밖에 있어요….

#건물 CCTV

사무실에 들어가는 최선우.

#창고 안

겁에 질려 있는 최선우. 초조해 서 박사에게 전화를 하는 최선우.

서박사E(현재) 창고에 갇혀서 며칠이나 약을 못 먹었으니 공포는 점점 커지게 되죠.

숨이 막히는지 셔츠를 풀다가 옷을 막 벗어던지는 최선우.

점차 혼란스러워지는 최선우의 시선.

서박사 E 아무것도 먹지 말아요… 그 사람들이 독을 타 놨어요….

최선우, 목이 타는지 물을 마시려다가 물통을 던져 버린다.
그대로 벌거벗은 채 웅크리는 최선우의 부감에서… 죽은 최선우로.

42. 진술 녹화실, 낮

이수와 강현이 서 박사를 보고 있는데…
오르골 태엽이 끝나며 '툭' 멈춘다.
갑자기 정신을 차리는 서 박사.

서박사 (오르골 보고 하얗게 질리며) 나한테 무슨 짓을 한 거야?!!
이수 당신이 환자한테 하던 짓.
강현 방금 모두 자백하셨습니다.
서박사 자백?! (굳어 있다가) 그래 봤자… 증거 없잖아?
이수 정말 기억이 안 나시는구나… (빙글) 방금 칼 어디에 뒀는지 얘기하셨어요.
서박사 (분노에 이수를 무섭게 노려본다)
네가… 감히… 나한테!!
이수 (서 박사 보며 웃고) 네, 제가 감히 체포할게요.
(문 열리고 경진이 들어오면) 경진아, 편안하게 모셔라. 유치장으로~

경진이 들어와서 서 박사를 끌고 나간다.
나가면서도 이수를 노려보는 서 박사.

43. YK 병원 로비, 밤

영장 내밀며 들어가는 이수와 강현.

44. 서 박사 치료실, 밤

동영상에서 봤던 방이다. 커다란 거울이 있는. (거울 가운데에 구멍)

이수가 거울을 떼어 내면, 몰래 카메라가 붙어 있는 문.

문을 열면 작은 공간. 벽에는 환자들의 자료가 빽빽이 꽂혀 있고, 금고가 있다. 비밀번호를 눌러 금고를 여는 이수.

안에는 외장하드와 칼이 놓여 있다.

이수 여기 있네. (장갑 낀 손으로 집어 들고)

강현 (증거 봉투 벌려 받고)

이수 올해의 의사상으로 받은 거라 아까워서 안 버린 건가?

강현 살해 도구를 못 버리는 범인은 많아. 어디에 버려도 불안하거든. 가자. (나서는데)

이수, 나가려다가 문득 천장을 보고 멈춰 선다.

천장에 거대한 <존 에버렛 밀레이의 오필리아>가 걸려 있다.

그대로 압도되어 움직이지 못하는 이수.

강현이 이수를 보다가 들어와서 그림을 발견한다.

그림을 보다가 이수를 보는 강현.

강현 진이수.

이수 (멍했던 얼굴 돌아오며) 어?

강현 왜 그래?

이수 어, 아니야. 가자. (앞서면)

강현 (잠시 이수를 보는)

45. 강하경찰서 유치장, 밤

유치장 안의 서 박사에게 칼을 보여 주는 강현.

강현 알코올로 꼼꼼히 닦으셨나 본데, 안타깝게도 조성구의 혈흔이 나왔습니다.

INSERT. *칼 조사하는 KCSI 대원의 손.*
음각으로 새겨진 서유경 글자에서 혈흔을 찾아낸다.

서 박사 (굳어 보는데)
강현 체포 영장 나왔습니다. 이제 구치소로 이송될 겁니다. (돌아서려는데)
서 박사 이강현 팀장.
강현 (돌아보면)
서 박사 진이수. 믿지 말아요. 걔… 시한폭탄이야.

서 박사를 보는 강현에서.

46. 이수의 집 앞, 밤

이수, 집 앞에 주차하고, 차 문 열고 나오는데,
이수의 집 앞에 앉아 있던 이 기자가 일어선다.

이 기자 오래 기다렸어요.
이수 ('엥?' 보다가) 나 이제 뉴스거리 없을 텐데….

이 기자	강하서에 엄청난 물건이 들어왔다면서요? 정재계 인사들의 비밀이 담긴 USB.
이수	… 뭘 잘못 아셨네. 정보원이 별론가 보다.
이 기자	내가 지금 진이수 씨 어머니 기사를 준비하고 있어요.
이수	(굳고)
이 기자	다른 소스를 주면, 그 기사를 안 내보낼 수도 있죠.
이수	(차갑고) 국민의 알 권리에… 우리 엄마까지 들어가나요?
이 기자	이런 시기에는 좋은 이야깃거리죠.
이수	이야깃거리… 기자들을 왜 기레기라고 하나 했는데… 이제 알겠네. 쓰레기 같은 짓들을 하고 다니는구나.
이 기자	(빙글) 나중에 후회할 텐데….
이수	협박인가? 후회하게 만들 자신은 나도 있어.

서로 보는 이수와 이 기자에서.

47. 이수의 집 거실, 밤

외투 벗고 앉아 있던 이수, 뭔가 생각이 났는지 일어서서 외투를 입고 다시 나간다.

48. 이수의 집 앞, 밤

이수, 차로 걸어가는데… 고급 차량이 와서 선다.
내리는 건 승주다. (안에 기사 있다)

이수	어, 형!

승주 이수야. 어디 가?

이수 무슨 일이야? 연락도 없이?

승주 할 얘기가 좀 있어서. 잠깐 들어가자.

이수 나 지금 가 봐야 돼. 무슨 일인데?

승주 왕종태 의원, 경찰서에 왔었다며? 어떻게 된 거야? 범죄 사건에 연루된 거야?

이수 ('형도 그 정보가 필요하구나.') 그런 거 아니야.

승주 지지율이 박빙이야. 우리한테 쓸 만한 카드가 될 수 있어. 뭔데?

이수 그냥 참고인 조사차 왔던 거야.

승주 (끈질긴) 그 참고인 조사가 뭔데?

이수 (정색하고) 형, 그건 말 못 해.

승주 (약간 빈정이 상하는)

이수 선거에 도움될 것도 아니야. 갈게.

이수, 차를 타고 가 버리고.
승주, 서운한 듯 이수 차를 본다.

49. 강력팀 사무실, 밤

어두운 사무실 안, 강현의 책상에만 스탠드가 켜져 있다.
강현, 보고서 마무리하고 프린트한다.
뽑아서 보는 강현… 생각에 잠기는….

INSERT. *그동안 이수가 활약했던 장면들.*
이수와 강현이 손발이 잘 맞았던 수사 컷들.

강현, 무거운 마음이지만… 결국 결재 파일에 보고서를 넣는다.

그때, 이수가 들어온다.

이수 아직 있었네. 일중독.

강현 (보는데)

이수 (장난으로 웃으며) 옥상으로 따라와!

강현, 뭔 소린가 보는데 나가는 이수.

50. 강하경찰서 옥상, 밤

나무 벤치 있고, 흡연 구역, 흙으로 채워진 버려진 도자기 화분 있다.
그 앞에 선 이수, 마주 보는 강현.

이수 (USB 꺼내고) 이거, 증거 보관실에서 가져왔어.

강현 ? (보는)

이수 이 안에는 위험한 정보가 너무 많아. 증거 보관실에 두기엔 불안해.
벌써 두 사람이나 나한테 접근했어. 내가 정보를 잘 주게 생겼나 봐?

강현 그래서?

이수 이거 없어도 증거는 충분하니까….
폐기시키는 게 어떨까 하는 거야.

강현 (보는데)

이수, 화분에 USB를 던지고, 라이터 기름을 붓고 불을 붙인다.

이수 내가 잃어버린 걸로 할게.

강현 (보다가) 왕종태 의원의 비밀을 이용할 수도 있을 텐데?

이수　　(설마) 나 경찰이야. 그런 짓은 안 해.

강현　　(가만히 보고)

이수　　(빙글) 반하겠지? 조심해라.

강현　　증거물 잃어버렸으니까 시말서 써.

이수　　네, 팀장님.

강현　　(이수를 보는데)

이수　　고마워… 나 안 쫓아내서. 어떻게든 방법은 있었을 텐데….

강현　　(난감해 하며 보는데)

이수　　(불타는 USB를 보면서) 어딜 가도 내 자린 없었거든… 어디에도 어울리지 않는 그런 기분이었는데… 이제 정말 잘 하고 싶어….

이수를 바라보는 강현에서.

51. 강력팀 사무실, 밤

결재 서류 파일을 보는 강현… 한숨을 쉬다가…
파일을 서랍에 넣는다….

52. 왕종태 의원의 집 앞, 밤

왕종태 의원, 세단에서 내리는데, 이수가 다가온다.

이수　　의원님~~

종태　　(지레 겁먹고) 뭐, 뭐야!! 협박이라도 하려는 거야?

이수　　(놀리듯) 에이, 큰일 하실 분이 왜 이렇게 겁이 많으실까~?

종태　　(근엄한 척) 그럼… 무슨 일인가?

이수　　저희가 USB를 찾았는데….

종태　　(하얗게 질려 보는)

이수　　그게 망가진 거라, 아무것도 없더라고요.

종태　　(그대로 굳어 있는데)

이수　　그러니까 아무 걱정 마시고 발 뻗고 주무시라고요.

종태　　(아무 말도 못 하는데)

이수　　(손 흔들며) 굿 나잇~! 내 꿈 꿔도 돼요~ (가는)

홀린 듯 이수를 보는 왕종태… 걸어가는 이수에서.

53. 한수 그룹 회장실, 밤

명철과 마주 앉은 승주.

승주　　분명히 왕종태 의원이 뭔가 있는 거 같은데, 이수가 말을 안 해요.

명철　　(무겁게) 승주야….

승주　　네.

명철　　너는… 내가 그런 치졸한 짓을 해야 이길 수 있다고 생각하는 거냐?

승주　　(당황해 굳는다)

명철　　내가 너를 잘못 봤구나.

명철, 일어서서 등을 돌리고, 승주는 일그러진다.
그때, 명철의 핸드폰이 진동한다. <서유경 박사>
통화 거절 버튼을 누르는 명철.

54. 구치소, 변호인 접견실, 밤

변호사와 마주 앉은 서 박사.
끊어진 전화기를 내려놓고 싸늘한 얼굴로 변호사를 본다.

서 박사 사람들은 나한테 살려달라고 찾아와요. 이대로는 죽을 것 같다고…
그래서 내가 병을 고쳐 주고… 새 인생을 살게 해 주면… 나를 모른 척해.
자기들의 약점을 쥐고 있는… 언제 터질지 모르는 폭탄처럼 멀리하죠.
(피식) 본능인가? 다들 알고 있나 봐.
내가 언제든 그 폭탄을 다시 터뜨릴 수 있다는 걸….

55. 이수의 집 앞 전경, 아침

56. 이수의 집 거실, 아침

씻고 나온 이수, 모닝 주스 마시는데. 핸드폰 울린다.
보면, 모르는 번호.

이수 (받고)
변호사 E 진이수 경감님.
이수 네.
변호사 E 저는 서유경 박사님의 변호인입니다.
이수 (살짝 긴장하는)
변호사 E 서 박사님이 진 경감님을 만나고 싶어 하십니다… 만나시겠습니까?
이수 …

57. 구치소 앞, 오전

차를 몰고 와 세우고 내리는 이수.

구치소 건물을 잠시 보는.

58. 변호인 접견실, 오전

크지 않은 방 안, 편안한 스타일의 소파 세트.

이수가 앉아서 기다리고 있다. 무슨 일로 부른 건지 궁금하다.

교도관이 서 박사를 데리고 들어와서 먼저 나가고.

이수 (서 박사를 보고) 옷이 잘 어울리시네요.

서박사 (피식 웃고, 마주 앉고)

이수 내가 보고 싶으셨나…? 뭐예요?

서박사 마지막으로 최면 치료를 한 번 할까 해서.

이수 난 고칠 데가 없는데?

서박사 네가 꾸는 꿈… 하얀 벽이 가득한 전시회장… 아니야?

이수 (긴장하는)

서박사 커다란 홀에… 그림은 한 점만 걸려 있지. 그림 속의 여자는 물에 가라앉아 있고….

이수 !! 그걸 당신이 어떻게 알아?

서박사 (미소) 내가 만들었으니까….

이수 (굳어 보다가) 무슨 수작인지 모르겠는데, 여기까지만 하죠. (일어서는데)

서박사 겁이 나겠지. 어린아이가 감당하기엔 너무 충격적인 사건이었어.

이수 (돌아본다)

서박사 그래서 내가 네 기억을 그림으로 바꾼 거란다… 멀리서 볼 수 있게….

이수 무슨 소릴 하는 거야?

서박사　네 엄마가 어떻게 죽었는지 내가 알려 주겠다는 거야.
용기를 내 보겠니?

이수　(충격과 두려움에 서 박사를 보는)

CUT TO

이수, 소파에 눕듯이 기대어 앉았다. 눈을 감고 있다.

서박사　(옆에 앉아서) 이제, 전시회장으로 들어가자….

59. 이수의 환영

이수, 하얀 벽으로 가득한 전시회장으로 들어간다. 경직된 얼굴…
그림 앞에 선다. 늘 봐 왔던 그 그림이다.

이수　그림이 있어요….

서박사E　그래… 이제 문을 찾아… 여기서 나가야 해….

이수　(주변을 돌아본다. 문은 없다) 문은… 없어요….

서박사E　벽에는 문이 없지… 바닥을 봐….

이수, 바닥을 보면, 이수가 바닥에 있는 문 위에 서 있었다.
(문은 미국 다락방으로 통하는 그런 문이다. 계단이 달려 있는)

서박사E　문을 열어….

이수, 긴장한 얼굴로 문을 연다. 이어진 계단이 보인다.

서박사 E 계단을 내려가….

이수, 계단을 내려간다.
아래로 암흑에 잠겨 있던 공간이 이수가 내려가면 밝아진다.
바닥에 또 문이 있다. 문을 열고 내려가는 이수…
다시 문을 찾고, 계단을 내려가는 동안… 이수는 점점 어려진다.
그리고 마지막 문을 열었을 때, 이수 옛집의 나무 계단이 나온다.
걸어 내려가는 이수의 발은 7살짜리의 것이다.
아이가 된 이수가 계단을 다 내려오면,
주변은 암흑이고, 화장실의 문이 열려 있고, 안에서 빛이 새어 나온다.
화장실로 향하는 어린 이수의 뒷모습.
겁에 질려 걸어가는 이수의 발…
그리고, 그곳에 욕조에 잠겨 죽어 있는 엄마의 모습이 나타난다!!

60. 변호인 접견실, 오전

소파에 앉아 있던 이수, 일그러진 얼굴로 비명을 지르며 깨어난다!!
하얗게 질린 이수의 얼굴에서.

8화 엔딩.

Flex X Cop

SBC

경찰특공대
KNP-SWAT

강하경찰서
포순이

ZX

PONTIUS

VIP

공무원증
POLICE
KOREAN NATIONAL POLICE

AVT

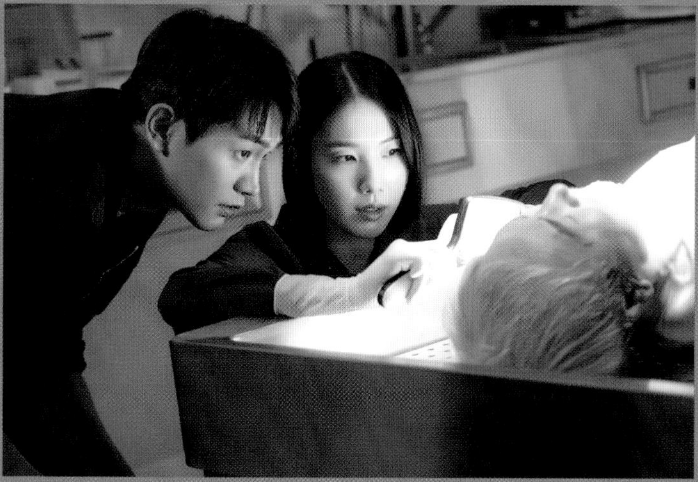

POLICE AGENCY

KOREAN NATIONAL POLICE AGENCY

POLICE

누구든… 각자의 인생에서 풀어야 할 숙제가
하나씩 있다고 한다. 나는… 그 말을 믿지 않았다.
의미 없이 사는 것도 나쁘지 않았으니까.
하지만 이제 내 인생에… 질문이 던져졌다.
나는 지금… 그 답을 찾으러 간다….

_진이수

연봉 비싼 변호사들 불러야지. _이강현
… 필요 없어. 난 잘못한 게 없으니까. _진이수

그 자식은 불량품이야.
난 이번에 모든 걸 걸었어. 무조건 이길 거다.
이렇게 중요한 시점에 불량품이 나돌면 안 되지. _진명철

실수를 했으면 인정을 하자.
그게 더 멋있는 거야.

_진이수

책임은! 그럴 만한 능력이 있는 사람이 지는 겁니다. _진승주

어디가 네 바닥이냐? _진명철
글쎄요. 아직 내려가는 중이라…. _진이수

넌 내가 없으면 아무것도 아니야. _진명철

내 수사에 방해가 되면… 죽는다. _이강현

내가 아주 조직적으로 무시를 당하고 있다. _진이수

또 얼굴에 손댔죠? 얼굴이 아니라 정신과를 가 보시라니까.
피해망상, 열등감, 그거 병이에요. _진이수

잘난 척은 버릇이냐? _이강현
특권이지. 잘난 게 팩트니까. _진이수

원래 사람이 죽으면 바닥이 보이는 법이거든. _이강현

세상 이치라는 게 심플한 거예요.
자기 자리를 잘 지키는 사람들이 시스템을 유지하는 거거든요?
_왕종태

제가, 돈도 빽도 안 통하는 데로 모실게요.
_진이수

사고는 아무 이유 없이 갑자기 일어나는 거예요.
누구 잘못도 아니에요.
_이강현

사람 고쳐 쓰는 거 아니거든. _박준영

수사가 완전 단순 노동이네. 창의력인 줄 알았더니. _진이수
동호회 쪽 네가 파. 창의적으로. _이강현

목숨은 값어치를 매길 수 없지…
살인은 목숨만 빼앗는 게 아니거든.
그 사람의 미래, 가능성을 모두 죽이는 거야….

_이강현

원래 수사는 몸으로 하는 거야, 머리가 아니라. _이강현

넌 대체… 어떤 세상에 사는 거니…. _이강현

웬만한 건 다 되는 세상? _진이수

나는… 범인 잡는 게 제일 재밌어. _이강현

범인은 현장에 다시 나타난다더니…
반갑다!

_진이수

피는 생각보다 멀리까지 날아가. 천장 쪽에 뿌려 봐.

_이강현

꿈은 무의식이 보낸… 편지 같은 거예요.

_서 박사

사람들은 나한테 살려달라고 찾아와요.
이대로는 죽을 것 같다고…
그래서 내가 병을 고쳐 주고…
새 인생을 살게 해 주면…
나를 모른 척해.
자기들의 약점을 쥐고 있는…
언제 터질지 모르는 폭탄처럼 멀리하죠.
본능인가? 다들 알고 있나 봐.
내가 언제든 그 폭탄을 다시 터뜨릴 수 있다는 걸….

_서 박사

가까이 하지 마라.
그런 일을 겪은 사람은… 마음에 균열이 생겨.
언젠가는… 터진다.

_이형준

어딜 가도 내 자린 없었거든…
어디에도 어울리지 않는 그런 기분이었는데…
이제 정말 잘 하고 싶어….

_진이수

재벌X형사 상권

초판 1쇄 인쇄
2024년 3월 26일
초판 1쇄 발행
2024년 4월 5일

글
김바다

펴낸이
백영희

펴낸곳
너와숲ENM

주소
14481 경기도 부천시
부천로354번길 75, 303호

전화
070-4458-3230

등록
제2023-000071호

ISBN
979-11-93546-14-7(04680)
979-11-93546-13-0(세트)

정가
28,000원

이 책을 만든 사람들

편집
허지혜
마케팅
유승현

제작처
예림인쇄

디자인
글자와기록사이